# CHRISTLICHE KUNST

Wolfgang Kemp

# CHRISTLICHE KUNST

*Ihre Anfänge · Ihre Strukturen*

Schirmer/Mosel

*Abbildungen auf dem Schutzumschlag:*
Elfenbeintafeln, als Buchdeckel montiert, 5. Jahrhundert
Mailand, Museo del Duomo

Die Deutsche Bibliothek – CIP-Einheitsaufnahme
*Kemp, Wolfgang:*
Christliche Kunst: ihre Anfänge, ihre Strukturen / Wolfgang Kemp. –
München; Paris; London: Schirmer-Mosel, 1994
ISBN 3-88814-737-9

Lithos: Repro Bayer, München
Satz: Typ-O-Graph, München
Druck und Bindung: Sellier, Freising

ISBN 3-88814-737-9
Eine Schirmer / Mosel Produktion

# Inhalt

# Einleitung: Beziehungssinne

Oublions les choses, ne considérons que les rapports!

Georges Braque

Das 19. Jahrhundert konnte als einziges genau sagen, was christliche Kunst ist. Der Periode davor stellte sich diese Frage nicht; in unserem Jahrhundert hat die Forschung das Problem in eine Ecke befördert, wo es nicht mehr im Weg stand und entstellt liegenblieb. Der Antrieb zur Diagnose erwuchs dem 19. Jahrhundert aus den Erfahrungen und Nöten der eigenen Zeit. Seine Bestimmungen erfolgten aus der Distanzerfahrung einer historisch werdenden Religiosität, waren aber selbst nicht distanziert, sondern mit Wünschen behaftet: Christliche Kunst war eine vergangene Größe, aber deswegen nicht abgetan. Selbst diejenigen, die sie nicht einfach wiederholen oder bewahren wollten, mußten sie als eine elementare Möglichkeit künstlerischer Produktion und Rezeption begreifen. Den Anregungen Chateaubriands folgend, der in *Génie du Christianisme ou beautés de la religion chrétienne* (1802) eine ästhetische Legitimation des Christentums versucht hatte, wurden regelrechte Geschichten der *christlichen* Kunst geschrieben. Ich nenne nur drei, in den drei Hauptsprachen der damaligen Kunstgeschichtsschreibung verfaßte: Alexis François Rios *De la poésie chrétienne dans son principe, dans sa matière et dans ses formes* (1836), wobei »Poesie« alle Kunstformen umfaßt, auch die bildende; Lord Lindsays *Sketches of the History of Christian Art* (1847, 3 Bände); Johann Neumaiers *Geschichte der christlichen Kunst* (1856). Die hier und in vielen anderen einschlägigen Schriften gebrauchten Definitionen des Christlichen an der christlichen Kunst fallen geradezu phantastisch übereinstimmend aus. Man merkt sofort, daß mehr auf dem Spiel steht als ein kunsthistorisches Anliegen. Hier wird das Selbstverständnis des Jahrhunderts und der westlichen Kultur zu einer zweireihigen Perlenkette der großen abendländischen Dualismen aufgefädelt. Wobei am anderen Strang die Wesensmerkmale erscheinen, die man der Kunst des heidnischen Altertums abgewann.

Einige, wenige Zitate aus einer Fülle gleichgerichteter Aussagen genügen. Johann Neumaier: »Das griechische Heidentum repräsentiert die › sinnlichschöne ‹ Natur des Menschen [...]. Das Christentum hingegen faßt die ewige, geistige Natur des Menschen ins Auge, um sie zu heiligen, zu verklären, zu vergöttern. Daher konnte der christlichen Kunst die sinnliche Schönheit nicht genügen, sie mußte vielmehr nach überirdischem, verklärtem Ausdruck, nach heiliger himmlischer Schönheit streben.«[1] »Das Heidentum wies ferner den Menschen nur auf die Erdenwelt an und ließ selbst seine

Götter zur Erde niedersteigen, um an den Schwächen und Leidenschaften, Freuden und Genüssen der Menschen Teil zu nehmen. Daher in den Gebilden der antiken Kunst überall die › heitere weltliche Ruhe ‹, der irdische Frieden, die sinnliche Lust. Im geraden Gegensatz hierzu will das Christentum den Menschen von der Erde losreißen und ihn himmelwärts lenken, indem es ihn nur im Aufblick zu Gott und dem himmlischen Vaterlande wahren Frieden und Trost finden läßt. Deshalb zieht die christliche Kunst den Geist mächtig nach Oben, zum Frieden in Gott, zum Siege über die sinnliche Welt, zur Sehnsucht nach der ewigen Heimat; die Gebilde der christlichen Kunst sind überhaupt ein verkörpertes › Sursum corda ‹.«[2] Zur gleichen Zeit heißt es bei John Ruskin:»Ich kann mich nicht an eine antike Statue erinnern, die in ihrem Habitus irgendeine gehobene Verfassung der Seele oder irgendeinen enthusiastischen, selbstvergessenen Affekt ausdrücken würde. Die Griechen waren nicht in der Lage, einen Geist zu bilden: für alles brauchten sie Glieder; ihr Gott ist ein endlicher Gott, ein Gott, der redet, seinen Geschäften nachgeht und auf Reisen ist.«[3] Am kürzesten hat es ein damals viel gelesener Autor, der Franzose Jean Jacques Auguste Nicolas in seinen *Études philosophiques sur le Christianisme* (1843 ff.) ausgedrückt: »Die griechische Kunst ist nach dem Fleische gebildet, die christliche nach dem Geiste«.[4]

Übertragen wir die Kernbegriffe dieser Aussagen in tabellarische Form, so erhalten wir folgende Gegenüberstellung:

| *Antike Kunst* | *Christliche Kunst* |
|---|---|
| Außen | Innen |
| Körper | Seele |
| Formenschönheit | Frömmigkeit |
| Ruhe | Dynamik |
| Horizontale | Vertikale |
| Endlich | Unendlich |
| Plastik | Malerei |
| Abbild | Zeichen |

Die beiden zuunterst eingetragenen Begriffspaare bedürfen einer Erläuterung. Wir erreichen hier endgültig den Einflußbereich der Schule Hegels, der ja bekanntlich den Gegenstand der Ästhetik historisiert und die großen Entwicklungsetappen des Kunstgeschehens, die historischen »Kunstformen« mit bestimmten Leitmedien und Leitgattungen identifiziert hat. Dieser Gedanke betrifft zentral die Zuordnung von Plastik zu Antike bzw. Christentum zu Malerei, während die Opposition Abbild – Zeichen das

Werk der Schüler ist. Karl Schnaase machte als »Kunstrichtung« des Christentums seine geistige, symbolische Tendenz aus, die sich in einer eigenen Zeichensprache manifestiere, aber auch die Historienmalerei erfasse: »man gewöhnte sich, die einzelnen Momente geschichtlicher Vorgänge symbolisch zu betrachten. Die Vergangenheit wurde eine Fundgrube von Gleichnissen, wie die Gegenwart von Metaphern.«[5] Ähnliches liest man bei Moriz Carrière, der von der christlichen Kunst seit ihren Anfängen in den Katakomben weiß, »daß die Darstellungen überall einen tieferen Inhalt ahnen lassen«: »So entkeimte denn eine neue bildende Kunst das Bestreben, die neuen Gedanken symbolisch zu veranschaulichen [...].«[6] Die derart aufgebaute Merkmalsbestimmung hat sich am längsten gehalten, hat die Demontage all der oben genannten Kriterien unbeschadet überlebt. So schreibt der Autor eines neuen Handbuchs der Christlichen Archäologie: »Die frühchristliche Kunst war signifikativ: die Darstellungen wurden zu Zeichen«[7] und setzt den »Ideismus« der neuen Kunstform gegen den »Similismus« der alten, womit das Gegensatzpaar Zeichen - Abbild noch einmal bestätigt wäre.

Diesem Prinzip, dieser »Kunstrichtung« zum Zeichenhaften und Symbolischen, wie sich die Schule Hegels ausdrückte, wird unterstellt, daß es von Anfang an, schon in der Katakombenzeit, vorhanden ist und dann offen oder untergründig fortexistiert und sich auch über ungünstige Perioden fortrettet. Es ist unzerstörbar, weil alles Wesentliche im Ursprung beschlossen liegt. Eine Folge dieser »Protologie«, dieser Konzentration auf die Anfänge war, daß nur an den Schöpfungen der Frühzeit und an der für sie zuständigen Fachdisziplin das Adjektiv »christlich« haftenblieb (altchristliche, frühchristliche Kunst, Christliche Archäologie), während die Kunst späterer Zeiten fortan quasi naturalisiert unter Stil- oder Epochenbegriffen wie mittelalterlich, ottonisch, gotisch etc. abgelegt wurde. Zwar war sie in quantitativer wie qualitativer Hinsicht überwiegend und genuin christliche Kunst, aber das interessierte nach vollzogener Aufgabenteilung kaum noch. Entweder man sah die unveränderlichen Faktoren der Ursprünge nun zur Entfaltung gereift, oder man war vollauf beschäftigt mit einer Wesensbestimmung der neuen mittleren Termini, der Stile und ihrer Grundbegriffe.

Was mit dem derart abgetrennten Spezialgebiet geschah, das als letztes explizit von *christlicher* Kunst handelte und handelt, läßt sich in groben Zügen folgendermaßen darstellen. Am Beginn des 20. Jahrhunderts hat der Positivismus auch dort die von ihm für metaphysisch erklärten Instanzen und Prinzipien des 19. Jahrhunderts abgebaut und an ihre Stelle »positive Größen« gesetzt, im gegebenen Fall die Größen Raum bzw. Raumstil und Zeit bzw. Zeitstil. 1901 veröffentlichte Josef Strzygowski eine wenig attraktive, sehr heterogene Sammlung von Aufsätzen unter dem Titel: *Orient oder Rom*. Das war die Zeit, in der nach Burckhardts Prophezie die Kunstgeschichte unter dem Einfluß der »Attribuzler«, der Zuschreiber, zu verkommen drohte. Mit Strzygowski meldete sich eine andere Schule: die »Influenzler« seien sie in Analogiebildung genannt. Sie konzentrieren sich auf die Frage: Welche Rassen, welche Kunstlandschaften, welche Zentren haben den entscheidenden Einfluß auf die Konstituierung der christlichen Kunst gehabt? Das »Prinzip« des 19. Jahrhunderts wird durch Geographie ersetzt. Die Geschichte dieser Debatte muß noch geschrieben werden; gesagt sei nur, daß sie heftig und verbissen geführt wurde, weil sich der Streit um Orient oder Rom trefflich konfessionalisieren ließ – der Rom-Partei, vertreten etwa durch den Apostolischen Protonotar Josef Wilpert, stand eine »Los von Rom«-Bewegung religiöser oder wissenschaftlicher Protestanten gegenüber. Strzygowskis Wirkung kann nur mit einem Paradox beschrieben werden: Selten hat einer mit soviel Unsinn soviel Sinnvolles bewirkt – Sinnvolles im Rahmen einer sehr begrenzten Fragestellung. Strzygowski fing bescheiden an und versuchte, die Landstriche Kleinasiens und Ägyptens als Ursprungs- und Einflußzonen der frühen christlichen Kunst gegenüber Italien aufzuwerten: »to put them on the map«, wie man im Englischen sagt. Er erklärte dann in seinem Drang, der ihn immer weiter nach Osten führte, Mesopotamien, Armenien und den Iran zu den eigentlichen »Geberländern«, um schließlich irgendwo in den Hochebenen Zentralasiens die Wiege der abendländischen Kunst zu entdecken. Aus der Kunstgeographie war unter der Hand eine Rassentheorie geworden, die sich dem nationalsozialistischen »Großraum-Denken« verschrieben hatte und mit Formeln hausierte wie, die Vereinigung von »drei arischen Welten, der westarischen, ostarischen und nordischen mit dem semitischen Ursprung der christlichen Kunst« habe die abendländisch-christliche Kunstform hervorgebracht.[8]

Was Strzygowski an Positivem bewirkt hat, läßt sich leicht angeben und ist auch immer anerkannt worden. Ihm folgend hat die Kunstgeschichte der frühchristlichen Periode die einseitige Fixierung auf die römischen Katakomben und Großprojekte Konstantins aufgegeben und ganz andere, mindestens ebenso kreative Zentren, Kunstlandschaften und Glaubensrichtungen zutage gefördert: Antiochia und Alexandria seien hier als Metropolen, Armenien und Syrien als Regionen, die Juden, die jüdisch-christlichen Gemeinden und die Kopten als Religionsgemeinschaften beispielhaft genannt. All das gilt heute als gesicherter Bestand des Faches. Wissenschaftsgeschichtlich gesehen erwies sich diese »Geographisierung« des Problems christliche Kunst jedoch als Verlust, die Ausweitung in räumlicher Hinsicht als Verengung in methodischer. Der Wert, den eine längst vergangene fachwissenschaftliche Polemik der Frage der Lokalisierung zumaß, ließ und läßt sich in erkenntnistheoretischen Gewinn nicht ummünzen. Geographie ist nicht Deutung.

Gleichzeitig mit Strzygowskis Unternehmungen rührte sich eine Tendenz, welche man als »Archäologisierung« der frühchristlichen Kunstgeschichte bezeichnen kann. Der Archäologe Ludwig von Sybel versuchte am Anfang des 20. Jahrhunderts reinen (aber leider auch leeren) Tisch zu machen, indem er die Kunst der frühen Christen zu einem Teilgegenstand der Altertumswissenschaft und das Christliche an ihr für bestenfalls akzidentiell erklärte: »Die Kunst, als Können, ist der Religion gegenüber indifferent, weder heidnisch, noch christlich [...] die Christen konnten sich keiner anderen Kunst bedienen, als der einzigen, die es gab, das ist die der gleichzeitigen Antike. [...] Das Christliche an der altchristlichen Kunst liegt nicht im technisch oder stilistisch Künstlerischen, sondern allein im Gegenständlichen.«[9] Das ist eine Position, die im Grunde auf die Etablierung zweier Teildisziplinen hinausläuft: Die Motive bearbeitet eine Disziplin, die sich »christliche Ikonographie« nennt, und um die Monumente der altchristlichen Kunst kümmert sich die Archäologie mit den bewährten Methoden der Gegenstandssicherung und Datierung – fortan ist also von »christlicher Archäologie« die Rede. Die Maxime, »die altchristliche Kunst als Antike anzuerkennen«[10], ist der perfekte Widerspruch des 20. Jahrhunderts gegen das 19. Es eskamotiert nicht mühsam dessen »Prinzipien«, die sich aus dem Gegensatz zweier Kulturen speisen, sondern läßt den Gegensatz einfach in sich zusammenfallen. Christentum ist Antike. Dieser Appell, sich methodologisch den klassischen Archäologen anzuschließen, hat seit Sybels Tagen mindestens ebenso viel Zuspruch gefunden wie Strzygowskis Forderung nach Erweiterung des geographischen Horizonts; sie wird als der eigentliche Gründungs- und Emanzipationsakt des Faches angesehen. Die derzeit gültige Konstruktion der Disziplingeschichte liest sich so: Erst kommt das dunkle 19. Jahrhundert, die »babylonische Gefangenschaft« unter dem Regime der Theologen und »Ideologen« – »das größte Unglück für die Christliche Archäologie war, daß sie sich von der Archäologie der ›klassischen‹ Antike abspaltete und fast ausschließlich Domäne der Theologen wurde«[11]. Dann kam der besagte Befreiungsakt Sybels: »Damit war der Christlichen Archäologie ein neuer Weg, der richtige für die Zukunft, eröffnet [...].«[12]

Wie man auf diesem Weg seinem Fach eine Heimat findet und seinen Gegenstand hergibt, dafür möchte ich nur ein Zeugnis unter vielen aufrufen. Ich beziehe mich auf die »Mellon-Lectures«, die André Grabar 1961 in Washington gehalten hat und die sieben Jahre später unter dem Titel

*Christian Iconography. A Study of Its Origins* veröffentlicht wurden. Die christliche Kunst des 3. bis 6. Jahrhunderts ist für Grabar ein verspätetes und abgeleitetes Phänomen. Er sagt es mit aller Schärfe, so als gelte es jemanden zu schockieren: »the great majority of its distinguishing features were neither created nor invented by the makers of the first Christian images. Almost everything in their work was dictated by the models they followed.«[13] Die Sprache der christlichen Kunst sei nicht als komplettes Idiom mit eigener Syntax und einem eigenen Vokabular zu verstehen; sie gehöre vielmehr zu jener Gruppe von Sprachen, welche bei den Linguisten parasitäre Sprachen hießen – wie die Fachsprachen der »Elektriker, Seeleute oder Diebe«. Sie bestehe »aus einer limitierten Anzahl technischer Termini, welche einem Bild die gewünschte christliche Bedeutung verleihen, wenn sie zu den eingeführten Termini der griechisch-römischen Bildsprache hinzugefügt werden«[14]. Schockhaft wirkt ein solcher Ansatz nicht so sehr durch das, was er sagt, sondern durch das fehlende Nachdenken über das, was er impliziert. Wenn Grabar recht hätte, dann wäre für eine nicht ganz unwichtige Epoche der Geschichte das Gesetz der Wechselwirkung ausgeschaltet, das besagt, daß Veränderungen auf dem einen Gebiet menschlicher Kulturtätigkeit nicht ohne Folgen in benachbarten Gebieten bleiben. Wenn ebendieses denkbar wäre: daß eine neue Weltreligion, ein neues Weltbild sich eine ganze Bildsprache zusammenleiht und ihre Zeichen quasi nur umsigniert. Man kann sich hier leicht in eine ähnliche Emphase wie Max Dvořák hineinarbeiten, der angesichts der ersten Äußerungen derselben Schule 1919 in einem Vortrag über die »Entstehung der christlichen Kunst« sagte: »Dieser allgemeinen Auffassung gegenüber mußte ich mich immer wieder fragen: Ja, war denn dem Christentum selbst, dieser gewaltigsten, virulentesten geistigen Macht unter den Ursachen, die die alte Welt zersetzt und vernichtet haben, keine aktive Rolle, keine schöpferische Einwirkung bei der Umwertung der Kunst beschieden?«[15]

Grabars im wörtlichen Sinne oberflächliche Betrachtungsweise, die im Sammeln von kunstimmanenten »Ableitungen« und »Wechselbeziehungen« reüssieren möchte, ist das Ergebnis einer konstitutiven Schwäche seines Faches, die ihm nicht allein anzulasten ist. Er gehört zu jener Generation, welcher das Vertrauen in die Einheit von »Wesen und Formen« abhanden gekommen ist und die nur noch mit den »Formen« bzw. den »Inhalten« handelt. Aussagen über die mentalen Strukturen und das Wert- und Handlungssystem des frühen Christentums sucht man in seinen Vorträgen vergeblich; ohne eine Vorstellung von der Metasprache dieser neuen Religion und Kultur zu haben, vermag er auch nichts über die Richtung und Reichweite einer Kunst zu sagen, die er als Sondersprache, als parasitäres Phänomen begreift. In unseren postontologischen Zeiten wird man solcher Selbstbeschränkung eher mit Sympathie begegnen. Der Essentialismus hat in den Geisteswissenschaften vermutlich mehr Schaden angerichtet als der Positivismus, und genausowenig glauben wir, nachdem wir mit Derrida die »Logik des Supplements« durchschauen, an den Gewinn jener Operation, die das 19. Jahrhundert so schätzte: einen Gegenstand noch einmal im Kreuzfeuer der großen Antithesen fixieren zu können.

Dennoch bleibt das Problem, bleibt Dvořák Frage gültig: Wenn das Adjektiv christlich irgendeinen Aussagewert haben soll, der die banale Festlegung auf eine Klasse von Inhalten übersteigt, dann müssen wir uns Gedanken machen über Spezifisches und Konstitutives, über Faktoren von möglichst langfristiger Wirkung und überregionaler Reichweite. Dvořák Antwort, um das nachzutragen, ist an den klassischen Dichotomien des 19. Jahrhunderts wie Lebensbejahung (Antike) – Lebensverneinung (Christentum) orientiert: »Die Aufgabe der Kunst hat sich bei den Christen geändert. Sie hatte nicht mehr Götter in körperlicher Gegenwart, heroische Menschen und Situationen darzustellen, durch formale Meisterschaft und Naturwahrheit ihrer Gebilde zu wirken, sondern den Gedanken und Gefühlen eine überirdische Richtung zu ewigen übersinnlichen Werten hin zu geben, zum Gebete aufzufordern und die Seele über die materielle Gegenwart zu erheben.«[16] Ich fürchte, auch damit wird man heute nicht mehr viel anfangen können; die Festlegung der christlichen Kunst auf das Jenseitige, das Spirituell-Idealistische und den, wie es immer wieder heißt, »Seelenausdruck« hängt letztlich an der Privilegierung eines ästhetischen Kriteriums, das gutes 18. Jahrhundert ist: der Ausdruckskategorie. Wir lesen Dvořák und vernehmen immer noch die Stimme Chateaubriands, der von der christlichen Religion gesagt hatte, »daß sie selbst eine Passion ist« und deshalb prädestiniert wie keine andere, die Expressivität zu ihrem Prinzip zu machen.[17]

Erich Auerbachs Antwort auf Dvořáks Grundsatzfrage, die wenige Jahre später und in Auseinandersetzung mit dieser Vorlage erfolgte, löste sich wohl als erste von den Visierstangen, welche die Ästhetik des 18. und 19. Jahrhunderts aufgestellt hatte. *Mit* Dvořák betont Auerbach den Bruch, der mit der christlichen Kunstepoche eintritt: »Die Geschichte Christi hat bei ihrem Eindringen in das Bewußtsein der europäischen Völker deren Vorstellungen von dem Geschick des Menschen und seiner Darstellbarkeit von Grund auf verändert.«[18] Anders als Dvořák und seine ungezählten Vorgänger diagnostiziert Auerbach jedoch keinen Idealismus-, sondern einen Realismusschub; die Tendenz der Veränderungen werde angezeigt durch »Hingabe an das irdische Geschick«, an »die einmalige unentrinnbare Gegebenheit der konkreten Persönlichkeit« und an »Mannigfaltigkeit und Reichtum seiner Erscheinungsweisen«[19] – gemeint ist das große Vorbild des Neuen

Testamentes, aber das Alte will Auerbach aus dieser Überlegung nicht ausklammern: »In der Heilsgeschichte erscheinen wie in der alten Komödie bekannte und wirkliche Personen; es handeln Fischer und Könige, Hohepriester, Zöllner und Dirnen; und weder handelt die Gruppe der im Rang Erhobenen im Stil der antiken Tragödie, noch die anderen im Stil der Posse, sondern eine völlige soziale und ästhetische Grenzenlosigkeit ist eingetreten. Auf dieser Bühne ist die ganze Mannigfaltigkeit des Menschenlebens zu Hause [...].«[20] Was Auerbach an anderer Stelle sehr schön die »Lebensbefangenheit und historische Evidenz« der christlichen Überlieferung nennt, hat Folgen für alle Darstellungsmittel, reicht also über Entscheidungen, die Stilhöhe und das Personal betreffend, hinaus.

Die Gruppe »Poetik und Hermeneutik« hat viele Jahrzehnte später in einer Diskussionsrunde zum Thema »Gibt es eine christliche Ästhetik?« Auerbachs Vorgaben wieder aufgegriffen und die »Erweiterung des Darstellbaren« in Richtung einer christlichen Gegenästhetik zu entwickeln versucht, die eine Rechtfertigung des Häßlichen, des Kontingenten und des Individuellen einschließt.[21] Diese vor allem von Hans Robert Jauß vertretene Position ist seinerzeit auf Widerstand gestoßen. Er kam – das verwundert nicht – von der Seite der Kontinuitätstheoretiker, die darauf verweisen konnten, daß gerade der mit dem frühen Christentum gleichzeitigen römischen Kunst nichts von dem fremd ist, was in Auerbachs Merkmalsliste auf der Seite einer *ars humilis* als christliches Spezifikum verbucht steht, und er kam von Vertretern einer Verspätungstheorie, für die im Sinne Hegels das genuin Christliche »erst am Ende seiner Epoche zu sich selbst« findet. Als Ausweg aus diesen Schwierigkeiten haben Reinhart Herzog und Hans Robert Jauß etwas später die Vorstellung einer »heteronomen Ästhetik« angeboten, die sich durch spezifische, andere Ausdrucksformen und Erfahrungsweisen zu erkennen gibt. Jauß nennt Erbauung, Mitleid, Nachfolge als Manifestationen, Herzog spricht von einer grundsätzlichen »Ausdrucksbereitschaft« der christlichen Kunst.[22]

An diesem Erkenntnisziel, die Heteronomie der christlichen Kunst und der Rezeptionsweisen von Kunst generell betreffend, ist festzuhalten. Nur möchte ich für den Gegenstandsbereich der Kunstgeschichte die Suche nach den phänotypischen Qualitäten noch einmal neu beginnen und nicht gleich einer funktionalen Fragestellung unterordnen. Wo also ansetzen? Ich werde an dieser Stelle zwei Orientierungen dieses Buchs andeuten, wirklich nur andeuten. Kategorisch muß ich zuerst Grabars Aussage zurückweisen, die frühchristliche Kunst, genauer: die nachkonstantinische Kunst habe die Sprache der paganen Kunst in toto übernommen und nur einige Sonderzeichen eingeführt. Was die Frage des Vokabulars anbelangt, wäre es müßig, Grabar zu widersprechen. Interessant wird es aber erst eine Ebene höher. In einer Zeit religions- und kunstgeschichtlichen Umbruchs stehen nicht die Prinzipien der Selektion, also des Lexikons, zur Disposition – unter Druck geraten die Prinzipien der Kombination, des Syntagmatischen, um eine berühmte Unterscheidung Roman Jakobsons zu gebrauchen. Im Unterschied zu Grabar traue ich der christlichen Kunst eine Syntax und eine Grammatik zu: eine Syntax, die festlegt, welche Elemente notwendig zu einer umfassenden Aussage gehören und welche Gesetze die Kombination und Positionierung regeln, und eine Grammatik, die lehrt, wie ein Element in der Kombination mit anderen sich verhält, diese beeinflussend und von ihnen beeinflußt. Die Syntax ist das Primäre, sie liefert die Grundstruktur, die kategoriale Form – ihrer Beschreibung und der Ergründung ihrer Notwendigkeit ist im wesentlichen der erste Teil des Buches gewidmet, der die Kapitel 1 bis 3 umfaßt. Der zweite Teil handelt von den »Fällen«, von den Verknüpfungs- und Verweisungszusammenhängen in ihrer jeweiligen strukturell und historisch bedingten Besonderheit.

Ich sehe, um noch einmal anzufangen, in christlicher Kunst generell das Bedürfnis am Werk, bestimmte Elemente auf bestimmte Weise zu kombinieren, mithin konstante Relationsmuster auszubilden, die mehr leisten als ein optisch gefälliges oder didaktisch wirksames Arrangement. Was mit Hilfe der kombinatorischen Regeln und Zwänge entsteht, würde ich ein qualitatives Ganzes nennen wollen. Diese Untersuchungsabsicht schließt an eine Grundüberzeugung der Religionswissenschaft an, die besagt, daß Glaubenssysteme niemals sektoral, sondern stets integral konzipiert werden, oder anders gesagt, daß jede Religion gebunden ist »an die für den Menschen schlechterdings existentielle Aufgabe, die Grundstruktur der Wirklichkeit zu thematisieren und auf ihre Konsequenzen für das menschliche Dasein hin abzufragen. Deshalb auch gibt es keine Religion, die nicht zugleich eine Kosmologie ausgebildet hätte. In ihr hat der Mensch mit dem Verständnis der Wirklichkeit insgesamt zugleich sich selbst verständlich gemacht.«[23] Es wird darum gehen, Kunstwerke auf das in ihnen anschaulich und verpflichtend werdende Strukturwissen einer Religion zu befragen und das Christliche an der christlichen Kunst aus ihrem »Beziehungssinn« (Nietzsche), nicht aus ihrem Hintersinn zu verstehen.[24]

Mit den Formen der Synthesis ist die »Künstlichkeit« der hier untersuchten Komplexe angesprochen. Die große Gemeinsamkeit der christlichen Kunstepoche, die von 400 bis 1400 reicht, ist die Dominanz der Bilder über das »Bild« (im emphatischen Sinn, den ihm die Neuzeit gibt) und der Kontexte über den Text. Die Rezeptionsanforderungen sind demnach grundverschiedene. Kein einheitlicher Wirklichkeitsentwurf wird den Betrachtern vorgesetzt; vielmehr wird von ihnen verlangt, daß sie synthetisieren. Sie sind als »strukturelle Betrachter«[25] gefordert, weil nur die Beherrschung elementarer Ordnungsstrukturen das große Aufgebot distinkter und meist unverbundener Einzelelemente erschließt. Die daraus resultierende »Künstlichkeit«, das »demonstrative Gemacht- und Komponiertsein« der christlichen Bildkomplexe sind Stichworte, die an zentraler Stelle in Clemens Lugowskis Arbeit über das »mythische Analogon« erscheinen, die vor 60 Jahren ein sehr ähnliches Ziel wie dieses Buch verfolgte, aber einen gänzlich anderen Gegenstand hatte, nämlich die deutsche Prosaerzählung des 15. und 16. Jahrhunderts.[26] »Mythisches Analogon« besagt, daß die nachantiken Epochen und Kulturen keinen einheitlichen Weltentwurf von der Art des Mythos der antiken oder der sogenannten primitiven Völker haben. Aber das Bedürfnis nach einer Sinntotalität ist geblieben; es wird befriedigt, indem ein »mythisches Analogon« auf synthetische Weise einen neuen »Form- und Ganzheitscharakter« hervorbringt – Lugowski spricht deswegen auch vom »formalen Mythos« der nachmythischen Zeit. Wenn das Demonstrative des Künstlichen wie notwendig entsteht und wirkt, erfüllt sich der Auftrag an das mythische Analogon, ein Weltbild zu konstituieren: Die Menschen erkennen dann die von ihnen gemachte Welt »als ihre Welt«. Lugowski begreift das »selbstverständliche, unmittelbare« »Verhältnis des Rezipienten zur Künstlichkeit« eines Werks als eminent »gemeinsamkeitsbegründende Kraft« – das ist die Funktion des Rituals nach Durkheim, übertragen auf die statischen Ausdrucksformen einer Religion oder einer Kultur. In »poetologischer« Hinsicht umschreibt der Begriff »Künstlichkeit« die Relation Einzelnes-Ganzes: »Die künstlich › gemachte ‹ Welt einer Dichtung, in der sich nun ein mythisches Analogon ausprägt, ist eine *Ganzheit*. Es ist damit zunächst nichts anderes gemeint, als daß alles › Einzelne ‹, das in der Dichtung erscheinen mag, sich in einer eigentümlichen Gebundenheit an einen übergreifenden Zusammenhang, also nicht ohne weiteres als autonomes › es selbst ‹ findet.«[27]

Die Ermittlung der Elemente und Figuren einer konstanten Relation kann nicht gelingen, wenn die *ratio relationis,* der Beziehungsgrund, um mit der Scholastik zu sprechen, ungeklärt bleibt. Gefragt wird nach der Notwendigkeit dessen, was Lévi-Strauss einmal vielversprechend »notwendige Beziehungen«[28] genannt hat. Wo werden wir fündig, wenn es um die Kunst dieser einen Religion geht? Dieses Buch gibt eine »fundamentalistische« Antwort. Es baut darauf, daß die Bibel als die konstante Bezugs- und Orientierungsgröße der christlichen Kunst in Anspruch genommen werden kann. Dieser Gedanke ist nicht ganz neu. In den »Briefen eines Einzelgängers über christliche Kunst«, die ein gewisser Étienne Cartier 1881 in Paris veröffentlichte, lesen wir: »Mais le grand art est la parole; Notre-Seigneur l'a donnée à l'Église, lorsqu'il a dit: Allez et enseignez les nations. La parole est l'art personnel de l'église, l'art nécessaire, l'art tout-puissant que rien ne peut enchaîner; car c'est l'écho du Verbe, le Verbe de Dieu même: *Verbum Dei non est alligatum*. Cette parole, l'Église la porta aux catacombes avec les saintes Écritures qui l'ont fixée pour la rendre inaltérable. La Bible est la pierre fondamentale de l'art chrétien, et de cette pierre coule l'eau vive qui doit désaltérer toutes les générations.«[29] Solche Emphase finden wir heute zu der pflichtschuldigen Erklärung verdünnt, die christliche Religion sei eine Buch- und Schriftreligion. Aber welche Konsequenzen hat z. B. die kunsthistorische Forschung aus dieser Feststellung gezogen? Sie hat entweder der Schrift eine unqualifizierte Präferenz eingeräumt und die Kunstwerke auf Texte zurückgeführt. Dabei machte es keinen Unterschied, welcher Art die Quellen waren. Ikonographische Analysen dieser Art funktionieren immer gleich, ob sie nun mythologische, biblische, patristische, hagiographische oder literarische Texte als Ausgangsbasis haben. Es bleiben dabei nicht nur Probleme des Vermittlungsprozesses zwischen Wort, Schrift und Bild unreflektiert, es ist die Eigenart der biblischen Erzählungen und die Konstitution der göttlichen Offenbarung als Erzählung so gut wie nie Gegenstand gebietsübergreifender Überlegungen geworden – zwei Aspekte, die uns im folgenden ausführlich beschäftigen werden. Oder die Kunstgeschichte hat die Aussage »Die christliche Religion ist eine Schriftreligion« als eine potentielle Bedrohung der Autonomie der Bildkunst betrachtet. Dann konzentriert sie sich entweder auf die Gattungen und Medien, welche der Schrift fernstehen, oder sie schreibt Kunstgeschichte auch des Mittelalters als Vorgeschichte späterer Emanzipationsbestrebungen. Selbstverständlich hat es solche Absetzbewegungen gegeben. Die Frage ist nur, welches Defizit der »Urschrift« wollen sie beheben, welch andere Form von Bildtext suchen sie zu verwirklichen? Und warum ist Kunst überhaupt eine Notwendigkeit christlicher Verständigung?

Wie alle anderen Praxisarten der christlichen Kultur auch erscheint die bildende Kunst in diesem Buch nicht nur, nicht vorrangig als Übersetzung und Reproduktion der heiligen Schrift, sondern als ein Mittel, welches es durch seinen *spezifischen* Beitrag erst ermöglicht, daß die Bibel die Grundlage einer Weltreligion werden und bleiben konnte. Kunst ist dann nicht schlicht nachgeordnet und subsidiär, sondern bedeutet eine notwendige Ergänzung. Sie fungiert nicht als Supplement, sondern als Organon einer religiösen Kultur, die eine Schrift in ihrer Mitte erhält, die niemals von sich aus leisten kann, was ihr zugemutet wird. Die bildende Kunst der Christen ist aber auch und erst recht keine nachgeordnete Illustration ihrer Theologie. Die Kunst hat die frühe Obsession der Theologie mit der Allegorese nicht geteilt. Viele Mittelalterforscher werden widersprechen, andere sagen, die Kunst habe sich hier nicht engagieren dürfen – das bekannte *pictura laicorum litteratura*-Argument.[30] Ich sage: Die Kunst hatte notwendig anderes zu tun. Sie ist unabdingbares Agens in jenem unabschließbaren Prozeß, der Christentum heißt und der gleichermaßen von der Faszination wie von den Desideraten seiner Textgrundlage lebt, die zuallererst Erzählung ist.

Was die Durchführung und die materielle und die zeitliche Dimension dieses Buches anbelangt, so ist folgendes zu sagen: Es wird darum gehen, nicht durch die Fülle der Denkmäler, sondern durch die Ausführlichkeit und Dichte der Interpretationen zu überzeugen. Es werden nicht alle relevanten Bildgattungen der christlichen Kunst angesprochen: Exemplarische Behandlung erfahren die Buchmalerei, die Fresken bzw. Mosaiken, die Elfenbeinarbeiten, die Bildertüren. Es fehlt die Sarkophag-Plastik, weil sie keine Kontinuität von der Antike in das Mittelalter hinein entwickelt hat. Es fehlt die textile Kunst, weil wir erst jetzt – und mit jetzt meine ich das Erscheinungsjahr dieses Buches – die Umrisse und das Potential einer Kunstgattung zu ahnen beginnen, die zu den prominenten Medien der christlichen Kunst von ihren Anfängen an gehört hat.[31] Die Beschränkung, die an diesem Buch wahrscheinlich als erste wahrgenommen werden wird, die Konzentration auf die nachkonstantinische Kunst, grob auf Werke des 5. und 6. Jahrhunderts, stand bei der Konzeption des Ganzen nicht fest. Ich bin – um das deutlich zu sagen – nicht bei den Werken dieser Zeit geblieben, weil ich von der Betrachtung der Anfänge tiefere Einsichten ableite. Diese Beschränkung hat sich ergeben, als deutlich wurde, daß die geplante Fortschreibung der Fallstudien auf zwei weiteren Zeitebenen – vorgesehen waren: um 1000 und um 1200 – den Umfang einer systematischen Studie gesprengt und zur Wiederholung von anderen Veröffentlichungen des Autors geführt hätte.[32] Ein falscher Eindruck entstünde, wenn das Buch als eine Darstellung ausgewählter Aspekte oder gar als Geschichte der frühchristlichen Kunst gelesen würde. Kein Zweifel, daß die Ausdruckssysteme dieser Epoche jede Anstrengung wert sind, und ich hoffe auch, zumindest perspektivisch hier und da der Eigengesetzlichkeit und vor allem der Kreativität dieser Zeit gerecht geworden zu sein. Aber das Anliegen meiner Analysen ist das oben skizzierte, ist das allgemeine und über die exemplarisch betrachteten Jahrhunderte und Medien hinaus zu verlängernde Interesse an der Frage: Was ist christliche Kunst?

# 1. Kapitel

## »Multis modis« – »Auf vielerlei Weise«

> Nachdem Gott vor Zeiten vielfach und auf vielerlei Weise
> (polytropos kai polymeros; multifariam et multis modis)
> zu den Vätern durch die Propheten gesprochen hat, sprach
> er jetzt am Ende dieser Tage durch den einen, der Sohn
> ist. Ihn hat er zum Erben des Alls eingesetzt, wie er auch
> durch ihn die Welten geschaffen hat. Dieser ist der
> Abglanz seiner Herrlichkeit und Abdruck seines Wesens.
> Er trägt das All durch sein machtvolles Wort.
>
> (Hebr 1, 1-3)

Eine christliche Bildsumme:
Die Fresken von St. Georgen ob Judenburg

In den letzten Jahren ist der Korpus der mittelalterlichen Wandmalereien durch eine Entdeckung in der Steiermark wesentlich bereichert worden. Der Zyklus, der im Chorquadrat der Pfarrkirche von St. Georgen ob Judenburg freigelegt wurde, verdient – mit den Worten seiner ersten Bearbeiterin Elga Lanc – unsere Aufmerksamkeit, weil »es sich um eine der wenigen vollständigen Ausstattungen eines Raumes des 13. Jahrhunderts handelt«, weil mit ihm ein »höchst interessantes stilgeschichtliches Dokument für die Entwicklungsstufe zwischen der Spätromanik und dem sogenannten Zackenstil« und ein Dekorationsprogramm von großer Schlüssigkeit und »Vielschichtigkeit« gewonnen wurde.[33] Darüber hinaus bietet der Fund eine Vita des Kirchenpatrons, die mit 20 Szenen »als früheste umfangreiche Schilderung seines Martyriums« auffällt.

Was dagegen im Rahmen der Erwartungen bleibt, ist das System, das die Inhalte auf die Flachkuppel und die Wände des Zentralraums verteilt. Wir haben es mit einer hierarchischen Disposition zu tun, die sich von oben nach unten und vom Zenit ausstrahlend in mehreren Registern und verschiedenen geometrischen Figuren artikuliert. (Abb. 1; Taf. 1, 2) Drei konzentrische Kreise beschreiben die Form der Kuppel nach. Der innerste umgibt einen Vierpaß mit der Allegorie der Kirche als Braut Christi, welche in der Linken eine Medaillonscheibe mit Kreuz und Lamm hält und in der Rechten einen Kelch, der das Blut des Lammes auffängt. In den Zwickeln zwischen Vierpaß und erstem Kreis sind die vier Symbole der Evangelisten angeordnet.

Der zweite Ring ist durch einfache Bogenarkaden gegliedert und gehört den zwölf Aposteln; darunter, im dritten Kreisband, das den Übergang von Kuppel zu senkrechter Wand vermittelt, stehen zwölf Propheten in einer aufwendigen Architektur aus Türmen und Giebeln, die sich formal durch den größeren Umfang dieser Zone, inhaltlich als Substruktion der himmlischen Architektur darüber rechtfertigt. Auffälligerweise sind die Propheten im Gegensatz zu den Aposteln nicht in voller Größe, sondern von der Mauer überschnitten wiedergegeben. »Die Form der Architektur, die zugleich Innen- und Außenraum meint, ist in der Addition von Mauern, Türmen, Toren eine Abbreviatur von Stadt, die sich im äußersten Kreis zusammenschließt. Sie versinnbildlicht die befestigte Stadt der Apokalypse, das Himmlische Jerusalem.«[33] Daß deren Grundgestalt in der »Offenbarung« als Quadrat beschrieben worden ist, hat die mittelalterlichen Künstler nie davon abgehalten, die andere, ebenso vollkommene des Kreises zu wählen. Was an den Angaben des Textes ohnehin mehr zählte, im wörtlichen Sinn, das sind die zwölf Tore der Stadt, die als die zwölf Stämme Israels identifiziert werden, und die zwölf Grundsteine der Mauer, welche die »zwölf Apostel des Lammes« bedeuten sollen. »Est ecclesia in duodenario numero firmata«, heißt es bündig bei Beatus von Liebana im 8. Jahrhundert[34], Zwölf Tore, zwölf Stämme, zwölf Apostel, zwölf Propheten – in den Personen und Zeichen der Peripherie, in unserem Fall der Kreisringe, erscheint also auseinandergelegt, was im Zentrum in höchster Komprimierung Sinnbild geworden ist: die Christusbraut, die in Kap. 21 der Apokalypse mit der Himmelsstadt gleichgesetzt wird: »Komm, ich will dir die Braut zeigen, die Frau des Lammes! Und er führte mich im Geist auf einen großen und hohen Berg. Da zeigte er mir die heilige Stadt Jerusalem, die aus dem Himmel von Gott herabkommt und die Herrlichkeit Gottes besitzt.« (Ap 21, 10 f.) Dem Apostel Johannes, dem Verfasser der Apokalypse nach mittelalterlicher Auffassung, ist dann im Fresko auch die Beischrift beigegeben, welche den Schlüssel zum Programm der ganzen Kuppel liefert: JERUSALEM NOVA SPONSA AGNI – Jerusalem, die neue Braut des Lammes. Deutlich abgesetzt von diesen Abschnitten erscheinen die beiden untersten Register des Systems: streifenförmig und architektonisch ungeteilt laufen sie an den Wänden des romanischen Chors entlang und ergeben einen vielfigurigen Zyklus der Georgslegende.

Der Grundgedanke dieses Dekorationssystems läßt sich bis in frühchristliche Zeit zurückverfolgen und hat mit den großen theologischen Programmen des hohen Mittelalters keinesfalls schon ausgedient. Ich möchte aber diese Fragen der Vorgeschichte und des Nachlebens, der Typologie solcher komplexer Anordnungsschemata auf den nächsten Abschnitt vertagen und mich zunächst einmal ganz auf die inneren Gesetzmäßigkeiten dieser neu entdeckten Bildsumme konzentrieren. Eine genauere Betrachtung des Zyklus in St. Georgen soll zeigen, mit welcher Bewußtheit im Rahmen dieses Gesamtsystems operiert wurde, wie deutlich die dispositive Kraft von Figuren und Positionen erkannt worden ist.

Zunächst zur Zweiteilung von Kuppel- und Wanddekoration. Daß die konzentrische Kreiskomposition als Einheit zu verstehen ist, verdeutlicht nicht nur die analoge Form der Kreisringe, sondern auch die Ausrichtung aller Teile auf den Mittel- und Scheitelpunkt der ganzen Anlage. Wir haben es hier eindeutig mit einer totalisierenden Struktur zu tun. Dagegen gilt für die horizontalen Register, daß die zentralisierende Tendenz sie nicht mehr erfaßt. Sie entwickeln ihre andersläufige Orientierung ebenso demonstrativ: Sie sind nicht nur ungeteilt, sondern haben einen durchgehenden grauen Hintergrundstreifen, der oben und unten von dunkelgrauen Begleitern gesäumt wird. Die gleichen Komponenten stehen auch den kreisförmigen Registern zur Verfügung, aber hier bilden sie jeweils geschlossene Felder zur Auszeichnung der repräsentativen Figuren. Doch es sind nicht nur die nominalen Werte, die Felderstruktur und die architektonische Abteilung bzw. ihr Fehlen, welche die beiden Zonen differenzieren – der Erzähler der Georgslegende legt auch keinen Wert darauf, die Szenen durch Abstände und rahmende Figurenanordnung auseinanderzuhalten. »In der dicht gefüllten Bildfläche wird eine Zäsur zwischen den aufeinanderfolgenden Geschehnissen vermieden, indem die seitlichen Figuren oder Gegenstände

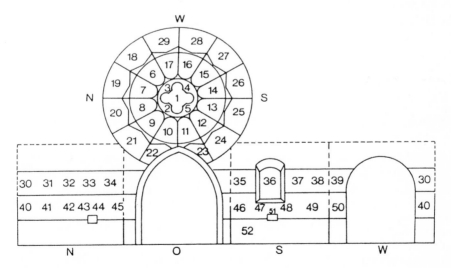

*Abb. 1 St. Georgen ob Judenburg, Fresken des Chorquadrats, Diagramm: 1 Sponsa Ecclesia; 2-5 Evangelistensymbole; 6-17 Apostel; 18-29 Propheten; 30 ff. Legende des hl. Georg (nach E. Lanc)*

(wie Schwerter, Throne, Marterwerkzeuge) von benachbarten Szenen einander überschneiden. Neben dieser formalen Verklammerung der Episoden, auch bei einander den Rücken kehrenden oder auseinanderstrebenden Gestalten, erfüllt eine entsprechende inhaltliche Funktion die Gestik der Figuren, die ihre Stellung innerhalb der Handlung verdeutlicht und andererseits bereits auf die nächste Szene weist, wie jeweils der frontal thronende Herrscher, der mit seiner befehlend ausgestreckten Rechten den Blick des Betrachters auf die folgende Marter lenkt.«[35] Es entsteht also ganz im Gegensatz zu den geordneten und statischen Verhältnissen darüber in den narrativen Streifen der Eindruck eines kontinuierlichen, lebendigen und nicht zu bändigenden Erzählflusses. Die Welt der zeitlichen Erstreckung ist deutlich verwirrender und vielfältiger als die Welt der himmlischen Hierarchien; sie ist mit anderen Worten nicht nur in ihrem Richtungssinn, sondern auch in ihrem spezifischen Ordnungsgrad und der Dichte ihrer Informationen anders. Folge setzt sich von Rangfolge ab und bleibt ihr doch unterworfen.

Dualismus im hierarchischen System, dieser Tatbestand ist noch nicht nach all seinen Aspekten erfaßt. Die elementare Wertigkeit, die mit der Abfolge von oben nach unten und mit der Entwicklung von innen nach außen einhergeht, regelt nicht alles. Hinzu kommen so verschiedene Faktoren wie Zahl, Auszeichnung, Darstellungsmodus und Rang der Dargestellten – Faktoren, die hierarchische Verhältnisse durchaus bestätigen und doch zur Spezifik der beiden verschiedenen Bildkomplexe beitragen. Der letztgenannte Gesichtspunkt, der theologische Rang der Personen, bereitet die geringsten Schwierigkeiten: Von der »Braut des Lammes«, wie die Ecclesia in ihrer Beischrift angesprochen wird, erstreckt sich die *hierarchia caelestis* über die Symbole der vier Evangelisten zu den Aposteln und den Propheten bis hinab zum Märtyrer und Heiligen, der in dieser Rangfolge nicht nur die niedrigste Stufe, sondern auch die Position des Lokalen, der Anwendung und Konkretisierung verkörpert. Die Kuppel versinnbildlicht die übergeschichtliche Kirche schlechthin, als Prinzip der Ordnung, als Bewahrerin der Glaubenssätze und der Sakramente, als Gemeinschaft der Heiligen und als Architektur des Jenseits. Die Wände vermitteln diese ewige Kirche mit der zeitlichen und ortsgebundenen durch das Leben des hier verehrten Heiligen, der am Ende seiner Taten und Martern in den Himmel auffährt. Noch eine weitere ekklesiologische Dimension wird durch die Wahl speziell des *miles christianus* Georg angesprochen, worauf uns wiederum Elga Lanc aufmerksam macht: »Demnach ist an den Wänden Georg als Vertreter der Ecclesia militans, der streitbaren Kirche im irdischen Leben, der Ecclesia triumphans des Himmlischen Jerusalem im Gewölbe gegenübergestellt.«[36] Die hierarchische Abstufung bildet sich auch auf der Skala der verschiedenen *genera dicendi* dieses »Gedankengebäudes« ab. Die höchste Form der Aussage ist offenbar die allegorisch-symbolische: Sie beherrscht den innersten Kreis in Gestalt der Ecclesia und ihres Attributs sowie der vier Wesen. Nur in stark verfremdeter Zeichenform können zentrale Mysterien des Glaubens wie Opfertod und Eucharistie oder die Einheit von Gott und Kirche vermittelt werden. Die Inschriftenbänder, die zahlreiche zusätzliche Bedeutungsebenen hinzubringen, betonen den transformativen Charakter der symbolischen Konstellation. Danach stehen die Sinnbilder nicht nur für Anderes, schwer oder nicht Aussprechbares, sie bewegen sich auch aufeinander zu und wollen sich miteinander vereinigen. »Die Braut des Lammes wird [mit diesem] vermählt, indem sie in der Quelle des unschuldigen Blutes neu geschaffen wird« – deutlicher und aktiver als der Anfangsteil der zentralen Beischrift kann man das hier Intendierte, den Umschlag und die Passage der Signifikation, nicht ausdrücken. Solche Tiefe und innere Bewegung eignet der Aussageweise der beiden nächsten Register nicht. Ihre historischen Gestalten stehen wirklich für etwas, sie repräsentieren die Einheit der beiden Zeiten und Gnadenstände und die in den beiden Formen der Bezeugung, nämlich der Weissagung und der Augenzeugenschaft, ausgedrückte Konkordanz in bezug auf das in der Mitte symbolisch angedeutete Heil: »aufgebaut auf dem Fundament der Apostel und Propheten, wobei Christus der Schlußstein ist, in dem der ganze Bau zusammengefügt heranwächst zu einem heiligen Tempel im Herrn« (Eph 2, 20-22).

Das hier angeschlagene Thema der »consensio legis et prophetarum cum testamento« (Clemens von Alexandrien) führt uns darauf, welch verschiedene Texte und Vermittlungsniveaus in dieser großen Synthese zusammenkommen. Die Mitte bildet die Heilsbotschaft, das zentrale Mysterium der christlichen Kirche, dessen Sinngestalt sich über alle Mittler und Medien erhebt; es wird gerahmt von den vier Wesen, die für die Pluralität und Einheit der Evangelien stehen, darauf kommen die Jünger des Herrn, welche die Apostolizität und Wahrheit der Überlieferung verbürgen, dann folgen die inspirierten Sprecher des Alten Testaments, das vor allem in seiner Hinweisfunktion auf das Neue eingesetzt ist, schließlich breitet an unterster Stelle die Legende ihre Erzählung aus, d. i. die Form der Verkündung, die sich nicht selbst expliziert, sich nicht autoritär äußert, die nicht an identifizierbare Sprecher zurückgebunden werden kann. Sie ereignet sich, wie der Name sagt, durch Vorlesen, durch mündliche Darbietung also. Es ist dies idealtypisch ein Erzählen in und an Körpern; deren deutliche Sprache macht es überflüssig, daß sich die Bildsequenz auch durch die geschriebene Sprache erklärt, die zu den wesentlichen Merkmalen des Bildkomplexes der Kuppel gehört. Wie in vielen Langzyklen dieser Zeit findet man in der Martyriumslegende nur eine nicht ganz konsequent durchgeführte namentliche

Kennzeichnung der wichtigsten Handlungsträger. Und es geht nicht allein auf Kosten des schlechteren Erhaltungszustandes dieser Zone, daß wir diesen Schriftzeichen eine rein funktionale Bedeutung zumessen, während in der Gewölbedekoration Schrift auch dann, wenn sie nur bezeichnet, zugleich dekorativ, konstruktiv und formelhaft rituell wirkt – man beachte etwa die zeremonielle Sorgfalt, mit der die Freskanten den Heiligen und den Propheten die Sanctus-Kürzel, die Interpunktionen, die ornamentalen Rosetten und die Kreuze austeilen. Oder man realisiere die Umkehrung der Leserichtung, wie sie zwischen dem ersten und den folgenden Registern eintritt: Die Inschrift, welche den mittleren Kreis umsäumt und welche das thematische Statement der ganzen Komposition enthält, ist aus der Innenperspektive, vom zentralen Standpunkt der Ecclesia aus lesbar – das erinnert ein wenig an die Spiegelschrift, in der van Eyck die Worte der Verkündung auf dem Genter Altar gibt. Alle anderen Texte und Beschriftungen stehen umgekehrt und sind an einen »Außenbetrachter« adressiert. So besagt auch der Einsatz der Schrift, was für den Modusaspekt als ganzen gilt: Das Dispositionsprinzip Hierarchie bleibt bewahrt, zugleich wird aber auch die Differenz zwischen der »historischen Szenenfolge« und dem »feierlich-hieratischen Thema« der Kuppel deutlich, und zwar als notwendige und konsequente Differenz: Der eine Modus konstituiert sich nicht auf Kosten des anderen, jeder entwickelt sich nach seinen Gesetzlichkeiten und Möglichkeiten.

So trägt die unterschiedliche Verwendung der Schrift auch bei denen, die sie nicht lesen können, zum Verständnis des Bildgefüges bei. Schrift als bloße Auszeichnung wahrgenommen (»The medium is the message«), wirkt mit, indem sie Bereiche und Ausdrucksformen sondert und deren Gestaltqualitäten hervortreibt. Die legendarische Erzählung, die vom gesprochenen Wort lebt, erweist sich als illiterat, als wenig distinktes und geordnetes Argument. Schrift in den Händen der geistlichen Personen führt zur Kodifizierung, sprich Ordnung und Vereinheitlichung einer Doktrin – das zeigen der Gleichklang und die gesonderte Erscheinungsweise an. Gemeinsam haben die »bearers of meaning« der Kuppel nämlich, daß sie zwar als isolierte Figuren oder Wesen dastehen, aber dennoch nicht ohne Zusammenhang für sich existieren; ihre Beziehungen sind entweder so vielschichtig oder so unausdrückbar, daß sie sich nur durch übergeordnete Gestaltbeziehungen und durch schriftliche Kommentare darstellen können. Neben der ausgeprägten Hieratik wirkt die Analogie hier als vereinheitlichendes Formprinzip; Kombination wird mit Hilfe von Figur und Zahl erreicht. In den beiden untersten Registern ist das natürlich ganz anders. Hier gibt es keine vereinzelten, repräsentativen und hieratischen Gestalten, keine identischen Konfigurationen. Vielfältig ist das Personal: Männer und Frauen, Reiche und

Arme, Kaiser und Soldaten, Schergen und Krüppel, Zauberer und Heilige bevölkern die dichte Sequenz, und sie erscheinen nicht nur dann, wenn die Szene es unabdingbar erfordert. »Eine besondere Freude an narrativen Details«, schreibt Eva Lanc, »lassen sowohl die zahlreichen Nebenfiguren erkennen – die Lastpferde mit ihrem Treiber im Gefolge des reitenden Heiligen, die Krüppel in der Vermögensverteilung, die acht das Rad drehenden Schergen, die Diener beim Mahl der Könige, die Soldaten hinter dem Heiligen auf dem ehernen Bett – als auch die mit Akribie wiedergegebenen Einzelheiten der verschiedenen Rüstungen, Waffen, Kostüme und Kopfbedeckungen, die Aufschlüsse über die zeitgenössische Tracht geben [. . .]«[37] Äußerst vielfältig ist auch die Art und Weise, wie der Zyklus alle Ansichten und Positionen menschlicher Handlungsträger durchspielt und zumal der Person des Heiligen keine Lage und Deformation erspart – beredtes Zeichen hierfür ist das Radmartyrium mit dem zum Kreis gebogenen Körper. Die Bilderzählung eines Martyriums wird so zur Allegorie eines dezidiert narrativen Modus: die wunderbare Vermehrung der Geschichten, wie sie hier zu beobachten ist und für das 13. Jahrhundert generell gilt, ergibt sich aus dem Wunder einer beinahe unbegrenzten Strapazierbarkeit und schließlichen Teilbarkeit des menschlichen Körpers, Kombination ereignet sich als Prozeß.

So findet von innen nach außen und von oben nach unten in St. Georgen eine regelrechte Emanation und Dissemination des Figürlichen statt. Das eine Prinzip im Zentrum (welches in Wirklichkeit die *angestrebte* Einheit von Sponsus und Sponsa vertritt) legt sich in die Vierzahl der Evangelien, das doppelte Dutzend der heiligen Männer und in die unbegrenzte Figurenfülle der historischen Welt aus. Wiederum eine abgestufte Folge *und* ein qualitativer Sprung. Als Zahlen signifikant und geheiligt sind die Eins, die Vier, die Zwölf und die Vierundzwanzig; ohne Weihe und spezifischen Sinn muß dagegen die »Unzahl« auskommen. Sie kann jedoch auch als genuiner und legitimer Ausdruck der göttlichen Plenitudo in ihrer irdischen Gestalt verstanden werden. Wiederholung, Länge, Vielfalt haben durchaus etwas für sich, wenn es in einer Heiligenlegende etwa um die Unbezwingbarkeit des christlichen Helden und die Fülle der Versuchungen und Anfeindungen geht, welche von den Mächten der Welt drohen.

Analog zum Gebrauch der Zahlen verhält sich der Einsatz der geometrischen Figuren. Im Mittelpunkt steht zweimal die Figur der Einheit und Vollkommenheit, der Kreis, ausgeformt als Medaillon mit dem Gottessymbol und als erste und innere Sphäre. Der Vierpaß ist sozusagen aus dem gleichen Material wie die Kreisform, der er eingeschrieben ist. In ihm wird die Figur der Einheit multipliziert. Die folgenden Kreisringe nehmen das Formprinzip des Zentrums auf und beziehen sich durch die radialen Teiler auf es zurück. Hier wird Einheit geteilt. Ohne daß die Übersichtlichkeit und Faßlichkeit der Gesamtstruktur verlorenginge, findet so der Gedanke der Vielfalt in der Einheit seinen Ausdruck. Die Streifen darunter mit dem historischen Zyklus stehen wiederum nicht unter dem Gesetz einer ausgewiesenen Figur. Ihre Zweizahl und parallele Anordnung macht sie zwar den beiden Kreisringen mit den heiligen Männern vergleichbar, aber diese Korrespondenz ist doch eher geeignet, einen Parallelismus des Heterogenen und nicht des Homogenen vorzuführen. Noch einmal wird durch analoge Ausbildung und durch das Übergreifen von Strukturprinzipien deutlich, daß der Zusammenhang des Ganzen auch den Bruch und die Opposition zweier Modi mit beinhalten kann.


Bildsummen im Zentralraum


Ich wies bereits daraufhin, daß die Wandmaler von St. Georgen ein seit vielen Jahrhunderten eingeführtes Anordnungsschema aufgreifen und auch nicht originell sind, was die Auswahl der Darstellungsweisen und Modi anbelangt, die sie in diesen komplexen Verweisungszusammenhang integrieren. Das Anliegen dieser ersten Werkbetrachtung war es nur, an einem vollentwickelten Beispiel, an einer Bildsumme, die sich selbst als Totalität vorstellt, einen möglichst kompletten Überblick über das zu gewinnen, was christliche Kunst ausmacht: ihre Elemente, ihre Niveaus und – hier zögern wir – ihre Art der Verknüpfung, denn die Freskierung des Chorquadrats kann ja nur Bestandteil einer umfassenderen Kirchenausstattung gewesen sein. Vermutlich gab es eine Apsismalerei mit einer repräsentativen Darstellung; vielleicht schmückte ein Antependium den Hauptaltar und zeigte Christus in einer Reihe mit dem »himmlischen Senat« der Apostel; vorstellen kann man sich auch Fenster im Chorbereich und Fresken im Langhaus, welche das Christusgeschehen nacherzählten oder Altes und Neues Testament gegeneinanderstellten. Alle diese Möglichkeiten würden das Vorgefundene um zwei, nicht unwesentliche Modalitäten bereichern: zum einen um das starke, in jeder Religionspraxis unverzichtbare Moment der Wiederholung – mit anderen Worten: die ikonographischen und modalen Bestandteile können, müssen im Rahmen einer kompletten Aussage wiederkehren; zum anderen – und das ist die weitergehende Feststellung, denn sie bezieht die erste ein – um weitere Arten der Verknüpfung: Man denke nur an das im 13. Jahrhundert beliebte Dispositiv der Typologie. So können wir, was das Syntagmatische angeht, nur sagen, daß wir ein Beispiel kennengelernt haben, das den Willen zur Struktur, zur Abstimmung, zum Bezugssystem auf besonders überzeugende Weise vorführt.

Bildsummen dieser Art haben ihre klarste und für lange Zeit kanonische Ausprägung im »classical Byzantine system of church decoration« der sogenannten mittelbyzantinischen Zeit des 9., 10. und 11. Jahrhunderts erfahren, dessen Komponenten und Gesetzmäßigkeiten Otto Demus und Ernst Kitzinger in zahlreichen Publikationen dargestellt haben.[38] Die architektonische Voraussetzung ist jeweils ein Zentralplan mit Apsis und Kuppeln, der von diesen Höhe- und Mittelpunkten aus hierarchisch interpretiert wird: in den Zentren Erscheinungsformen oder Zeichen der Gottheit (Pantokrator, Emmanuel, Hetoimasia), darunter, nach Rängen gestaffelt, Repräsentanten der historischen und der gegenwärtigen Kirche: Apostel, Propheten, Heilige, Märtyrer, Bischöfe, und in der untersten Zone ausgewählte Szenen aus dem Leben Christi, die häufig als Festtagskalender gelesen werden können. Kitzinger legt Wert darauf, die Auswahl und Anordnung der repräsentativen Figuren als Ausdruck einer »time sequence« zu verstehen. Die Aufgabe der Propheten wäre es danach, die Inkarnation anzukündigen, die Apostel und Märtyrer würden als Zeugen der Menschwerdung auftreten und die Bischöfe stünden für die sichtbare, lebendige Kirche. Dies bringt Kitzinger zu dem Schluß: »What matters is the principle of an ordered Christian universe, allembracing in time as well as in space. The Church is an image of this › fourdimensional ‹ Christian cosmos.«[39]

Bereits das erste entwickelte Programm dieser Art, das uns in einem Zentralbau erhalten ist, die Mosaiken des Presbyteriums von San Vitale in Ravenna (6. Jahrhundert), kommt dem Ausstattungsschema des hohen Mittelalters in Ost und West erstaunlich nahe.[40] (Abb. 2-4) Im absoluten Zentrum beider Kuppeln erscheint das Zeichen des eschatologischen Lamms in einem Medaillon: In St. Georgen wird es von seiner Braut, der Kirche, getragen, die im festen Gebäude des Himmlischen Jerusalem steht – in San Vitale ist es umgeben von einem von Engeln gestützten Früchtekranz und von einer großen vegetabilischen Architektur, einem Rankenhimmel, welcher die »neue paradiesische Schöpfung« (Kretzschmar)[41] versinnbildlicht. Auch diese Disposition kommt im oberen Bereich nicht ohne das Medium der repräsentativen Gestalten aus. In San Vitale sind sie nur deutlich vom rein symbolischen Bereich getrennt und an den unteren Rand der Kuppeldekoration gerückt worden. Hier treffen wir wieder auf Repräsentanten des Alten und des Neuen Bundes, die – auch dieses Merkmal stimmt überein – als die Vertreter der Schrift ausgezeichnet sind: in der höheren Ebene die vier Evangelisten und ihre Symbole, in der unteren Gestalten des Alten Testamentes, die als Propheten und Autoren gewirkt haben. Moses erscheint hier zweimal, bei der Berufung am Horeb und bei der Gesetzesübergabe:

29

*Abb. 2 Ravenna, San Vitale, Mosaiken der südlichen Presbyteriumswand*

*Abb. 3 Ravenna, San Vitale, Mosaiken der nördlichen Presbyteriumswand*

*Abb. 4 Ravenna, San Vitale, Mosaiken des Presbyteriums, Blick in Kuppel und Apsis*

beide Male weist die Schriftrolle ihn als den Mittler der Gottesworte aus. Ihm gegenüber sind jeweis die beiden großen Propheten Jeremia und Jesaja angeordnet, die eine entfaltete bzw. geschlossene Buchrolle halten. Gesetz und Prophetie, die Hauptbestandteile des Alten Testaments, sind so in herausragenden Gestalten repräsentiert – Moses galt dem Altertum und dem Mittelalter ja als der Verfasser der ersten fünf Bücher des Alten Testaments, des Pentateuch. Im untersten Register schließlich und einem anderen architektonischen Zusammenhang eingeschrieben wird erzählt. Nicht zyklisch wie in St. Georgen, sondern in ausgewählten Einzelszenen. Vier alttestamentliche Opferszenen füllen die beiden Lunetten oberhalb der den Altarraum abgrenzenden Säulen: das Opfer Abels und der Tribut Melchisedeks an der Nordwand – Abraham bewirtet die drei Männer im Hain von Mamre, und Abraham opfert Isaak auf der gegenüberliegenden Seite. Diese Zone des Narrativen hat wie ihr mittelalterliches Pendant ihren Bezugspunkt nicht in dem darüber sinnbildlich ausgebreiteten Zusammenhang; sie gilt vielmehr der darunter und zwischen den Bildwänden sich ereignenden realen Kirche: die vier Opferhandlungen des Alten Bundes präludieren und rahmen ja nur, was am Altar des Presbyteriums als Sakrament und Mysterium sich vollzieht, das Selbstopfer Christi in der Eucharistie. Im Gegensatz zu seiner Präfigurationen entzieht sich dieses zentrale Glaubensgeheimnis der Darstellung. Erst wenn der Zelebrant den Blick erhebt und im Lamm den Scheitel- und Angelpunkt dieser ganzen Heils- und Weltordnung erblickt, ist im Opfer aus Brot und Wein die große Synthese aus Vor- und Nachbild vollzogen: Das Lamm des letzten Pascha-Mahls wird im Altarsakrament eins mit dem apokalyptischen Lamm der Endzeit, so wie man es im Evangelium nach Lukas liest: »Und er sprach zu ihnen: Mich hat herzlich verlangt, dies Osterlamm mit euch zu essen, ehe denn ich leide. Denn ich sage euch, daß ich hinfort nicht mehr davon essen werde, bis daß es erfüllet werde im Reich Gottes.« (22, 15 ff.) Sehr viel anders sind in St. Georgen die großen Einheiten auch nicht aufeinander bezogen: Der Märtyrer, der sich unten aufs Rad flechten läßt und so seinen Tod erleidet, verweist auf das Lamm im Scheitelpunkt der Komposition, das im Kreis und im Schnittpunkt des Kreuzes erscheint.

Was allerdings deutlich verschieden ausfällt, ist der Umgang mit dem Modus der Erzählung. In San Vitale kann er sich nicht frei und nach seinen eigenen Gesetzmäßigkeiten entfalten: dort sind die biblischen Historien aus ihrem Zusammenhang gerissen und dienen als Belegstücke eines dogmatischen Programms. Während umgekehrt gilt, daß zwei Felder der repräsentativen Zone narrativ aufbereitet sind: Moses tritt in Szenen auf, in denen er göttlicher Offenbarungen teilhaftig wird; was bei den anderen Männern der Schrift durch Symbole angedeutet wird, die göttliche Inspiration, hat

*Abb. 5 Braunschweig, Dom, Wandmalereien im Vierungsgewölbe*

hier szenisches Format. Ich möchte das Problem solcher Modusinterferenzen für den Moment zurückstellen; es wird uns immer wieder beschäftigen. Für die Argumentation dieses Kapitels ist dagegen zweierlei wichtig: Narration kann als Gesamtgeschehen und Folge oder als ausgewähltes Einzelereignis auftreten. Die Wahl zwischen diesen Submodi ist sicher durch das jeweilige Bildprogramm bedingt; wir können aber auch von einer grundsätzlichen Legitimation dieses Dualismus durch die Vorlagen sprechen: Die Bibel kennt konsequente Geschichtsverläufe ebenso wie lückenhafte Berichte, in denen einzelne Heilsereignisse wie durch Spotlights herausgearbeitet werden. Man vergleiche nur die so verschiedenen Darstellungen des Lebens Christi in den Evangelien. »Progressive Reduktion« (Cullmann) ist nicht ohne »progressive Extension« zu denken. Ganz gleich, wie ausgewählt oder wie folgerichtig erzählt wird, der Narration kommt eine Funktionsstelle zu – und zwar eine notwendige. Was ich auf keinen Fall akzeptieren kann, wäre eine Abwertung der Bilderzählungen, die sich etwa auf ihre Anordnung an relativ niedriger Stelle beruft oder die »Zeichen der Zeit« den »Zeichen des Seins« nachordnet. Für seinen Bereich der byzantinischen Kirchenausstattungen hat Kitzinger das narrative Register, also die Szenen, die Christi Leben illustrieren, als »akzessorisch« bezeichnet: »Der Gott-Mensch im Himmelsdom und die Ränge der Zeugen, die unter ihm angeordnet sind,

*Abb. 6 Braunschweig, Dom, Wandmalereien im Vierungsgewölbe, Detail mit Lamm, Emmaus-Szenen, Aposteln und Prophet*

sind als solche ausreichender Beweis für die Wirklichkeit der Inkarnation. Es ist die Hierarchie der Einzelgestalten, die im Pantokrator ihre Spitze hat, welche den tragenden Gedanken dieses Systems darstellt.«[42] Ausgerechnet die Byzantinistik, die eine so erzählfreudige Kunst zu erforschen hat, hat im Lauf der Jahrzehnte einen antinarrativen Vorbehalt entwickelt, der sich heute zu Behauptungen wie der folgenden versteigt: »Das Erzählen kann im Osten – wie ja auch im Westen – nicht als Funktionsbegriff verwendet werden. Der narrative Anteil ist beim östlichen Bild ein › surplus ‹, der traditionell dem Bild und seinen Funktionen nicht originär ist.«[43] Ich habe an dieser Stelle noch zu wenig anzubieten, um begründet widersprechen zu können. Es berührt allerdings das Grundanliegen dieses Buches, wie wir die Frage nach dem akzessorischen oder konstitutiven Status der Bilderzählungen beantworten. Die beiden zuerst betrachteten Werkkomplexe in St. Georgen und San Vitale gaben uns immerhin schon den wichtigen Hinweis, daß Hierarchie kein Passepartout ist – auch und erst recht nicht die Hierarchie heiliger Männer, wie Kitzinger das möchte. Ich sprach von *Dualismus* im hierarchischen System und sah mich dazu durch die Beobachtung berechtigt, daß *beide* Modi und Raumteile zu durchaus selbständigen Äußerungen befähigt sind.

Diese vorgreifenden Ausführungen gewinnen hoffentlich an Beweiskraft, wenn erkennbar wird, daß das bisher angetroffene Anordnungsprinzip nur eine mögliche Dispositionsform christlicher Bildsummen ist und daß auch die Bildprogramme kirchlicher Zentralräume nur ein Anwendungsfall und nicht ein Modell sind. Das Strukturkonzept, das der Ausmalung der kleinen steirischen Kirche zugrunde liegt, ist zu seiner Verwirklichung auf die Vorgaben der Architektur sehr viel weniger angewiesen, als man es auf den ersten Blick annehmen möchte. So ist die scheinbar angemessene, um nicht zu sagen: logische Verteilung der Modi und Themen nach Zentrum = dogmatische, repräsentative Inhalte und Rand = Narrationen nicht im geringsten obligatorisch. Nehmen wir zum Beispiel das um 1250 ausgemalte Vierungsgewölbe des Braunschweiger Doms (Abb. 5-6), dann finden wir übereinstimmend mit San Vitale und St. Georgen das absolute Zentrum mit dem »Schlußstein« des Lammes im Vierpaß besetzt und analog mit letztgenannter Kirchenausmalung die Kuppel zum Bild des Himmlischen Jerusalem ausgestaltet.[44] Großer Unterschied: Das Areal der Stadt ist mit sechs Szenen aus dem Neuen Testament gefüllt, welche die Höhepunkte des Weihnachts- und Osterfestkreises ins Bild setzen, während außen die Vertreter des Alten und Neuen Bundes stehen, die Apostel, welche die Sätze des Credos halten, und die acht Propheten, welche mit ihren Spruchbändern Aussagen über Jerusalem und über die in den Quadranten dargestellten Vorgänge machen. Also im Vergleich mit St. Georgen eine genaue Umkehrung der Verhältnisse von Außen und Innen, von Repräsentation und Narration. Ein ähnliches Bild kommt zustande, wenn wir die beiden großen Bilderdecken des 12. und 13. Jahrhunderts, die Tabulate in Zillis/Graubünden und Dädesjö/Småland zum Vergleich heranziehen.[45] In beiden Fällen nimmt die neutestamentliche Erzählung das Innere des vielteiligen Bildgefüges ein, während die Außen- bzw. Eckpositionen für Informationen über das Ganze eines christlichen Kosmos reserviert sind: Die Posaunenengel (Zillis) oder die Engel der Evangelien (Dädesjö) besetzen die vier Ecken der Welt; zwischen ihnen – das gilt jetzt nur für Zillis – ist das Meer am Rande der Welt mit seinen monströsen Bewohnern ausgezogen, wohingegen im Tabulat von Dädesjö, das aufgerichtet zu lesen ist, die oberste Reihe den Engeln jenseits des Firmaments gehört.

Mit anderen Worten: Übereinstimmung herrscht in bezug auf die Multimodalität der Bildsummen und auf die Art der dabei verwendeten Modi – Verschiedenheit ist angesagt, wenn es um die Weisen der Konfiguration und der Ordnungsbezüge geht, was auf keinen Fall Beliebigkeit heißen soll. Wir handeln hier von einem ebenso flexiblen wie konstruktiven Dispositiv, das für alle Medien und alle Dimensionen der christlichen Kunst nutzbar gemacht wurde, offenbar weil seine Formprinzipien den innersten Anliegen und Notwendigkeiten derselben entsprechen. Ich belege die Omnipräsenz dieser Bildform und nähere mich der Frage nach ihrer Gesetzmäßigkeit und historischen Bedeutung, indem ich mit zwei extrem verschiedenen Beispielen fortfahre, extrem verschieden aufgrund ihrer Größenordnung, ihrer Machart und Funktion. Gemeinsam ist ihnen, daß sie das dreidimensionale Schema der Kirchendekoration auf die zwei Dimensionen einer planen Bildanordnung übertragen.

Die Fresken der Synagoge von Dura-Europos

Der erste und früheste Werkkomplex führt uns gleich wieder aus dem christlichen Bilderkreis hinaus und scheint eher als Kontrastbeispiel zu taugen. Ich spreche von den Wandmalereien der Synagoge von Dura-Europos in Syrien, genauer von der großen Komposition der Altarwand.[46] (Abb. 7-9) Bevor ich deren Aufbau erläutere, ein Wort zu der Frage, welche Gründe die Einbeziehung dieses größten Monuments der *jüdischen* Kunst rechtfertigen und warum Herbert Kesslers These Beachtung verdient, daß wir gerade hier »den Schlüssel zu einem Verständnis der Entstehung der christlichen Kunst«[47] in die Hand bekommen. Zunächst und scheinbar banal: Es

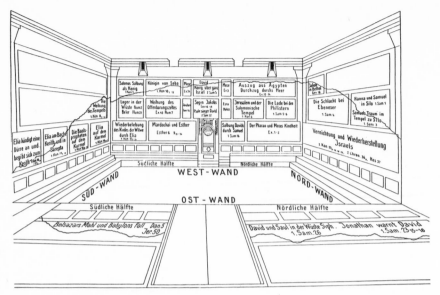

Abb. 7 Dura-Europos, die Malereien im Kultraum der Synagoge (nach O. Eissfeldt, mit z. T. umstrittenen oder falschen Themenangaben)

Abb. 8 Dura-Europos, Synagoge, Teil der Westwand mit der Torah-Nische und den »Schreinwächtern«

38

sind Gestalten und Szenen der hebräischen Bibel, die das Material dieses
Programms ausmachen. Wenn wir uns, wie im ersten Kapitel angekündigt,
vom »Great Code«, von den strukturellen und gattungsspezifischen Vorga-
ben der Bibel Aufschlüsse über die konstitutiven Qualitäten christlicher
Kunst erhoffen, dann müßten eine jüdische und eine christliche Kunst einige
Grundstrukturen teilen. Vorausgesetzt, es gibt eine jüdische Kunst. Die
Ausgrabungen von Dura-Europos, einer kleinen Grenzstadt am Euphrat,
keinem kulturellen Zentrum, lassen uns ahnen, was in den Zentren des
Nahen Ostens, in Städten wie Antiochia oder Alexandria vorausgegangen
ist. Die überraschende Wendung der Juden zur »sinnfälligen Religionsbetä-
tigung« (Dvořák) muß jedenfalls im größeren Kontext der spätantiken
Religionskonkurrenz gesehen werden – wofür die Verhältnisse im Osten
des Reiches und gerade in Dura-Europos mit seinen 16 Kultstätten ein
besonders dankbares Anschauungsmaterial bieten. Herbert Kessler ist
jüngst weiter gegangen und hat das Programm der syrischen Synagoge als
Reaktion einer jüdischen Bildtheologie auf die Beschlagnahme und christologische Uminterpretation der alttestamentlichen Erzählungen durch die
Christen gedeutet.[48] Ich werde auf diese Argumentation zurückkommen,

*Abb. 9 Dura-Europos, Synagoge, Teil der Westwand mit der Torah-Nische und den »Schrein-
wächtern«*

39

wenn ich nach den Gründen und der Aussagekraft solcher Bildordnungen frage, und möchte zunächst einmal im Zusammenhang mit meinen anderen Beispielen die Elemente und das Beziehungsgefüge dieser um 244/45 fertiggestellten »jüdischen Sistina« skizzieren.

Konzentrieren wir uns auf die Hauptwand, deren Dekoration in mehreren Etappen entstanden ist. Der ausgemalten Synagoge ging, auch das ist nicht unwichtig, ein Zustand voraus, in dem nur ornamentale und materialimitierende Malereien zugelassen waren. Nach der Erweiterung und Neuorientierung des Versammlungsraums markierte man zuerst das Zentrum der Westwand durch eine Nische samt Ädikula, welche als Torah-Schrein diente und im Giebelfeld mit den in Gold wiedergegebenen Kultutensilien des siebenarmigen Leuchters (Menorah), der Zitrone (Ethrog) und Palmenzweigbüschels (Lullab) sowie mit Bildern des Tempels und der Akedah, des Isaakopfers, ausgemalt wurde. (Abb. 10) Darüber erhebt sich ein gewaltiger Weinstock, flankiert von einem leeren himmlichen Thron, der auf den Messias wartet, und einem zweiten, schwer zu identifizierenden Gegenstand, der möglicherweise einmal ein Gestell mit einer Torah-Rolle war.[49] In der Mitte finden wir also eine Verdichtung der heiligen Zeichen, ein symbolisch-thematisches Zentrum. Daß das Opfer Isaaks narrativ ausgeführt ist, kann seinen Grund in der angenommenen polemischen Tendenz des Programms haben – also jüdische Antwort auf die blutigen Opferszenen der paganen

*Abb. 10 Dura-Europos, Synagoge, die symbolischen Darstellungen oberhalb der Torah-Nische*

Gotteshäuser in der Stadt sein. Mit Kessler ist aber auch daran zu denken, daß hier eine Kurzszene eingesetzt ist, die schon im Kernbereich der theologischen Aussage den Sinn des umfangreichen narrativen Kontextes zum Sprechen bringt. Die Akedah »reflektiert dann das Bedürfnis, die Historizität von Gottes Bund mit Abraham und seinen Nachkommen, den Juden, zu bekräftigen«, ein Motiv wie geschaffen, um eine Gemeinde im Exil an diese Hoffnung und an Abrahams Gehorsam in verzweifelter Situation zu erinnern. Aber auch aus diesem Blickwinkel ergibt sich die Möglichkeit einer kontrovers-theologischen Lesart: »Seit Paulus (Röm. 9 und Gal. 4) hatten Christen behauptet, daß das besondere Verhältnis, das einst zwischen Gott und den Juden gesetzt war, auf sie, auf die Christen, übertragen worden sei. Isaak sei *ihr* Ahne, Ismael der Urvater der Juden. Während des 3. Jahrhunderts wurden die Zerstörung des Tempels und die Vertreibung der Juden als Beweis für diese christliche Behauptung ins Feld geführt. Kann es nicht sein, daß die narrative Entfaltung der Akedah, mit ihrer Implikation, daß der Bundesschluß noch gültig ist, eine Antwort auf die Herausforderung der Christen darstellt?«[50]

Die in der Mitte um die Torah-Nische konzentrierten Heilszeichen wurden in der nächsten Ausstattungsphase um ein umfangreiches Bildprogramm erweitert. Die vier Felder, welche die Tabernakelzone rahmen wie Flügel einen Altarschrein, zeigen die Propheten Jesaja und Jeremia sowie zweimal Moses. (Abb. 8-9) So werden dem symbolischen Zentrum im ersten Schritt repräsentative Gestalten wie Schreinwächter an die Seite gegeben, was dem Vorgehen in St. Georgen entspricht, wo das substantielle Zentrum »Kirche« in den anschließenden Kreisringen in seine ersten Vertreter transponiert, in die Realität des Menschlichen und des Pluralen übersetzt wird. Gleichzeitig muß man aber realisieren, daß es sich bei den »wing panels« in Dura-Europos um stark komprimierte Kurzszenen handelt, welche zwischen den Bildzeichen der Mitte und den ausführlichen Bilderzählungen des weiteren Kontextes vermitteln. Moses hört die Stimme Gottes aus dem brennenden Busch, Moses nimmt die Gesetzestafeln entgegen, Jesaja hört die Verheißung von der Erneuerung Jerusalems, Jeremia entrollt die Botschaft eines neuen Bundesschlusses zwischen Gott und dem Volk Israel – die Personen und z. T. auch ihre Handlungen sind uns schon begegnet: das Programm von San Vitale, 300 Jahre später entstanden, hält sich an genau diese Themenwahl. Was überrascht, vor allem wenn man bedenkt, wie unwahrscheinlich es ist, statistisch gesehen, daß die Konzeption einer Vierergruppe alttestamentlicher Gestalten zweimal identisch ausfällt.

Diese immer noch verdichtete erste Erweiterung, die wie eine Pufferzone wirkt, wird von einer Fülle narrativer Bilder umspielt, die in drei Registern die vier Wände des Raumes bedecken. (Abb. 7) Insgesamt sind hier über 25 (ehemals an die 35) biblische Szenen visualisiert. Es ist in diesem Zusammenhang unmöglich und auch nicht nötig, das gesamte Programm und die leitenden Ideen vorzustellen, die nach Meinung der Forschung seine Selektion und Komposition bestimmten. Eines steht von vornherein fest: Ein chronologischer Durchgang durch die biblische Geschichte ist hier nicht verwirklicht worden; eine zyklische Anordnung würde ja auch automatisch mit dem Formprinzip der Mitte kollidieren, das von den ersten Dekorationsphasen vorgegeben war. So richten sich denn auch Teile des narrativen Supplements nach dieser Mitte aus. Das Bildfeld neben »Moses und der brennende Busch« spricht von der Erfüllung des von Gott damals gegebenen Versprechens: »Ich bin herniedergefahren, daß ich sie errette von der Ägypter Hand und sie ausführe aus diesem Land in ein gutes und weites Land, in ein Land, darin Milch und Honig fließen.« (2 Mos 3, 8) – hier ist der von Moses angeleitete Auszug aus Ägypten und die Passage durch das Rote Meer dargestellt. Und neben Jeremia, der den neuen Bund predigt, zeigt das Wandbild das Neue Jerusalem und den wiederaufgebauten Tempel, zwei Ergänzungen, die allerdings auch neben den Flügelbildern auf der gegenüberliegenden Seite Sinn ergeben hätten. Dort aber erscheinen Bilder, welche als typologische Gegenstücke zu den gerade angesprochenen Feldern und nicht als Auslegung der angrenzenden Flügelbilder zu gelten haben. Das Schaubild neben Jesaja, das den Tabernakel und die Bundeslade visualisiert, wie ein Bilderduden es tun würde, bezieht sich auf die Darstellung des wiederaufgebauten Tempels auf der anderen Seite. Hier vermittelt der für das ganze Programm grundlegende Gedanke der Gültigkeit des Alten und der Möglichkeit eines Neuen Bundes; sichtbar macht ihn die visuelle Angleichung der zentralen Bildinhalte: die erste Kultstätte der Juden, der Tabernakel, ist nicht als Zelt, sondern als eine kleinere Ausgabe eines Tempels wiedergegeben. Damit wird schon deutlich, wie dieses Ensemble fortgeschrieben worden ist. Die Phase der narrativen Kontextualisierung nimmt die Stichworte der symbolischen und repräsentativen Mitte auf, versucht sie in den benachbarten Feldern zu übersetzen, beginnt aber gleichzeitig über die Mitte hinweg und relativ unabhängig von ihr für die eigenen Positionen Analogien und Querbezüge zu entwickeln. So entstehen Gegenstücke, Parallelen, Gruppen und thematische Achsen; so entsteht zwar kein schlüssig durchkonstruiertes Programm, aber doch ein Gefüge mehr oder minder stringenter Relationen und thematischer Cluster.

Was die Modalitäten der bildnerischen Aussage anbelangt, so fällt erneut auf, daß solche großen Synthesen notwendig auf eine Differenzierung der Aussageweisen angewiesen sind. Wieder stellen wir einen stufenweisen Übergang fest, ausgehend von einem Zentrum starker symbolischer Ver-

dichtung (und in diesem speziellen Fall auch lockerer, additiver Anordnung)
über Kurzszenen, wo die Handlungen mehr attributiven Status haben und
die Felder entsprechend der Akzentsetzung, die auf der menschlichen
Gestalt liegt, als Hochformate erscheinen, bis hin zu Tableaus, welche die
markante Querstreckung von Historienbildern der Neuzeit haben. Da sie
wie diese nicht dem Rhythmus einer sequentiellen Struktur unterworfen
sind, können sie panoramatisch breit ihre Vorgänge und Sachverhalte explizieren. Kessler, das deutete sich schon an, sieht den polemischen Gehalt des
Programms in der Verwendung eben dieser historischen Szenen: »die Juden,
konfrontiert mit der typologischen Lesart der Christen [. . .], sorgten sich
um den wörtlichen Sinn des Alten Testaments und argumentierten, daß diejenigen, welche die Schriften uminterpretierten, keinen Platz im Jenseits
fänden. Eben weil die Christen das Alte Testament beanspruchten, waren
die Juden gezwungen, ihr eigenes schriftliches Erbe zu sichern. Narrative
Bilder bestätigten die Verläßlichkeit und auch die prophetische Autorität
der biblischen Geschichtsschreibung in den Augen einer jüdischen Öffent-
lichkeit.«[51] Damit würde schon die Betrachtung des frühesten Komplexes,
der in diesem Buch seinen Platz hat, die These stärken, daß die Narration
auch dann ein notwendiges Aufbauelement dieser Summen darstellt, wenn
sich das diesem Modus eigene Gesetz der Sequenz nicht entfalten kann.

Die Mailänder Elfenbeintafeln

Das letzte Werkbeispiel meiner ersten Annäherung an christliche Bildsummen und ihre Gesetzmäßigkeiten steht nach Auffassung und Funktion den
Wandmalereien von Dura-Europos sehr viel näher, als es die zunächst auf-
fälligen Differenzen des Formats und der Machart erwarten lassen. Die beiden Elfenbeintafeln des Mailänder Doms (5. Jh.) nehmen nicht anders als das
Freskenprogramm der syrischen Synagoge die Heilige Schrift in die Mitte.[52] (Taf. 3-4) Doppeltafeln aus Elfenbein dienten in der Antike immer als
Umhüllung, Schutz und Zierde von Schrift, aber in diesem Fall weisen Format und Programm darauf hin, daß diese Reliefs nicht zuerst als Vordersei-
ten von Schreibtäfelchen fungierten, sondern von Anfang an für den
Umschlag eines Evangelienbuches vorgesehen waren. Wieder haben wir
eine komplexe Struktur vor uns, deren Kompositcharakter auf der Ebene
der materiellen Beschaffenheit – die Tafeln sind zusammengestückelt –
ebenso deutlich bleibt wie auf der kompositionellen: Die Bildfelder setzen
sich unmißverständlich durch ihr prägnantes Rahmenwerk, durch ihren ver-

schiedenen Richtungssinn, durch Wechsel in Proportion und Artikulation voneinander ab – nicht zu vergessen der einmalige Materialwechsel: die zentralen Bildsymbole sind als Almandin-Einlagen in erhöhter Silberfassung dem Reliefgrund aufgelegt. Und wieder werden verschiedene Darlegungsweisen des Bildes bemüht, die zeichenhafte, die repräsentative und die narrativ-zyklische. Dennoch erscheint uns sogleich der Ordnungsgrad sowie die bestimmte Interaktion der Elemente deutlicher auszufallen als in allen vorher betrachteten Fällen. Daran sind sicher die Größenverhältnisse und die additive Fügung nicht unschuldig. Und auch Gattungsspezifisches dürfte positiv mitspielen, denn die Gestalter von Diptychen sind nun einmal durch deren konstitutive Doppelung gehalten, sich Gedanken über Analogien und Differenzen zu machen – eine »Formgelegenheit«, deren Affinität zu Grundfiguren des christlichen Sinnentwurfs an späterer Stelle zu diskutieren sein wird. Aber bei weitem nicht alle Elfenbeinarbeiten weisen diese Sicherheit der strukturellen Konzeption auf, welche die Mailänder Tafeln zu wahren Schulen christlichen Komponierens macht.

Ich betrachte zuerst den Vorderdeckel mit dem Lamm in der *corona triumphalis*. Wir haben wie in St. Georgen und in San Vitale eine ideale Mitte in dem gleich mehrfach gerahmten und hervorgehobenen Überzeichen des Lamms, und wir haben vier, in charakteristischer Eckposition angebrachte Symboltrabanten, zwei Evangelisten und ihre Tiere, die durch ihre Auszeichnung, den Eichenkranz, auf das symbolische Mittelstück bezogen bzw. durch diesen Rahmen und durch ihre verschiedene Proportionierung und ihre zeichenhafte Verkürzung zur Büste von den narrativen Feldern ihrer Umgebung abgesetzt sind. Derer gibt es acht: je zwei breitere in der Kopf- und Fußleiste und je drei in den vertikalen Seitenleisten. Hier wird in nicht ganz einsichtiger Folge aus dem Leben Christi erzählt: Von der Verkündigung bis zum Einzug in Jerusalem reichen die szenischen Darstellungen auf dieser Seite, während auf dem anderen Deckel der Zyklus in identischer Anordnung fortgesetzt wird und im wesentlichen Ereignisse des öffentlichen Wirkens Christi, vor allem seine Wundertaten, referiert. Im Mittelpunkt steht dort das Kreuz auf dem Berg Golgotha, aus dem die vier Paradiesesflüsse, sprich: die vier Evangelien entspringen. Auffällig ist dabei, daß das zentrale Symbol nicht von einem Kranz ausgezeichnet wird, was ja ein leichtes gewesen wäre und durchaus zum Standard der Kreuzesikonographie gehört – man denke an die Symbolkomposition in der Mitte des Triumphbogens von Santa Maria Maggiore (Abb. 39).

Dadurch, daß der Kranz fehlt, wird automatisch der auf dem Vorderdeckel evidente Bezug zwischen dem Zeichen der Mitte und den Zeichen der vier Eckpositionen geschwächt, um nicht zu sagen: unterbrochen. Wir werden so darauf aufmerksam gemacht, daß jede Seite von einer anderen

Figur regiert wird, bei gleichem Grundbestand der Elemente. Auf dem Vorderdeckel ergibt sich als starke Figur der Fünfort, die Quinkunx, die im Gleichklang der Medaillons und mit simultaner Wirkung die Diagonalen besetzt. Sie verweist die zweite Ordnung, die Zwischenstücke der Narration, die nur sukzessiv erschlossen werden, in den Zustand der Latenz. Deren Anordnungsprinzip wird auf der zweiten Seite durch das andere Symbol zum Sprechen gebracht. Die an das zentrale Mittelfeld sich anlagernden erzählenden Abteilungen können mit diesem zusammen als ein Kreuz gelesen werden. Von der doppelten formalen Codierung der Mitte aus springen diese zwei Syntagmata Fünfort und Kreuz nach Art einer Kippfigur um. Damit ist aber erst eine Ebene ihres Funktionierens angesprochen: ihre Leistung, Elemente zu verknüpfen bzw. auszuscheiden. Nun sind diese Syntagmata als Figuren aber auch selbstbedeutend. Wieder führen uns die Mittelstücke darauf. Das Kreuz, das ja nicht nur wie das Lamm ein Symbol, sondern ein Teil, ein metonymisches Zeichen der Vita des Erlösers ist, gibt der Erzählung vom Leben und Wirken Christi Form und Zusammenhalt. Die vier Paradiesströme, die unter ihm entspringen, sind, wörtlich verstanden, die Quellen, aus denen sich diese Erzählung speist. Durch ihre Zahl und durch die Tatsache, daß sie dem Symbolfeld Natur entstammen, haben sie gleichzeitig an der zweiten Ordnung teil, die auf der Vierzahl aufgebaut ist und als programmierendes Zentrum ein natürliches Zeichen hat, das Lamm, umgeben von einer natürlichen Auszeichnungsform, dem Kranz mit den Früchten und Pflanzen der vier Jahreszeiten. Es gibt mittlerweile eine eigene Literatursparte, die uns diese Vierer- bzw. Fünferordnung als Matrix eines christlichen Weltbildes erklärt hat.[53] So daß wir sie nicht nur als starke Gestalt, sondern wie das Kreuz auch als Figur und Ideogramm verstehen müssen. Auf jeden Fall ist es eine Figur, die eine totalisierende Wirkung hat und die das Prinzip der Analogie und Metapher zur Anschauung bringt, während die achsenbetonte Figur des Kreuzes und jede narrative Bilderreihe auf Nachbarschaft (Jakobson: Kontiguität) und Metonymie beruht (was Theologie und Kunst freilich nicht davon abgehalten hat, die *figura crucis* ebenfalls als Weltformel zu behandeln). Die Quinkunx mit ihren konstitutiven Merkmalen Zentrum und Vierzahl bringt als eigentliche Kosmosformel der christlichen Ikonographie deren zahlreiche Vierergruppen zusammen und zur Deckung: die vier Evangelisten, die vier Symboltiere, die vier Jahreszeiten, die vier Elemente, die vier Himmelsrichtungen, die vier Hauptwinde, die vier Engel der Apokalypse usw. – Elemente der Natur und der Kultur schließen sich in immer neuen Kombinationen zu Bildern einer geordneten und christlich sanktionierten Totalität zusammen. Kein Wunder, daß diese Zahl auch in den narrativen Bereich hineinregiert: 16 Bildfelder, also vier mal vier Handlungsmomente, hat der historische Zyklus. Die Multiplikation des Szenischen, welche den Reichtum des Erlösungswerks Christi meint, hält sich also an das Maß, das ihr die andere Ordnung vorschreibt. Schematisch läßt sich das folgendermaßen niederschreiben:

|  | Vorderes Relief dominant: | Hinteres Relief dominant: |
|---|---|---|
| symbolisches Feld | Kosmos/Natur | Heilsgeschichte |
| Modus | symbolisch/repräsentativ | narrativ |
| Überzeichen/figura | Quinkunx/Fünfort | Kreuz |
| Zeichen | Analogie/Metapher | Kontiguität/Metonymie |
| Lesart | simultan | sukzessiv |

Es bleibt zu betonen, daß die jeweils dominierende Figur natürlich nur den einen Aspekt des gleichen Ausgangsmaterials realisiert. Beide Seiten teilen sich ja zu gleichen Hälften in die 16 narrativen und die acht symbolischen Bildeinheiten. Und wollen so das Ganze, das Buch, das sie in ihre Mitte nehmen, als ein zugleich Vielfältiges und Zusammengehöriges ausweisen.

Die drei Modi

Ich komme zu einem ersten Fazit und zum Versuch einer Begriffsbildung. Wir haben Werkkomplexe von ganz verschiedener Machart, Objektform, zeitlicher und regionaler Zugehörigkeit betrachtet – sie alle standen unter dem Anspruch, eine zusammenhängende und geordnete Aussage zu machen. Gemeinsam war ihnen, daß so etwas wie ein qualitatives Ganzes nur durch die Kooperation verschiedener Modi und Aussageweisen zustande kam. Unproblematisch, leicht erkenn- und benennbar war der Modus des Narrativen, der sich in Einzelbildern oder in Zyklen organisieren kann. Materiell reproduziert er die Erzählungen des Alten Testaments bzw. der hebräischen Bibel, des Neuen Testaments und der Heiligengeschichte. Schwieriger zu benennen der andere, der nichterzählende Modus. Deutlich wurde, daß an ihm mehrere Submodi beteiligt sind: Personifikationen (Ecclesia), Symbole (Lamm, Kreuz), repräsentative Figuren (Apostel, Propheten, Evangelisten), ja sogar Kurzszenen (Isaakopfer) finden sich auf dieser Seite der Bildargumentation engagiert. Was die Inhalte anbelangt, so fällt das Resümee ebenfalls uneinheitlicher aus. Zum einen, das war nicht anders zu erwarten, ist diese Position für die Bilder und Zeichen der Transzendenz, des übergeschichtlichen Seins und der Glaubensmysterien reserviert. Zum anderen haben hier die Zeugen und Mittler der Offenbarung ihren Ort, ohne daß ihre Aufgabe sich jeweils darin erschöpfte, quasi als Stichwortgeber zu fungieren.

Ungeachtet solcher Variationsbreiten dürfte aber feststehen, daß dieser gemischte Modus als *eine* Funktion und als *ein* Inhaltsbereich der Bildsummen verstanden werden will. Wie soll er dann heißen, wenn wir ihn nicht immer nach seinen diversen Bestandteilen aufrufen wollen? Ich schlage vor, von thematischer Ordnung[54] zu sprechen, in Abgrenzung von der narrativen oder historischen Ordnung, und als dritten Begriff den der systematischen oder figurativen Ordnung, des Bildsystems, für das Zusammenwirken der beiden Modi zu gebrauchen. Wir haben gesehen, auf wie verschiedene Weisen die Bildkomplexe zusammengefügt worden waren. In St. Georgen, in den byzantinischen Kirchen bewirkt das starke Dispositiv der Hierarchie, das mit der Oben-Unten-Richtung wie natürlich gegeben ist, einen Gutteil der Gesamtstrukturierung: Diffusion, Emanation, Transformation hatten wir als ihre Merkmale erkannt. Diese Anordnung läßt eine direkte Interaktion der Modi, wie sie in den Elfenbeinen zu beobachten ist, nicht zu; das Nach- bzw. Über- und Untereinander kann dann im Sinne der oben ermittelten Formel Dualismus im hierarchischen System ausgelegt werden. Das setzt voraus, daß die Eigengesetzlichkeiten beider Modi besonders klar herausgearbeitet und gegeneinandergestellt werden. Die große Synthese glückt dann besonders überzeugend, wenn in den Teilbereichen spezifische Ordnungsgrade erreicht werden. Die Disposition der Elfenbeine geht in dieser, geht in jeder Beziehung am weitesten. Hier bilden sich die Ordnungen zu zwei Figuren aus, die wie eine notwendige Konsequenz der Grundeigenschaften ihres Materials wirken: das Kreuz aus der Kontiguität, die Quinkunx aus der Analogie aufgebaut. Diese beiden Figuren treten »wie durch höhere Fügung« zu einer dritten zusammen, die das Werk in seiner zweifachen Ausgabe, in seiner doppelten Lesart ist.

Zusammengefaßt: Wir haben es also mit einer dreifachen Artikulation zu tun, in der folgende Ordnungen auftreten: die beiden Ordnungen erzählender und thematischer Art mit ihren je spezifischen Kombinationsregeln und die dritte Ordnung, welche die Kombination der Kombinationen leistet. Letztere kann in einem figürlichen Sinn bedeutsam werden; sie ist aber vor und außerhalb dieser Möglichkeit immer schon signifikant. Diese dritte Ordnung verstehen wir als die eigentliche Signatur, als die Allegorie dieser ganzen Kunstübung. Sie spricht von dem Aufeinanderangewiesensein der Ordnungen, von der Notwendigkeit ihrer Kombinationen, vom Gesetz der Komplementarität. Durch sie zeigt sich die »Künstlichkeit« des Werks, von der wir mit Clemens Lugowski annehmen, daß sie einen demonstrativen und »gemeinsamkeitsbegründenden« Charakter besitzt. Durch sie drückt sich der »ganz bestimmte Totalitätscharakter« eines Welt- und Geschichtsmodells aus, in dem jedes Einzelne als »teilhaftes« erkennbar ist. Im Zentrum unseres Interesses stehen also Relationen, steht eine Typologie und eine Hermeneutik von Relationen. Als Aufgabe einer historischen Analyse hat dieses Unternehmen zwei Ausgangspunkte: die Geschichte der Kunst und die Geschichte der »Schrift«.

## 2. Kapitel

## Bezugssysteme im Vergleich:
## Pagane und christliche Bildsummen

> Bezugssysteme – : Verhaltungen und Mittagsstunden des
> Verhüllten, Erscheinungsformen, lange Launen des »End-
> gültig Realen«, das hier wie dort in immer neuen ethni-
> schen Wesenheiten Bezugssysteme auflöst und eröffnet,
> Kausalreihen abschließt, Entropien umkehrt und in fortge-
> setzter Zeugung und Vermehrung des Unwahrscheinlichen
> und Kompliziert-Geordneten weiter das Äußerste leistet.
> Gottfried Benn

Mit guten Gründen kann man von der »Sattelzeit« des 4. und 5. Jahrhunderts so etwas wie das Layout christlicher Kunst erwarten: »Das Christentum wird öffentliche Religion, nimmt weltliche Bezirke in sich auf, denen
es bisher notgedrungen fernstand, kommt zu einer Kultur. [...] An die Stelle der Bilder, die Bedeutungen darstellen, Bedeutsamkeiten für das Heil des
Menschen, treten Illustrationen, die ohne unmittelbare Beziehung auf das
Leben der gegenwärtigen Menschen und ihre Hoffnung von vergangenen
Dingen erzählen. [...] Besonders eine Tatsache bezeichnet charakteristisch
die neue Situation: an die Stelle des fast allein geltenden Einzelbildes tritt
der Bilderzyklus, die erzählende Folge von Bildern.«[55] Die hier skizzierte
Tendenz »zur Zyklenbildung auf historischer Grundlage« darf jedoch nicht
verabsolutiert werden – im Sinne eines »an Stelle von«. Tatsächlich gehen
die alte und die neue Kunstübung in der Regel eine Symbiose aus Zeichen
und Zyklus ein. Gerade das Kunstwerk, das Kollwitz zu den hier zitierten
Überlegungen anregte, die Lipsanothek in Brescia (3. Viertel 4. Jh.; Abb. 11),
steht phänotypisch für diese Möglichkeit: mit ihrer Kombination von alt-
und neutestamentlichen Szenen, die vielleicht einer inneren Systematik
gehorcht, und ihren symbolischen Feldern, in denen die Heils- und Erkennungszeichen der Verfolgungszeit zu einer Art christlicher Emblematik
umformuliert werden, nicht zu vergessen schließlich die Rundmedaillons
mit Christus und den Aposteln am vorderen Rand des Deckels, das repräsentative Register.[56]

Konzentration und Extension:
Die Raumformen der christlichen Basilika

Im großen Maßstab erhält die Tendenz zur Synthese im Bau der Hauptkirchen des 4. Jahrhunderts sichtbare und wirksame Form. Ich denke, daß man der Komplexität des Problemkreises Basilika keine Gewalt antut, wenn man für den westlichen, römischen Typus genauso wie für die östliche Spielart das (verschieden weit gediehene) Zusammenwachsen zweier Komponenten hervorhebt. Die längsgerichtete Halle, der Weg- und Wandelraum, die Passage verbindet sich mit dem Martyrium-Sanktuarium, dem Zentralort, dem Raum der Stasis und Konzentration. Beide Raumformen sind im Sinne der Opposition narrativ-thematisch durch Bilder und Zeichen interpretiert worden: das Langhaus durch extensive Zyklen erzählender Art, das Sanktuarium durch repräsentative Darstellungen bzw. Zeichenaggregate.[57] Diese Kombination und Aufgabenteilung ist nicht per Dekret verwirklicht worden. Wir sprechen hier von einem Prozeß, der die Gestaltqualitäten von räumlichen und bildlichen Artikulationsweisen aufeinander zugeführt hat, um ein in seiner Ausgestaltung variables, aber der Grundeinrichtung nach feststehendes Schema zu erreichen. Und was kommt an Merkmalen nicht alles zusammen, welche eine zyklische Ausnutzung begünstigen, wenn man die Architektur der Langhäuser betrachtet: die Wand, die zwischen den Säulenreihen des Untergeschosses und dem Lichtgaden bzw. Dach übrigbleibt, der Verzicht auf vertikale Unterteilungen, welche den Längsraum wie im Falle der paganen Vergleichsbauten (Thermen) in große und gleiche Abschnitte untergliedern würden, die ausreichende und gleichmäßige Beleuchtung, das ausgewogene Verhältnis von Höhe und Breite des Mittelschiffs, das eine bequemere Betrachtung der Wandzone erlaubt, die dichte Abfolge der Säulen, welche einen kleinteiligen und unendlich fortsetzbaren Progreß vollzieht. Eine solche Architektur, die darauf verzichtet, sich in eigener Sache zu erklären, die also weder Raumeinheiten gestaltet noch den tektonischen Zusammenhang zwischen den horizontalen Elementen Säulenreihe, Wand, Dach herstellt, verlangt geradezu danach, von einem anderen Medium übernommen zu werden.

In Alt-St. Peter, dem »caput et speculum omnium ecclesiarum«, sah das dann im frühen Mittelalter so aus: an den Wänden des Mittelschiffes in zwei Registern zwei Langzyklen aus den Geschichten des Alten und Neuen Testaments oder der Apostelgeschichte, der Sanktuariumsbereich samt Triumphbogen als ein Ineinander konzentrischer Motive mit dem Zeichen der Zeichen, dem Kreuz, im Zentrum: »wenn man [. . .] von einem im Mittelschiff stehenden Betrachter ausgeht, so umschloß der Triumphbogen den

*Abb. 11 Brescia, Museo civico dell' età cristiana, Lipsanothek, Propheten, alttestamentliche und neutestamentliche Szenen, Symbole*

jenseits westlich aufgeführten und in der Perspektive kleiner erscheinenden Apsisbogen, der seinerseits den Rahmen abgab für den ganz ähnlich proportionierten Umriß des Ziboriums. Die vierte und kleinste Ausprägung dieser als ineinanderliegend erscheinenden Bögen war die dunkle Nische des Apostelschreins, aus der hell das goldene Kreuz herausleuchtete, welches Konstantin und Helena dem Bau gestiftet hatten. Durch formale Konzentration im architektonischen Motiv bewirkte man also eine zusätzliche Konzentration des Interesses auf den vergleichsweise winzigen Kern der Großarchitektur: ein goldenes Kreuz mit 150 Pfund Gewicht.«[58] Dieses extrem verdichtete Ensemble wurde hinterfangen von der repräsentativen Szene der Traditio Legis, die Geschichte thematisch interpretiert. Extension, Linearität, Sukzession, Parallelismus, Vielfalt, Fülle und Welthaltigkeit der Bilder, das sind die Formgedanken der Langhausdekoration, während für das Sanktuarium gilt, daß es nach den Prinzipien Verdichtung, Analogie, Simultaneität, Muster, Struktur, Statik, Zeichenhaftigkeit eingerichtet war. Bei dieser idealtypischen Ausarbeitung der Modi war von Anfang an das Problem ihres Anschlusses und ihrer räumlichen Integration aufgegeben, auch ein solches Syntheseproblem, das die christliche Kunst auf Dauer beschäftigt hielt. Zur vermittelnden Grundrißgestaltung die Figur des

Kreuzes heranzuziehen, war eine Möglichkeit, keineswegs die einzige und generell akzeptierte. Die zahlreichen Bemühungen, mit Hilfe schriftlicher Architekturallegorese in diesem Punkt Verbindlichkeit zu stiften, sagen uns jedoch, daß auch für die Großform der Architektur die Klammer des figurativen Moments gesucht wurde.

Noch einmal Dura-Europos: Die Frage nach dem jüdischen Vorbild

Dies alles sind, wie gesagt, Errungenschaften der Zeit nach der konstantinischen Wende. Ob diese vielleicht nur katalysatorisch wirkte und mit politischem und materiellem Druck einer Praxis zur Durchsetzung verhalf, deren Modell und Typenschatz schon in der jüdischen Kunst bereitlag, dieses Problem haben wir implizit gestreift, als wir die Fresken der Synagoge von Dura-Europos in unsere Betrachtung einbezogen. Vieles deutet ja darauf hin, daß Juden und Christen in Sachen Kunst einen vergleichbaren Weg zurücklegen: von einer Religion ohne Bild über eine Kunst der Erkennungs- und Heilszeichen hin zu einer voll entwickelten Bildkatechese und -propaganda. Dieser Prozeß muß auf jüdischer Seite spätestens im frühen 3. Jahrhundert abgeschlossen sein, wenn die Synagoge einer kleinen Wüstenstadt in Syrien um 243 bereits den letzten Entwicklungsstand erreicht hat. An den Wänden dieses Kultraums vollzieht sich im Kleinen und idealtypisch, was im Großen mangels Belegen vorausgesetzt werden muß: erst die ungeschmückten Wände, dann eine Zentrierung des Raums durch die gängigsten Sinnfiguren des Judentums, dann ein umfangreiches, strukturell kaum mehr einzuholendes Freskenprogramm. Die Entscheidung für das Bild als Mittel der Verkündigung und vor allem für den Modus der Bilderzählung haben wir bereits mit Kessler als Folge der allgemeinen Religionskonkurrenz und im besonderen einer jüdisch-christlichen Auseinandersetzung verstanden. Ich denke, wir müssen hier noch einen Schritt weitergehen, um auch das Ausbleiben einer christlichen Antwort zu begreifen. Die derart adressierten Christen von Dura-Europos haben ja der Kunstgeschichte nicht den Gefallen getan und in der Dekoration ihres Baptisteriums auf das großangelegte Statement der jüdischen Gemeinde reagiert. Wir überbewerten diesen Sachverhalt nicht – denn er entspricht dem Erscheinungsbild der christlichen Kunst in diesem Zeitraum generell –, wenn wir folgern, daß für das damalige Christentum die Notwendigkeit zu einer »monumentalen Theologie« nicht bestand. Die Lehre Christi hatte ihre Anhänger sehr viel besser auf die Herausforderungen der Kampfzeit und der Fremde eingestellt, denn die Nöte der *ecclesia pressa* konnten recht eigentlich als Erfüllung von Christi Leben und Auftrag empfunden werden. Ganz anders mußte das Judentum im 2. und 3. Jahrhundert auf die (äußerlich betrachtet) gleichen Vorgänge der Verfolgung und Verstreuung reagieren. Das Volk Gottes hatte mit der zweiten Zerstörung des Tempels (70 n. Chr.) das Kultzentrum und mit der Vertreibung aus Palästina die Identität von Land und Volk verloren. Das »Unmögliche« (de Certeau) war eingetreten: »ein Bruch des Seins, das bis dahin durch die Beziehung zwischen dem Land und der Erwählung definiert war«[59]. Die Juden der Diaspora, ob in Ägypten oder in Babylonien (und damit in Dura-Europos), machen »die Schrift zum Ersatz für den zweiten Tempel [. . .]«. »Von nun an wird die Torah ihre Heimat sein.«[60]

Oft ist darauf hingewiesen worden, daß das Exil »eine Voraussetzung für das Erscheinen der › Bibel ‹ ist«, also den Korpus der kanonischen Texte endgültig schießt, und daß die »Schrift am Ort und in der Sprache des Anderen entsteht«[61] – ich verweise nur auf die Inschriften und Graffiti der Synagoge von Dura-Europos: sie wurden in Griechisch, Aramäisch und Mittel-Iranisch abgefaßt. Die nach Ägypten vertriebenen Juden sind in das Land des ersten Exils zurückgekehrt; die nach Babylonien emigrierten wiederholen die Gefangenschaft der Vorväter in einem Land, das durch die Verwirrung der Sprachen gekennzeichnet war. Auch diese Sorge, die Sorge um den Verlust des Idioms, in dem Gott gesprochen und geschrieben hatte, haben die Christen nach dem Pfingstereignis nicht mehr auf sich genommen: die schriftliche Überlieferung der »frohen Botschaft« geschieht nicht in der Sprache des Boten, und die hebräische Bibel wird christlicherseits überhaupt nur in ihrer übersetzten Form rezipiert. Die Fähigkeit, in fremden Idiomen zu sprechen, wird also den Mitgliedern beider Religionen abverlangt, sie wird aber ganz unterschiedlich erfahren: Was für die Christen ein technisches Problem der Überlieferung und Verständigung darstellt, ereignet sich für die Juden als Zeichen einer tiefen Schuld und im schmerzlichen Bewußtsein einer historischen Distanz: mit der hebräischen Bibel ist ja die Phase einer von Gott und dem Volk Israel gemeinsam gestalteten und von regem Austausch gekennzeichneten Geschichte abgeschlossen. So sollten wir die Wandmalereien von Dura-Europos als eine weitere, notwendige Übersetzung im Land der vielen Sprachen und natürlich auch als einen Tribut an das neue Glaubenszentrum verstehen: Sie stellen die Torah in die Mitte eines großen Bildprogramms und rollen sie in diesem gewissermaßen aus.

Das Movens, das für die Christen eine vergleichbare Wirkungsgeschichte hatte, also »monumentale Theologie« notwendig machte, muß man als genaue Kehrseite der jüdischen Geschichtserfahrung begreifen. Alles, was

*Abb. 12 Rom, Konstantinsbogen, Ansicht der Südseite (Darstellungen des historischen Frieses, von links: Aufbruch der Armee Konstantins = Fortsetzung von der Westseite [s. Abb. 14], Belagerung von Verona [s. Abb. 13 b], Sieg an der Milvischen Brücke [s. Abb. 13 c], nicht sichtbar: Verbindungsstück, das zur Ostseite weiterleitet)*

mir als Strukturmerkmal an christlicher Kunst wichtig ist, datiere ich ab Konstantin, ab der Zeit, da das Christentum sich auch im Bild öffentlich und systematisch erklären muß, also nach der Phase der vereinzelten symbolischen Äußerungen seine Grundideen im Zusammenhang darstellen muß, oder besser: den Zusammenhang seiner Grundideen, seinen »formalen Mythos« (Lugowski) darstellen muß. Damit stehen wir vor dem Problem, wie sich diese neue Kunst zu ihrem eigentlichen Gegenüber verhält, der Staatskunst des römischen Imperiums, welche das Monopol auf die öffentlichen Statements und die großen Synthesen innehatte. Das Feld der Auseinandersetzung ist dann nicht, um an das in der Einleitung Gesagte anzuschließen, die vielstrapazierte *koine*, der reichsrömische Stil der späten Kaiserzeit, der alle Darstellungen, pagane wie christliche, so gleich aussehen läßt, was Kleidung, Figurentypus, Gestensprache, Bildformulare usw. betrifft. Das totale Eintauchen in dieses Idiom sei für unseren Gegenstand sofort konzediert; die eigentliche Konkurrenz, die Prozesse der Aneignung und Abweichung, der Selbstfindung und Ablösung geschehen auf der Ebene des Syntagmatischen, wo römische Kunst ohnehin traditionell stark war, als eine multimodale und eine komposite Kunst.

## Der Konstantinsbogen

Es gibt wohl kein Denkmal, an dem sich besser studieren ließe, was die römische Repräsentationskunst der christlichen anzubieten hatte, als dasjenige, welches genau auf der Epochengrenze zwischen ihnen steht – ich spreche vom Konstantinsbogen aus dem Jahre 315.[62] (Abb. 12-14) Daß der Bilderschmuck dieses Denkmals zum großen Teil älteren Monumenten der imperialen Kunst entnommen wurde, beeinträchtigt unsere Analyse nicht. Die Rezeptionsgeschichte hat wahrscheinlich gemacht, daß eine bewußte Selektions- und Beerbungsstrategie am Werk ist, die mit der Wiederverwendung und Umformung von Kunstwerken aus dem *saeculum aureum* eines Trajan, Hadrian und Marc Aurel an die große Vergangenheit des Imperium Romanum anknüpfen will. Aber auch einer kompositionsgeschichtlichen Sicht gilt das Zusammengesetzte des Bildprogramms nicht als Behelf, sondern als Kennzeichen eines immer stärker auf Verweisungszusammenhänge ausgerichteten Formdenkens.[63]

Es sind fünf Ebenen der Argumentation, welche am Monument übereinandergeordnet erscheinen. Die untere Zone der Postamente bevölkern Victorien und Teilnehmer der Triumphalprozession, also Soldaten und Vertreter der überwundenen Völker. In der zweiten Ebene finden wir in den Bogenzwickeln und an den Schlußsteinen Personifikationen wie Flußgötter, Jahreszeiten und Victorien. Auf beiden Niveaus regiert der repräsentative und allegorische Modus; verschieden ist allerdings die konzeptionelle Reichweite: Bleibt unten der Bezug zum realen Triumphgeschehen erhalten, so wird darüber die Totalität des Orbis Romanus und die mit dem Eingreifen des Kaisers wiederhergestellte Weltordnung versinnbildlicht. An dritter Stelle umzieht den Bogen ein figurenreicher Fries (Abb. 13), dessen episch langgestreckter Bericht von den kriegerischen Auseinandersetzungen zwischen

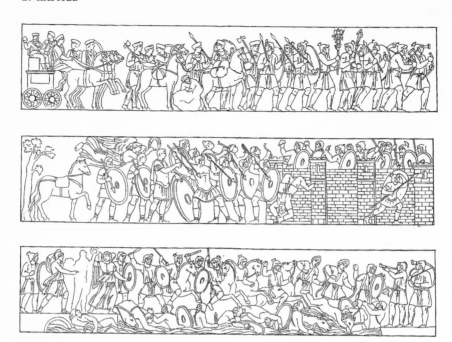

*Abb. 13 Rom, Konstantinsbogen, Umzeichnung des Frieses ohne die vier Verbindungsstücke (s. Abb. 14): Westseite: a. Aufbruch der Armee Konstantins; Südseite: b. Belagerung von Verona, c. Sieg an der Milvischen Brücke;*

Maxentius und Konstantin sowie vom Triumph des letzteren erzählt. Darüber geht es weiter im szenischen Modus, sehen wir einmal von den Inschriften und den Repräsentanten der überwundenen Völker in der Attikazone ab. Direkt über dem Fries sitzen an vierter Stelle die Relieftondi, die einem Hadrian gewidmeten Denkmal entnommen sind und im Wechsel zeigen, wie ein Kaiser Jagd auf wilde Tiere macht und ein anderer diese opfert. In der Attika darüber sind ebenfalls paarweise angeordnete hochrechteckige Relieffelder eingesetzt, die einst die Taten des Marc Aurel in einer Szenenfolge verherrlichten und nun – zu »kompositionell und inhaltlich gleichwertigen« Kombinationen umgruppiert – typische Situationen der kaiserlichen Ikonographie vorführen: Szenen des Kriegslebens und Staatsakte. Hier, in dieser höchsten Zone des Reliefschmucks, direkt unter der krönenden Quadriga mit dem siegreichen Kaiser wird ad personam argumentiert. Die Jagden und die Opferszenen, die Kampfszenen und repräsentativen Akte, sie exemplifizieren die personalen Grundlagen des Sieges, die *virtutes* des Kaisers, so wie der untere Abschnitt die Effekte und die Reichweite des Triumphs und der mittlere den faktischen Verlauf der Kriegs- und Triumphalhandlungen festhalten.

*Ostseite: Triumphzug; Nordseite: e.-f. Triumph Konstantins mit Geldverteilung und Ansprache*

Dem Fries (Abb. 13) kommt auf diese Weise eine vermittelnde Funktion zwischen den beiden Zonen des Allegorisch-Repräsentativen und Szenisch-Repräsentativen zu. Dieses zusammenfassende und zugleich trennende Band, das eigens für den Triumphbogen hergestellt und am genauesten auf dessen konkreten Anlaß eingeht, muß uns am stärksten interessieren, vereinigt es doch den bekannten Stil der spätrömischen Bildberichterstattung mit einem neuen systematischen Anspruch. Alles beginnt auf der westlichen Schmalseite mit dem Auszug des kaiserlichen Heeres aus Mailand und seinem Vormarsch, darauf folgt auf der Südfassade die Einnahme von Verona und die Schlacht an der Milvischen Brücke, daran schließt sich auf der östlichen Schmalseite der Einmarsch in Rom an, der auf der nördlichen Front in zwei Szenen des Triumphes gipfelt: der *oratio Augusti* – der siegreiche Kaiser hält seine Ansprache auf dem Forum – und der *liberalitas Augusti* – er läßt Geschenke verteilen. Entscheidend ist, daß der Zyklus in Geschehenseinheiten aufgeteilt wird und diese aufeinander und auf ihr Trägermedium abgestimmt sind. Die beiden Märsche *(profectio* und *adventus)* erfolgen auf den Schmalseiten und sekundieren so der Bewegung des Durchzugs durch den Bogen. Ebenso paarweise sind die Darstellungen an den Hauptseiten konzipiert: Krieg und Frieden stehen einander idealtypisch gegenüber und erscheinen objektkonform an den Fassaden. Der hier gebotenen frontalen

57

*Abb. 14 Rom, Konstantinsbogen, Verbindungsstück zwischen dem Fries der West- und der Südseite*

Einstellung des Betrachters entsprechen der Antagonismus der Schlacht bzw. die feierliche Symmetrie und Frontalität der triumphalen Akte.

Kompositionsgeschichtlich ist ein folgenreicher Schritt getan, dessen Bewertung eine sorgfältige Abwägung verdient. Haben wir hier nicht wieder einen einschlägigen Beleg für die »ideelle Tendenz« der spätantiken

Kunst aufgetan? Nicht direkt zum konstantinischen Fries, zum spätrömischen Stil allgemein schreibt Friedrich Mehmel: »Es hilft nicht viel, hier mit dem Wort von der ›kontinuierenden Darstellung‹ zu kommen. Die alte Form wird benutzt, hat aber ihren Sinn, den sie in einem epischen Erzählungsstil hatte, gänzlich eingebüßt. Das Wesentliche ist hier die geistige Zusammenfassung und die gedankliche Beziehung und Verbindung.«[64] Die Einzelheiten der Darstellung, heißt es an anderer Stelle, sind »nicht Elemente einer fortlaufenden Handlung, sondern isolierte bildartige Situationen«[65]. Als geradezu emblematisch bewertete Mehmel die Behandlung, welche die Erbauer des Konstantinsbogens einem trajanischen Relieffries angedeihen ließen, aus dem sie vier Stücke heraussägten, um diese dann in die Attikazone der Schmalseiten und im Inneren des Hauptdurchgangs zu vermauern. Für letzteren Ort reservierte man eine Schlacht- und eine Triumphszene: auf der Westwand bekämpft der Kaiser die Barbaren, gegenüber spricht der Sieger zum versammelten Heer, von Roma begrüßt und von Victoria gekrönt. Die Überschriften »Liberatori urbis« und »Fundatori quietis« unterstreichen das Programmatische der faktischen Rezeption. »Der trajanische Künstler hatte eine Handlung dargestellt, Szenen eines bestimmten Geschehens, dessen Held der Kaiser ist, eines historischen Krieges, den Trajan geführt hat, der mit dem siegreichen Einzug in Rom endete. Der konstantinische Künstler schneidet aus diesem Geschehen zwei Bilder heraus, löst sie aus der materiellen Verbindung mit der Handlung, ersetzt diesen realen Zusammenhang durch eine gedankliche Beziehung, isoliert einen Moment im Ablauf des Geschehens, und hebt ihn in eine höhere, allgemeine, zeitlose Sphäre, so daß Trajan, der in einem bestimmten Augenblick der Handlung das oder das tut, der gegen die Daker kämpft und durch die Porta Capena in Rom einzieht, zur Gestalt eines Kaisers wird, der als Kämpfer für Rom streitet und als Sieger den Frieden bringt – eines Kaisers, der ebensogut Konstantin wie Trajan sein kann [...].«[66]

Für Mehmel und andere nach ihm ist der epische Erzählungsstil das überwundene, in einem solchen Rezeptionsvorgang aktiv zerstörte Prinzip. Tonio Hölscher ist bei der Betrachtung früherer Werke der kaiserlichen Repräsentationskunst und vor dem weiteren Hintergrund von Überlegungen zu ihrem Geschichtskonzept zu ähnlichen Schlüssen gelangt. Er sieht sogar im »zeitlich-dynamischen Geschehen« der Trajanssäule »bestimmte Aspekte in einer Weise hervorgehoben, daß daraus fast ein statisches System von ideellen Grundvoraussetzungen wird, die die Größe und Überlegenheit Roms ausmachen«[67]. Römische Staatskunst realisiert nach Hölscher »fast rituell« einen Set eng verknüpfter Leitvorstellungen und Werte; aus einem derart bedingten »zeremoniellen Ereignisbegriff« leitet er die Tendenz zum typischen Vorgang, zum feierlichen Auftritt, zu Szenen mit statischer Tendenz, kurz zu einer Enthistorisierung und Entdynamisierung auch historischer Handlungen ab. Dieser Ansatz begibt sich auf den ersten Blick in einen markanten Widerspruch zu einer anderen, vor allem am »Realismus« der römischen Kunst gebildeten Auffassung, die das *proprium* ihres Gegenstandes in der »erzählerischen Einstellung«, im »Reportagestil«, im ruhigen und sachlichen Aneinanderreihen der Tatsachen erkennt.[68] Nun weiß dieser Autor natürlich auch, daß sich die kaiserzeitliche Kunst nicht allein in zeitenthobenen Chiffren und Sinnbildern artikuliert. Er bietet eine dialektische Formel an, welche die offiziellen Verlautbarungen der Kaiserzeit »zwischen Ereignisgeschehen und Ideologie, Faktum und Idee« angesiedelt sieht: »Der einzelne historische Vorgang wird gewöhnlich in hohem Maß unter den Kriterien eines generell-abstrahierenden Wertesystems gesehen – aber umgekehrt sind auch die ideellen Leitvorstellungen, gerade um ihres politischen Charakters willen, sehr konkret auf ihre historische Realisierung bezogen: auf bestimmte Protagonisten, auf ihre Leistungen, auf die politische Situation.«[69]

Gegenüber einer scheinbar übermächtigen Tendenz zum Ideellen, Typischen und Exemplarischen an den konkreten Qualitäten dieser römischen Kunst festzuhalten, ist ein wichtiger Schritt zu einer ausgewogeneren Sichtweise. Eine vergleichsweise differenzierte Bewertung sollte auch dem historischen Modus gelten. Ich bleibe bei meinem Beispiel Konstantinsbogen. Es ist doch bedenkenswert, daß außer der verlorenen Bekrönung in Gestalt einer Quadriga der historische Fries der genuine Beitrag der konstantinischen Kunst zu diesem Monument ist, und weiterhin, daß die zyklische und kontinuierende Darstellungsweise der Triumphsäulen auf die dafür nicht sonderlich geeignete Objektform eines Triumphbogens übertragen wird. Nicht, daß es vorher keine ringsum laufenden Figurenfriese an Bögen gegeben hätte: die Monumente für Augustus in Susa (Segusio), für Titus in Rom und Trajan in Benevent beweisen das Gegenteil. Aber es gilt zwei Unterschiede zu beachten: Diese Friese sitzen an der »korrekten« Stelle zwischen Architrav und Kranzgesims, und ihr motivischer Umfang ist enger auf das Denkmal und seine rituelle Einbildung bezogen – der Triumphzug und/oder die dazugehörige Opferprozession sind der Gegenstand der ringsum geführten Reliefszenen. Ihre Anbringung und ihr Programm sind also stärker architektur- und anlaßbezogen; von daher haben sie keine Auswirkungen auf die übrigen Elemente der Ausstattung (sofern vorhanden), während für den Konstantinsbogen gilt, daß der Fries nicht nur Zonen und Modi trennt, sondern auch die Anordnung der anderen Niveaus mitbestimmt. Das Programm dieses Bogens erschließt sich nicht beim Durchzug, sondern auf einem Rundweg, der im Westen anfängt und dann die Seiten im Süden, Osten und Norden abschreitet – nicht gerade eine selbstver

ständliche Rezeptions- und Dispositionsweise. Wenn die Pflege des »Zyklischen« sich bei den großen Vorbildern der Triumphalkunst rückversichern
möchte, dann blieb dieses Bekenntnis kein äußerliches. Und um den
Ansprüchen dieser Erzählform gerecht zu werden, hat man sich ebenso gro-
ße Mühe gegeben wie bei dem Versuch einer Phrasierung und inneren
Abstimmung. Ich verweise nur auf die kurzen Reliefstücke an den Außen-
seiten der Hauptfassaden, die im Sinn der erzählerischen Kontinuität den
Marsch der Heere um die Ecke herum fortsetzen, bevor dann die von den
Säulen gefaßten Abschnitte sich zu »Bildern« arrangieren. (Abb. 14) Eine
Kunst, der es nur noch auf diese Tableaus, auf »gedankliche« Einheiten und
Beziehungen angekommen wäre, hätte solche Verbindungsstücke wegge-
lassen oder inhaltlich den Hauptszenen zugeschlagen.

Die eigentliche Leistung der Konzepteure des Konstantinsbogens würdigt man, wenn man sehr genau diese produktiven Ambivalenzen nachvollzieht. *Im* Medium der fortlaufenden Streifenerzählung gelingt es ihnen, der
»Tendenz zum Bedeutenden«, zum typischen Vorgang Geltung zu verschaf-
fen, indem sie Geschehenseinheiten ausweisen und zwischen ihnen ein
Resonanzverhältnis stiften, also die Dispositive der Folge und der Zuordnung kreuzen, so daß Relationen der Entsprechung und der Opposition den
Fortschritt der Handlung in einem festen Bezugsnetz einjustieren. Dieses
Zuordnen ist nur möglich, weil die Vorgaben des Trägermediums umgesetzt
werden.

Was wir hier feststellen, ist für die Zukunft der christlichen Kunst von aller-
größter Bedeutung. Es ist wichtiger noch als die Tatsache, die uns zunächst
zu der Betrachtung des Konstantinsbogens veranlaßte: daß er nämlich ein
gemischter Bildkomplex ist. Was dieses Denkmal der paganen Kunst der
christlichen an Anregung zu bieten hatte, betrifft außer der zweifellos vor-
bildhaften Entscheidung, umfassende Aussagen in synthetischer Form vor-
zutragen, die Aufwertung des historischen Modus, seine Beanspruchung zu
thematischen Zwecken. Am Konstantinsbogen stoßen wir auf zwei Formen
dieser Indienstnahme. Die idealtypischen Handlungen der Reliefs im
Durchgang und oberhalb des Frieses und ihre idealtypische Zusammenstellung etwa nach Ursache und Folge entsprechen der Erwartung, daß das
Thematische den narrativen Modus immer dann infiltriert, wenn die zweifellos starke Tendenz zum Repräsentativen sich in zeremoniellen Akten
erfüllt. In unseren Kontexten haben wir Ähnliches schon in San Vitale kennengelernt, wo die alttestamentlichen Opferhandlungen zu Exempla verkürzt worden waren, und in Dura-Europos, wo die ungleich ausführlichere
Darstellungsart ebenfalls nicht in einer Folge, sondern in paarweisen Konstellationen und vermutlich in thematisch zusammengehörigen Registern

organisiert worden war. Verschieden davon ist das Vorgehen des Frieses, der den Modus der Sequenz beibehält, aber zugleich sichtbar macht, daß sich Folge und Ordnung in der Geschichte nicht ausschließen.

Das Verhältnis der historischen und der thematischen Ordnung hatten wir bisher als ein komplementäres oder solidarisches bestimmt, was ja soviel heißt wie: Jede Ordnung leistet mit ihren Mitteln, was die andere nicht leisten kann. Diese Aufgabenteilung drückt sich formal in den strikten Grenzziehungen der Flächengliederung und gattungsbezogen im Tatbestand der Kontrastmodi aus. Erkennbar wird nun ein weiteres Modell, nach dem die Ordnungen sich intern komplementieren, also bis zu einem gewissen Grad die Aufgaben und Charakteristika der anderen Argumentationsweise übernehmen. So ist im Falle des Relieffrieses auffällig, daß er seinen Prinzipien Kontiguität und Kontinuität demonstrativ in den erwähnten Verbindungsstücken Rechnung trägt, daß er aber auch die auf die Entfernung wirkenden Prinzipien der Analogie, der Symmetrie, des symmetrischen Kontrastes beansprucht. Für einen solchen transmodalen Ansatz kann man sich zwei Gründe zurechtlegen: Entweder das Komplement der anderen Ordnung fehlt und muß intern ersetzt werden, oder die Ordnung, die mehr leistet als das ihr Gemäße, steht unter einem besonders hohen Aussagedruck. Da im gegebenen Fall die erste Möglichkeit ausscheidet, gilt die zweite, und das heißt noch einmal, daß der Geschichtsbericht und sein Medium, die Bildsequenz, ihren Sinn nicht eingebüßt haben, sondern nach wie vor erfüllen. Wir handeln auch nicht von einer Phase des Auslaufens, des Obsoletwerdens, wie man oft in bezug auf den Triumphsäulenstil liest, sondern von einer Situation des Übergangs, der *traditio*. Das Erbe treten die großen Zyklen der christlichen Monumentalkunst an – in welcher Form und mit welcher Motivation, das wird zu zeigen sein. Die Arbeit am Modus des Historischen wird fortgesetzt: mit einem neuen und phantastisch reichhaltigen Stoffrepertoire und unter der Ägide einer theologisch akzentuierten Konzeption von Ereignisgeschichte.

Was nun die kompositorische Ordnung des Ganzen, die Koordination der Aussageformen anbelangt, so scheint es mir gerechtfertigt, die Differenzen und Qualitätsunterschiede schärfer zu konturieren. Dem Konstantinsbogen fehlt die (dritte) Ordnung der Figur, welche die Notwendigkeit der Kombinationen faßbar macht. Das kann auch gar nicht anders sein. Fünf nach Herkunft, Stil, Größe, Format, Richtungssinn differierende Ebenen lassen sich im günstigen Fall auf der Ebene des Programms abstimmen, aber unmöglich in ein Verhältnis der Evidenz bringen. Nicht umsonst ist als Aufbauform das Schichtenmodell gewählt, das ein Minimum an Durchdringung und Interaktion gestattet. Man würde da wohl auch das Falsche erwarten. Es geht der offiziellen Kunst der Kaiserzeit nicht vorrangig um

Stimmigkeit, nicht um eine neue Ordnungserfahrung, sondern um Wiederholung und Steigerung, also um *amplificatio.* Diese Feststellung geht Hand
in Hand mit der von L'Orange und Gerkan so überzeugend herausgearbei-
teten Verallgemeinerung des Triumphgedankens.[70] In der späten Kaiserzeit
sind historischer Feldzug und Triumph nur noch Anlaß für eine sehr viel
weiterreichende Verherrlichung des Siegers, weiterreichend im geographischen und im zeitlichen Sinn. Hat der Kaiser im konkreten Fall gerade den
Maxentius und dessen Truppen besiegt, so zeigt sein Monument eine Auswahl aller Reichsfeinde – Stichwort: *victor omnium gentium* bzw. *ubique victor* –; hat der Kaiser gerade glücklich einen Nebenbuhler überwunden, so
feiern Inschriften und Bilder seine *victoria perpetua.* Solche Totalisierung
trägt sicher dazu bei, das Zeitlos-Typische noch stärker zu akzentuieren
und die Anhäufung von Formeln zu begünstigen, als dies im Wesen der
römischen Repräsentationskunst ohnehin angelegt war.

Wenn wir dagegen den Systemcharakter der christlichen Kunst betonen,
dann gibt es dafür nicht nur innere Gründe, die im nächsten Kapitel erörtert
werden, sondern auch einen äußeren, dessen Auswirkungen man leicht
unterschätzt. Wir haben längst die Auffassung hinter uns gelassen, die spätantike Kunst mit den Vorstellungen von Ermüdung, Degeneration, Auflö-
sung zu belasten. Aber wir können nicht übersehen, daß sie wirklich spät
kommt und zu einem überreichen Gesamtbestand beisteuert. Als die christliche Kunst zu ihren ersten Großprojekten ansetzte, hatten sich die Foren,
die Tempel, die Spielstätten der römischen Welt längst zu Schatzhäusern und
Museen verwandelt. Man kann sich kaum eine ästhetische Situation im
Bereich der staatlichen und kultischen Repräsentation vorstellen, die nicht
von Überlagerung, Agglomeration und Redundanz bestimmt gewesen
wäre. Dagegen müssen die christlichen Bauten und ihre Ausstattungen im
Zeitalter der Konkurrenz der Religionen und Kommunikationsstile durch
ihre Aufgeräumtheit, ihre großzügigen und bestimmten Dispositionen
sowie häufig durch ihre demonstrative Entfernung von den Orten der Fülle
und Überfüllung bestochen haben. Ich möchte damit nicht behaupten, der
tendenziell kumulative Charakter der paganen kaiserzeitlichen Kunst habe
sich einfach ergeben, sei als die passive Verarbeitung einer »Altlastenkultur«
entstanden. Diese Erscheinungsform ist gewollt; sie artikuliert sich auch in
Neuschöpfungen und in Spolienbauten wie dem Konstantinsbogen. Sie ist
praktizierte Pietas.

Die zuletzt angedeuteten historischen Rahmenbedingungen und die
andere Grundstellung, die wir noch auszuarbeiten haben, ergeben zusammen einen Gegensatz zwischen paganer und christlicher Kunst, der vielleicht am einfachsten durch einen Vergleich zu begreifen ist. Eine ähnliche
Konstellation tritt nämlich ein zweites Mal ein: am Übergang vom Mittel-

alter zur Renaissance in Italien.[71] Alberti hat die damals aufeinandertreffenden Kunstübungen unter dem Gesichtspunkt ihres Verhaltens zur Frage von Vielheit und Reichtum zu charakterisieren versucht und in diesem Zusammenhang das passende Begriffspaar von *copia* und *varietas* ausgegeben.[72] Die spätmittelalterliche Kunst, die Alberti in den Kirchen vorfand, hatte den Zustand der äußeren Überfüllung quasi ästhetisch verinnerlicht, indem sie in der Wahl der künstlerischen Mittel und Medien auf augenfälligen Reichtum setzte und an Beiwerk und Ornamenten, an kostbaren und kostspieligen Materialien nicht sparte. Gegen solche *Fülle* setzte Alberti das Ideal einer *Vielfalt*, die mit einem systematisch reduzierten Repertoire arbeitet und dieses nach den Regeln der Kunst abwandelt.

Das »Schriftprinzip«

Ich möchte diese Überlegungen noch in einem zweiten Durchgang überprüfen. Wer sich nicht auf allgemeine Überlegungen zur Modus- und Syntheseproblematik spätantiker Kunst einlassen will, wird heidnisch-antike Denkmäler gleich in drei deutlich unterschiedenen Werkgruppen als direkt vorbildhaft für die christlichen Anordnungsschemata beanspruchen können. Gemeint sind:

– Darstellungen des Herkules mit einem Mittelbild und kleinen Nebenbildern, welche die Taten des Halbgotts zum Gegenstand haben. Ein Beleg für diese nicht sehr häufig anzutreffende Bildform ist das Weiherelief in Neapel mit der Hauptgruppe Herkules und Omphale und den zwölf Taten des Halbgotts an den Seiten und im oberen Streifen.[72] (Abb. 15)

– Die sogenannten Tabulae Iliacae, kleine, in einer Hand zu haltende Basreliefs mit Zentralmotiv, Randszenen und oft umfangreichen Beschriftungen, welche die homerischen Epen illustrieren.[73] Das hier ausgewählte Beispiel stammt aus augustäischer Zeit; als Tabula Odysseaca zeigt es im Hauptbild den zürnenden Poseidon und in den Rahmenstreifen (ehemals) 24 Szenen entsprechend den 24 Gesängen der Odyssee. (Abb. 16)

– Die Kultbilder des Mithras, gleich ob gemalt oder reliefiert.[74] Sie existieren, wie bekannt, in mehreren Ausformungen; für diesen Zusammenhang ist von Bedeutung der ebenfalls in Subkategorien zerfallende Typus, der ein Aggregat aus repräsentatiem Hauptbild und szenischem Rahmen bildet. Für die Variante der »gebundenen Anordnung« sei hier das Kultbild in Wiesbaden (Abb. 17) herangezogen, welches gleich erkennen läßt, daß außer dem »Legendenrahmen« (Schweitzer) auch noch andere Inhalte die

*Abb. 15 Neapel, Museo Nazionale, Relief mit Herkules und Omphale und den Taten des Herkules*

Peripherie besetzen: die Windgötter z. B. als kosmische Symbole oder – auf anderen Reliefs – die Jahreszeiten und der Zodiakus. Solches Miteinander von kosmologisch/thematischer und narrativer Argumentation (in Haupt- und Nebenfeldern) scheint diese Bildgattung für eine christliche Rezeption zu prädestinieren. So hat es auch nicht an Versuchen gefehlt, eine lange Tra- ditionskette zu stiften, die von den Tabulae Iliacae über die Mithrasdenkmä- ler und die Elfenbeine vom Typus der Mailänder Tafeln bis zu den Vita-Bil- dern der byzantinischen und italienischen Malerei und den Frontispizen der

65

*Abb. 16  Rom, Vatikanische Museen, Tabula Odysseaca*

Renaissance und des Barock reicht.[75] Doch geht das nur, wenn markante
Differenzen übergangen werden, Differenzen, die gerade an den kleinen
Erzählfeldern und ihrer Anordnung festgemacht werden können.

Während bei den Heraklesreliefs das Verhältnis von Rahmenerzählung
und Mittelbild inhaltlich klar definiert ist, bieten die Mithrasdenkmäler in
dieser Beziehung Anlaß zur Diskussion. Immer waren schon die Brüche
und Sprünge im biographischen Zyklus aufgefallen. Saxl, der einen (östlichen) Urtypus für alle Kultbilder hypostasierte, hatte die ingeniöse Erklärung bereitgestellt, daß bei der Übernahme des »Originals« im Westen die
semitische Anordnung von rechts nach links auf die westliche Leserichtung
umgestellt wurde und daß es dabei zu Fehlern und Ungereimtheiten kam.
Wer die Urtypus-These nicht unterschreibt – und das dürfte heute die

*Abb. 17  Wiesbaden, Landesmuseum, Mithrasrelief*

überwiegende Mehrheit der Forscher sein – , argumentiert religionsge-
schichtlich und macht sich den adaptiven und synkretistischen Charakter
dieses Kults zunutze. Keine kanonische Vita, das könnte eben auch bedeuten, daß aus einem größeren Angebot von biographischen Szenen solche
von lokaler und aktueller Attraktion ausgewählt wurden. So heißt es zur
verwirrenden Bildredaktion in der neuesten Monographie von Manfred
Clauss: »In den allermeisten Fällen sind aber individuelle und daher nicht
mehr nachvollziehbare Gedanken der Stifter oder der betreffenden Gemeinschaft vorauszusetzen.«[76]

Richard Gordon hat dagegen die biographische Lesart der Randszenen
ganz zu entwerten versucht. Für ihn wird in diesen kleinen Bildern der
astrologische und astronomische Code der Mithras-Religion visualisiert.[77]

67

Zusammen mit den eindeutig thematisch eingestellten Feldern käme hier so etwas wie ein Kosmogramm zusammen, d. h., Zentrum und Peripherie würden sich nur in punkto Ausführlichkeit, aber nicht in ihren modalen Aussagequalitäten unterscheiden. Im Widerspruch dazu besteht Stephen R. Zwirn auf einer Aufgabenteilung zwischen dem Mittelbild als ikonischer Darstellung und dem Rahmen als Bilderzählung. In Anlehnung an den Typenschatz der römischen Siegesikonographie würde hier das komplexe Bild eines Triumphes nach seinen Aspekten »historical incident« und »ideological construct« »by means of the juxtaposition of a narrative and an iconic mode« aufgebaut.[77]

Die schiere Tatsache, daß dieser Streit möglich ist, unterminiert auf gewisse Weise die These von der Vorbildhaftigkeit dieser Denkmäler für die christlichen Bildsysteme. Könnte man sich eine ähnliche Grundsatzdiskussion unter frühchristlichen Archäologen vorstellen? Die Antwort wird sich auf einige Grundorientierungen christlicher Kunst und ihrer Voraussetzungen beziehen müssen. Ganz allgemein gesagt: Der Status der Bildelemente und Modi ist in ihr eindeutiger als in den Werken der paganen Religionen, dies als Konsequenz einer anderen Ausarbeitung und Legitimation der narrativen und thematischen Grundlagen. Die christliche Kunst der Spätantike und des Mittelalters, Teil und Trägerin einer allgemeinen Religion, basiert auf kanonischen, öffentlich zugänglichen und verhandelten *Texten*, nicht auf einem Geheimwissen, auf mündlicher oder auf bildlicher Vergegenwärtigung allein.[78] Wenn auch die Aufgabe der Bildredaktion keine ganz einfache war, als es darum ging, den Kursus des Heilsgeschehens zu visualisieren, wenn auch Extratouren unternommen wurden und Apokryphes immer im Spiel blieb (auch in der Christus-Vita der Mailänder Elfenbeine), diese Bildpraxis hat ihr Referenz- und Resonanzsystem in einer heiligen Schrift. Damit ist keine unbedingte Hörigkeit und Dienstbarkeit des Bildes impliziert. Es handelt sich aber um ein Verhältnis, das stabilisiert, ganz gleich ob Autorisierung, Ergänzung, Erweiterung oder Abweichung angesagt sind.

Die Denkmäler, die monumentalen wie die kleinformatigen, zeigen selbst an, daß dieses Verhältnis auf mehr beruht als auf bloßer Zuordnung. Anders als die paganen Künstler können die christlichen das »Schriftprinzip« in ihre Strukturen integrieren, mehr noch, sie trauen seinen Zeichen und Figuren zu, daß sie diese Strukturen verspannen und mit vielfachem Sinn infizieren. So auf den Mailänder Elfenbeinen, wo die Evangelisten und ihre Symbole zweimal von den Eckpositionen aus die thematische Ordnung stabilisieren; so auf dem steirischen Wandbild, wo die Schriftbänder haltenden Propheten und Apostel als Repräsentanten zweier Formen von Verkündigung, der prophetischen und der apostolischen, die Kirche zugleich bilden und tragen; so in Dura-Europos und San Vitale, wo ebenfalls die großen Autoren der hebräischen und der christlichen Bibel die in Symbole gefaßten Universalien ihres Glaubens rahmen und übersetzen. Jeder dieser Werkkomplexe gibt durch Ikonographie *und* Struktur zu verstehen, daß sein Bezugstext keine »Erzählung an sich« ist, wie Gehlen den Mythos genannt hat, keine Botschaft »von Namenlosen an Namenlose« und kein Bericht von Vorgängen, die aus den Koordinaten von Zeit und Raum entrückt sind.[79] Im strengen Unterschied zur paganen Praxis ist die christliche Verkündigung als Ausfluß einer Offenbarungsreligion gehalten, ihre primären Quellen, ihre Mittelsmänner und die Umstände der Verkündigung zu benennen, vorzuzeigen und historisch zu verifizieren. Damit haben wir auch den Grund angesprochen, warum in San Vitale und Dura-Europos einige Positionen der repräsentativen Ordnung nicht ohne szenische Akzente auskommen. Ich erinnere vor allem noch einmal an Moses und seine Theophanien, welche den göttlichen Ursprung seiner Erzählungen belegen. Auf dieses »problem of authentication« (Bloomfield) werden wir genauso zurückkommen wie auf diese die Strukturen stabilisierende und schließende Funktion des »Schriftprinzips«.

Wenn oben die Rede davon war, daß der spätrömische Triumphsäulenstil in den epischen Bilderzyklen der christlichen Kunst fortlebt, dann zielte das auf die Langhausfresken oder -mosaiken der großen Basiliken, die aber medial andere Voraussetzungen als die Riesensäulen und Bögen bieten. Was die Säulen angeht, so gibt es ein Monument der direkten und wörtlichen Rezeption, die Bernward-Säule im Hildesheimer Dom, die ich aus der Perspektive dieses Gedankengangs kurz ansprechen möchte.[80] (Abb. 18-19) Die mittelalterliche Triumphsäule verkündet die Taten, die »vitalia gesta Christi«, um den Evangelien-Nachdichter Juvencus zu zitieren. Dementsprechend setzt sie dort ein, wo das öffentliche Wirken Christi beginnt, bei der Taufe, genauer noch mit dem Flußgott Jordan, der in den Zwickel zwischen Basisstreifen und der sich entwickelnden Spirale eingepaßt ist und seine Wasser in Richtung Taufszene leitet, auf diese Weise den Fluß der Erzählung eröffnend. (Abb. 19) Das ist eine sehr überzeugende Eröffnungsformel, die durch ein ebenso präzise abgestimmtes Schlußstück gekontert wird. Im auslaufenden Dreieck erscheint in abbreviierter Form die Stadt Jerusalem, das Ziel des im Triumph einziehenden Christus, ein Finale, das dem Charakter des Monuments ebenso perfekt entspricht, wie der Taufakt (neben der Berufung) als der klassische Initiationsvorgang gelten kann. Bernward, der im Jahr 1000 in Rom weilte, hat an der Trajansäule studiert, wie der Flußgott Danubius den Figurenfries einleitet und wie die römischen Soldaten den großen Fluß überschreiten, um den Feldzug zu beginnen. (Abb. 20) Aus dieser Anregung sind zwei ganz verschiedene Flüsse geworden, was man am christlichen Monument ablesen kann, ohne die biblischen und theologi-

*Abb. 18 Hildesheim, Dom, Bernward-Säule, Personifikation eines Paradiesflusses auf der Plinthe*

schen Aussagen zum »Schicksalsfluß« der Juden und Christen parat zu haben. Der Jordan gehört als Initiale nicht nur der Erzählung an, er ist gleichzeitig Teil eines anderen, eines thematischen Argumentationszusammenhangs. Die Braunschweiger Säule erhebt sich über einer Basis, deren Ecken die Personifikationen der vier Paradiesesflüsse besetzen (Abb. 18). Diese leeren ihre Urnen aus und bewirken so, daß die Oberfläche der Plinthe als Wasserfläche erscheint. Eine Idee Bernwards, die schon vor aller programmatischer Besetzung unantik ist: Keine antike Säule, kein Triumphmonument würde aus wässriger Grundlage aufsteigen wollen. Bernward »baut« aus Elementen eine Konfiguration, die mehr halten muß als sich selbst: nämlich eine Welt. Die Flüsse markieren durch ihre Eckposition die Richtungen und durch ihre Bewässerung die ausgedehnte Fläche des Erd-

*Abb. 19 Hildesheim, Dom, Bernward-Säule, Anfang der Christusgeschichte mit dem Flußgott Jordan und der Taufe Christi*

*Abb. 20 Rom, Trajansäule mit dem Flußgott Donau*

kreises. Sie erinnern an die Schöpfung im Urzustand; sie repräsentieren eine Natur aus der Hand des Schöpfers: von elementarer Qualität und von elementarer Anordnung. In der Mitte dieser zeitlichen und materiellen Basis erhebt sich als andere Dimension und Form der Offenbarung die Achse der Heilszeit. Gegen das Positionale und Extensive wird das Lineare und Vertikale der *historia divina* gesetzt, wörtlich verstanden: entfaltet. Diese Heilslinie nimmt – die Grundidee verdoppelnd – selbst ihren Ausgang vom Wässrig-Elementaren, vom Jordanfluß, um im privilegierten Ort der Kultur, in der Stadt Jerusalem bzw. im Zeichen der Zeichen zu enden, im Kreuz, das die Säule einst krönte (heute mitsamt dem Kapitell erneuert). Die Synthese aus *mundus* und *historia* im Zeichen des Heils gibt aber nur eine Ansicht des Ensembles ab. Die andere sieht alle Elemente und Bezüge in der »Schrift« fundiert. Damit ist nicht allein gemeint, daß der Textbezug der Gegenstände der Darstellung verbürgt ist. Die Solidarität von Kosmos und Logos impliziert auch, daß die Paradiesesflüsse als Präfigurationen der vier Evangelien eingesetzt werden können, als die vier aus einer Quelle fließenden Ströme der Erzählung, die alle Welt erreichen und befruchten und die, so muß man im Sinne der heiligen Geographie folgern, im Jordan zusammenfließen, wenn mit der Taufe in diesem Wasser die Heilsgeschichte in ihrer höchsten und endgültigen Form beginnt.[81]

Die Heilige Schrift ist für die christliche Kunst nicht nur »Grund und Quelle«, sie und ihre Vertreter bilden vielmehr ein unverzichtbares Aufbau- und Verstrebungselement jener Weltsummen, an denen die Bildsysteme bauen. Um noch einmal die Mailänder Elfenbeine anzusprechen: Die Befriedigung und die Sicherheit, die das frühe Christentum aus solchen Strukturierungsleistungen seiner Kunst gezogen hat, können wir nur noch schwer nachvollziehen – und die Reichweite solcher Verweisungszusammenhänge ebenfalls. Irenäus, der im 2. Jahrhundert die Universalität und Katholizität der christlichen Verkündigung propagiert, ist ein guter Zeuge, um davon eine Vorstellung zu vermitteln. Hier spricht er von der Legitimation der Vierzahl der Evangelien durch die Grundstrukturen des Kosmos: »Da es vier Zonen der von uns bewohnten Erde gibt und vier Hauptwinde, die Kirche aber über die ganze Erde verbreitet und Halt und Feste der Kirche das Evangelium ist und der Hauch des Lebens, so folgt daraus, daß sie vier Säulen hat, die überall die Unvergänglichkeit zuhauchen und die Menschen zum Leben erwecken. Es leuchtet also ein, daß das Wort, der Baumeister des Alls, der über den Cherubim thront und alle Dinge zusammenhält, nachdem es den Menschen offenbart war, uns ein vierfaches Evangelium geschenkt hat, das durch einen Geist zusammengehalten ist. [...]. Viergestaltig die Tiere, viergestaltig das Evangelium, viergestaltig die Heilsordnung des Herrn. Da Gott alles nach Maß und Zahl gemacht hat, so mußte auch die Gestalt des Evangeliums wohl abgefaßt und wohl berechnet sein.«[82] Übertroffen wird diese »Verweltlichung« des Logos bzw. dieser »Logozentrismus« des Weltlichen nur noch von einem kühnen Satz, den wir in einem Text des sogenannten Auctor ad Diognetum (ebenfalls 2. Jh.) lesen: »Um es geradeheraus zu sagen – was im Leib die Seele ist, das sind im Kosmos die Christen.« »Die Christenheit [...] ist mit der Welt solidarisch«[83]; sie belebt sie und hält sie zusammen. Sie ist der Garant der neu geordneten Welt. Das Hochgefühl, der Weltoptimismus, die in Bild und Text aus der gelungenen Harmonisierung von Welt und Christentum, Welt und Wort, Kosmologie und Historie sprechen, vermischen sich schwer trennbar mit dem dogmatischen Charakter dieser Lehre: die zum Weltbaugesetz erhobene Kanonizität erscheint auch als Zwang, als unausweichliche Fügung – dies im wörtlichen Sinne zu verstehen, wenn wir an die paßgenaue Fügung dieser Täfelchen und ihrer Versatzstücke denken. Es ist der Wille zur Struktur, das Könnensbewußtsein und die dem siegreichen Christentum innewohnende Ordnungserfahrung, welche diese Synthesen von allem absetzen, was mit vergleichbaren Elementen im Bereich der nichtchristlichen Spätantike möglich war.

Bei den vergleichbaren Mithrasreliefs zeigt sich ein solch rückversicherndes Prinzip nicht; es fehlt der Wille zur Struktur, er geht noch nicht einmal von den »weltbildlichen Komponenten« aus. So haben z. B. die Windgötter keinen kanonischen Ort nach Art des Fünforts, der Quinkunx, die das Konglomerat der Felder zu einem Kosmogramm ordnen würde. Die stärkste Figur ist in dieser Hinsicht noch der Bogen, unter dem der stiertötende Gott agiert und der die Welthöhle assoziieren soll. Er steht in einem ikonischen Verhältnis zu seinem Bezugsobjekt; zu einer Durchstrukturierung und Korrelation der anderen Elemente trägt er nicht bei. Auch das Fehlen einer verbindlichen Abfolge der biographisch oder sonstwie szenisch zu verstehenden Randfelder läßt sich aus diesen Zusammenhängen begreifen. Eine auf mündlicher und ritueller Vermittlung allein basierende Rezeption dieser Bilder muß nicht notwendig am Leitfaden eines linearen Kontinuums voranschreiten. Ohne in eine schwierige und in der Kunstwissenschaft bisher nicht geführte Diskussion einsteigen zu wollen, das Referat der ersten Einträge auf Walter J. Ongs Liste seiner »characteristics of orally based thought and expression« muß Andeutung genug sein, in welche Richtung sich eine einschlägige Interpretation bewegen könnte, welche die lose Anordnung der Bildfelder als Ausdruck einer rein mündlichen und lokalen Bedürfnissen Rechnung tragenden Tradition begreifen will: »additive rather than subordinative«, »aggregative rather than analytic«, »redundant or › copious‹«.[84] Anders der Fall der christlichen Bilderzyklen. Die lineare Anordnungsform der alphabetischen Schrift und die Autorität der Bibel als eine Sammlung historischer Bücher begünstigt eine stringentere Ausarbeitung sukzessiver Reihen und stärkt eine Auffassung, die Folge als Folgerichtigkeit begreift. Die höhere Evidenz, die wir der Bildform und den Bildkomponenten der christlichen Kunst zuschreiben, meint also sehr viel mehr als die bloße Identifizierbarkeit der Szenen und Zeichen. Wir werden angesichts der genannten Denkmäler heidnischer Observanz auf Grundfragen verwiesen, welche das kunsthistorische Konzept der Abteilung und Rezeption nicht klären hilft.

## 3. Kapitel

## Der »Große Code«:
## Die Bibel und ihre frühchristliche Rezeption

> Der Hauptpunkt, auf den es hier ankommt, ist, einzuse-
> hen, wie dem allgemeinen Charakter der Subjektivität und
> Idealität des Christentums gemäß das Symbolische hier
> durchaus in das Handeln (in Handlungen) fallen müsse.
> Wie die Grundanschauung des Christentums die histori-
> sche ist, so ist es notwendig, daß das Christentum eine
> mythologische Geschichte der Welt enthalten müsse. Die
> Menschwerdung Christi ist selbst nur im Zusammenhang
> mit einer allgemeinen Vorstellung der *Menschengeschichte*
> denkbar. Es gibt im Christentum keine wahre Kosmogo-
> nie. Was im A.T. davon vorkommt, sind sehr unvollkom-
> mene Versuche. Handlung, Geschichte ist überall nur, wo
> Vielheit ist. Insofern also Handlung in der göttlichen Welt
> ist, insofern muß auch in ihr Vielheit sein.
>
> F. W. J. Schelling

### Kursus statt Zyklus: Geschichte als Offenbarung

Ich beginne diese Überlegungen mit einem allgemeinen und häufig trak-
tierten Thema, mit der jüdisch-christlichen »Grundanschauung« von Zeit
und Geschichte, wie sie in beiden Testamenten angelegt ist. Stark verkürzend und mit mehr Überzeugung als heute üblich gesagt: Jüdische und
christliche Geschichte ist linear und nicht zyklisch konzipiert. Ihr ist ein
Anfang und ein Ende gesetzt; sie wird akzentuiert durch die *kairoi* der »göttlichen Ereignisfolge« oder »Heilslinie« (Cullmann), das können große Zeit-
strecken, das können aber auch punktuelle Ereignisse sein. Linear ist also
nicht im modernen Sinne als kontinuierlich und meßbar zu verstehen – die
Zeit der Heilsgeschichte bleibt eine qualitative Größe, Erfüllung gilt hier
mehr als Dauer. Linear meint vielmehr die Form der Anordnung der Ereignisse, die unumkehrbar ist. Jedes »geschichtliche« Ereignis hinterläßt irre-
versible Konsequenzen. »Es gehört zum Wesen der Kairoi, welche die Heilslinie ausmachen, daß jeder von ihnen einer einmaligen unwiederholbaren
Tatsache entspricht.«[85] Die »historische Theodizee« des jüdischen Volkes
»basiert auf einzigartigen, nichtwiederholbaren Ereignissen, die – begin-
nend mit dem Bund zwischen Jahwe und Israel – sich in der Zeit abspielten

75

und nicht nur die Struktur, sondern auch die Bewegungsgesetze des Kosmos dauerhaft änderten«[86]. »Im Zentrum der Religion des alten Israel finden wir einen Bruch mit dem ganzen Universum, die vehemente Zurückweisung sowohl der ägyptischen als auch der mesopotamischen Versionen von kosmischer Ordnung. Die kosmische Ordnung dieser Kulturen bzw. die Verbindung zwischen der menschlichen und der sakralen Sphäre mußte unablässig und dem Buchstaben getreu durch eine rituelle Wiederholung der Ereignisse erneuert werden, die diese Ordnung und diese Verbindung hervorgebracht hatten. Nur in der jüdisch-christlichen Tradition existiert der Gedanke, daß die Dinge in Bewegung gesetzt oder die Menschheit gerettet wurde – ein für allemal.«[87] So ist der zentrale Glaubensinhalt des Christentums, der Kreuzestod des Herrn, »als ein singuläres Ereignis in der Zeit betrachtet worden, das keine Wiederholung zuläßt, was impliziert, daß die Zeit linear, nicht zyklisch organisiert ist«[88]. Augustinus, in Übereinstimmung mit Römer 6, 10: »Semel enim Christus mortuus est pro peccatis nostris.« »Einmal nur ist Christus für unsere Sünden gestorben«.[89] Die Sühnung der Erbsünde am Kreuz, jener einmalige und nicht wiederholbare Vorgang (ephapax), vermag aber eines nicht: »das historische Faktum der Erbsünde aus der Welt zu schaffen und den daraus resultierenden Bruch zwischen Gott und Mensch aufzuheben«[90]. Der Kreuzestod legitimiert vielmehr das Medium Zeit als christliche Dimension, indem er den Beweis dafür liefert, daß der Gott des Neuen Testaments selbst »eine historisch bedingte, menschliche Existenz angenommen hat«[91].

So verwundert es auch nicht, daß der Gedanke der zyklischen Wiederkehr von den Kirchenvätern verworfen worden ist. Die »Weltweisen«, schreibt Augustinus in *De civitate Dei* und bezieht sich auf Anschauungen der Pythagoreer und Stoiker, lösen die Frage nach Zeit und Schöpfung »nicht anders als durch die Aufstellung von Zeitumläufen, in denen sich in der Natur der Dinge ganz das Gleiche stets erneuert und wiederholt habe und so auch in Zukunft ohne Aufhören ein Kreislauf der entstehenden und vergehenden Weltzeiten stattfinden werde«[92]. Auf diejenigen, die diese »falsche und irreführende Weisheit« verkünden, münzt Augustinus das Wort des Psalmisten: »In circuitu impii ambulant« (Ps. 11, 9) »‹ Im Kreise herum werden die Gottlosen wandeln ‹, nicht weil sich ihr Leben in den vermeintlichen Kreisläufen wiederholen wird, sondern weil der Irrtumspfad, auf dem sie sich befinden, die falsche Lehre, von solcher Art ist.«[93] Die »via recta«, der »rechte und gerade Weg« der christlichen Zeitauffassung, führt zu den Mysterien einer »Schöpfung in der Zeit«, er findet »den Eingang« und »den Ausgang«; er weiß, »mit welchem Anfang das Menschengeschlecht und dieses unser sterbliches Dasein begonnen hat, mit welchem Ende es abschließen wird«[94].

Der soweit skizzierte Geschichtsentwurf ist nicht das Werk von Theologen, kein nachträglich fabriziertes Instrument der Apologetik. Wir entnehmen ihn auch nicht so sehr den Aussagen, als vielmehr der Struktur der Gründungsschriften der jüdischen und christlichen Religionen. Damit ist zunächst das von allen Zeiten hervorgehobene Faktum angesprochen, daß diese Sammlung von Schriften mit der Erschaffung der Welt anfängt und mit ihrem Ende aufhört, daß also Buch und Welt kongruent angelegt sind, ja sogar in ihrer Ausdehnung in einem analogen Verhältnis stehen – Bonaventura: »Deswegen ist die hl. Schrift von großer Länge, weil sie ihre Darstellung mit dem Anfang der Welt und der Zeit beginnt – das ist der Anfang der Genesis – und bis zum Ende von Welt und Zeit reicht, bis zum Schluß der Apokalypse. [...] Der hl. Geist schenkt uns das Buch der hl. Schrift, deren Länge sich nach dem Lauf des Regiments der Welt bemißt.«[95] Tiefer noch reicht die Entscheidung für eine bestimte Art der Aufzeichnung und Übermittlung, die Entscheidung für die erzählende Form. Dabei sind am Anfang untrennbar verquickt die Prämissen der jüdisch-christlichen Theodizee und der Wille bzw. die Notwendigkeit, sich von den Nachbarreligionen zu unterscheiden: »Siehe, lautet der Spruch Bileams, ein Volk, das abseits wohnt, sich nicht zu den Völkern rechnet.« (4 Mos 23, 9) Eine Sonderstellung, die sich eben auch im formalen Duktus und im logischen Status der religiösen Verkündigung niederschlägt. Ich komme hier wieder auf das »problem of authentication« (Bloomfield) zurück, das ich im Zusammenhang mit den Mithrasreliefs kurz ansprach. Authentizität und Legitimation kann eine Offenbarungsreligion nur im Medium der historischen Erzählung erreichen: »Wenn Moses nicht wirklich das Gesetz von Gott empfangen oder wenn Christus nicht wirklich unter Pontius Pilatus gelebt und gelitten hat, oder um es anders zu sagen, wenn es keine wahre Geschichte in der Bibel gibt, dann ist der ganze Anspruch dieser Religionen grundlos. Die Heilsgeschichte ist für den Christen eine authentische lineare Entwicklung in der Zeit und wird so auf natürliche Weise in narrativer Form präsentiert. Man kann ein Buddhist sein, ohne auf der Historizität von Buddhas Intuitionen zu bestehen – bestehen muß man auf ihrer Wahrheit. Dagegen ist es keine intuitive Wahrheit, welche der jüdische und der christliche Glauben offerieren, sondern ein logisches Paradox, welches den Anspruch auf historische Richtigkeit erhebt. [...] Anders als die Erzählungen der jüdisch-christlichen Tradition sind diejenigen des Buddhismus, sagen wir die Geburtslegenden, Verzierung, aber nicht der Stoff des religiösen Gewebes selbst.«[96]

Im Kontext der zeitgenössischen Glaubenstypen und Glaubensüberlieferungen bedeutet die hebräische Bibel »die Geburt einer neuen Art von historisierter Fiktion, die sich immer weiter von den Motiven und Bräuchen

der Legende und des Mythos wegbewegt«; sie rebelliert, so Herbert Schneidau, »gegen eine pagane Weltsicht, die in einen ewigen Kreislauf eingeschlossen ist« – deswegen Prosa, welche »das Erzählen als rituelle Wiederholung transformieren kann zu einer Abschilderung der eigensinnigen
Wege menschlicher Freiheit, der Launen und Widersprüche von Männern
und Frauen, die als moralisch handelnde und als komplexe Bündel aus
Motiven und Gefühlen gesehen werden«[97], deswegen die »Vermeidung des
Epischen«, das von Schneidau und Talmon in funktionalen Zusammenhang
mit Kosmologie, Analogiedenken und Ritual gebracht wird. Talmon: »Die
Rezitation der Epen war gleichbedeutend mit einer Realisierung kosmischer
Vorgänge auf dem Weg sympathetischer Magie.«[98] Schneidau, für den die
pagane Kultur identisch ist mit einer »Welt verknüpfter Analogien und Korrespondenzen«, sekundiert: »Eine Kosmologie hierarchischer Kontinuitäten,
wie sie dem mythischen Denken entspricht, hat eine starke Neigung zur
Metaphorik. Das Ineinandergreifen der Strukturen findet seinen bruchlosen
poetischen Ausdruck in der Evokation übertragbarer, austauschbarer Qualitäten und Namen. In einer solchen Welt tendieren alle Bewegungen zur
Totalisierung, sie sollen sich runden und schließen.«[99] Die biblische Erzählung setze gegen die Metapher die Figur der Metonymie, welche die Elemente nicht auf eine Gleichung, sondern in Kontakt miteinander bringt.
Schneidaus bündige Formel: »Where myth is hypotactic metaphors, the
Bible is paratactic metonymies.« »Das heißt, wo der Mythos einen Set von
Äquivalenzen in einem hierarchischen System arrangiert, da bietet die Bibel
eine Serie angrenzender Elemente, die in eine Sequenz gebracht werden,
ohne daß die Verbindung zwischen einem Element und dem nächsten
immer klar definiert wäre.«[100]

Ich umgehe für einen Moment die Aussage des letzten Nebensatzes und
sehe noch einmal unter dem Stichwort Sequenz die Sprache und Metasprache dieser Religionen zusammen. Beim Mythos, das hatten schon die antiken Philosophen betont, ist das Nacheinander der Ereignisse und das
Nebeneinander der Gestalten darstellungstechnisch bedingt.[101] Sallustios,
der Neuplatoniker des 4. nachchristlichen Jahrhunderts, zum ersten Aspekt,
im Zusammenhang einer Interpretation des Kybele-Mythos: »Diese Dinge
haben nicht zu einem bestimmten Zeitpunkt stattgefunden, sie existieren
allezeit: der Geist sieht alles auf einmal und mit einem Blick, es ist die Rede,
welche eine Abfolge zwischen ersten und zweiten Ereignissen etabliert.«[102]
Plotin hat denselben Gedanken für die Narrativisierung mythologischer
»Wesen«, also Person gewordener Konzepte, ausgesprochen – sein Bezug
ist die »Rede« (logoi) von der Geburt des Eros: »Denn die Rede bewirkt, daß
Wesen geboren werden, die nie erzeugt worden sind, und daß Wesen, die
nur als Einheit existieren, getrennt auftreten.«[103] Für die jüdische und die

christliche Religion sind dagegen die zeitliche Folge und die Individuation nicht nur instrumentale, sondern authentische Wirkungsformen Gottes in der Welt; selbst wenn sie nur als Verdeutlichung an sich zeitenthobener Seinsweisen gedacht werden, so ist der Lehrwert einer Offenbarung in der Zeit doch beträchtlich – und er markiert die große Differenz zu allen konkurrierenden Glaubensrichtungen: Nur im Geltungsbereich der jüdischen und der christlichen Überlieferung kann von einer Wahrheit des Sequentiellen gesprochen werden, im Sinne jenes schönen Satzes von Hugo von St. Viktor: »Wenn wir alle diese Dinge sorgfältig gemäß ihrer Reihenfolge in der Zeit, der Abfolge der Generationen und der Anordnung der verkündeten Weisheiten verfolgen, dann können wir zuversichtlich behaupten, alle Ebenen der hl. Schriften erreicht zu haben.«[104] »Für ein solches Verständnis der Schrift erscheint also die Bibel nicht so sehr als eine Darlegung von Lehren, sondern als eine Vergegenwärtigung geschichtlicher Tathandlungen und Entschlüsse Gottes.«[105]

Verheißung und Erfüllung: Die Struktur der biblischen Erzählung

Geschichte als Offenbarung – ein solches Programm impliziert nicht nur Sequentialität, sondern auch Konsequentialität. Es wird nicht nur eine Geschichtsbewegung durchgehalten; es werden auch Geschichtsstrukturen wirksam, so daß man sagen kann: Das Ineinander von Folge und Figur macht die Spezifik der biblischen Erzählung aus. Die erste Figur, die einem in den Sinn kommt, ist das der Narratologie so vertraute Schema des Kontraktes, das als Initialprogrammierung dem erzählten Geschehen vorausgeht und seine Wertobjekte definiert.[106] Theologisch sprechen wir vom »Strukturkonzept Bund« (R. Rendtorff), welches die historischen Berichte des Alten Testamentes zugleich skandiert und parallelisiert, ihrer Linearität Ausgangs- und Zielpunkte setzt und große Spannungsbögen errichtet.[107] In seiner *Theologie des Alten Testaments* konnte Gerhard von Rad eine kurze Nacherzählung des Hexateuch in 20 Zeilen geben, die sich im wesentlichen an den Aktualisierungen des Bundesgedankens orientiert: »Gott hat die Welt und die Menschen geschaffen. Nach der Vernichtung der verderbten Menschheit in der Sintflut hat Gott einer neuen Menschheit Erhaltungsordnungen gegeben und ihr im Noahbund den äußeren Bestand der Welt und ihrer Ordnungen garantiert. Dann hat er Abraham berufen und ihm in einem Bundesschluß große Nachkommenschaft, ein besonderes Gottesverhältnis und das Land Kanaan verheißen. Die erste Zusage hat sich in Ägypten erfüllt, als aus den Vätern ein Volk geworden war, die zweite am Sinai, als Israel in einem neuen Bundesschluß die Ordnungen für sein Zusammenleben und seinen Verkehr mit Gott empfangen, die dritte, als Israel unter Josua das Land Kanaan in Besitz genommen hatte. So ist also durch die Bundestheologie die gesamte hexateuchische Überlieferungsmasse unter eine dreifache Spannung von Verheißung und Erfüllung gestellt. Am Anfang waren nur die Väter da; sie sind noch kein Volk, sie sind noch nicht in das verheißene besondere Gottesverhältnis eingetreten und besitzen noch kein Land. Nun wird aus den Vätern ein Volk, aber ihm fehlt das Gottesverhältnis und das Land, und zuletzt – vielleicht doch die spannendste Periode! – bewegt sich das ganz auf Jahwe hin geordnete Israel umständlich durch die Wüste auf die letzte Verheißung, auf das Land Kanaan zu.«[108]

Der wiederholte Bundesschluß zwischen Gott und dem Volk Israel ist auch als eine antimythische Reaktion begreifbar. In Ergänzung zu den im letzten Abschnitt angesprochenen Tatsachen, daß die Bibel im Gegensatz zum Mythos »keine Gestalten, die außerhalb der Zeit stehen« und kein Geschehen, »das in den Kreislauf der Natur eingeschlossen wäre«[109], kennt, wäre hier nun mit Klaus Heinrich auf die dem biblischen Erzählen immanente Ablehnung eines ursprungsmythischen Konzepts hinzuweisen. »Ein Denken, das sich dagegen behaupten will, [...] muß der Macht der Ursprünge eine andere Macht entgegensetzen, die Macht des Bundes. › Bund ‹ ist eine Kategorie alttestamentlichen Denkens, nicht weniger fundamental als die konkreten › Ursprünge ‹ oder der abstrakte Ursprung des einen › Seins ‹.«[110] Die Bundestheologie setzt Daten, sie markiert Fort- und Rückschritte einer Volks- und Gottesgeschichte; sie hat etwas vom »schöpferischen Prozeß der Wirklichkeit, die sich mit immer wieder neu gesetzten Zielen offenbart«[111]

Nun weist die Ausformung dieser Figur im Alten Testament insofern eine besondere Qualität auf, als die Bundesverpflichtungen in einem hohen Maße verbalisiert, in Rede und Gegenrede regelrecht ausgearbeitet und im berühmtesten Fall in schriftlicher Form ausgehändigt werden – ich meine den Dekalog, die Urkunde des Sinai-Bundes. In letzter Konsequenz sind ja auch die beiden Bücher der Bibel als die »Urkunden« eines zweifachen Bundes zu lesen; deswegen hören sie schließlich auf den nicht ganz selbstverständlichen Namen »Testament«, nach dem griechischen Wort »diatheke«, das Paulus zuerst im Korintherbrief gebrauchte.[112] Die geschichtsmächtige Funktion des Wortes erweist sich so ein weiteres Mal: Schon wenn das Wort die Welt erschafft, setzt es in der Konsequenz von Ankündigung und Ausführung einen Wort-Geschehen-Zusammenhang: »Dann sagte Gott: Laßt uns Menschen machen nach unserem Bilde [...]. So schuf Gott den Menschen nach seinem Bilde.« (1 Mos 1, 26 f.) Nicht anders zeigt das Wort seine

Wirkungskraft in den historischen Zusammenhängen: »Darauf sprach der Herr zu Moses: Sag zu Aaron: Streck deinen Stab aus, und schlag damit auf die Erde in den Staub! In ganz Ägypten sollen daraus Stechmücken werden. Sie taten es. Aaron streckte die Hand aus und schlug mit seinem Stab auf die Erde in den Staub. Da wurden Stechmücken daraus, die sich auf Mensch und Vieh setzten. In ganz Ägypten wurden aus dem Staub auf der Erde Stechmücken.« (2 Mos 8, 12 ff.) Und nach diesem elementaren Muster werden auch die großen Geschichtsabschnitte ein- und ausgeleitet: durch die Kontrakte zwischen Gott und den Ureltern, Gott und den Erzvätern, Gott und Moses, Gott und Josua. Ich zitiere den Anfang und das Ende des Buches Josua: »Nachdem Moses, der Knecht des Herrn, gestorben war, sagte der Herr zu Josua [...]: Mein Knecht Mose ist gestorben. Mach dich also auf den Weg, und zieh über den Jordan hier mit diesem ganzen Volk in das Land, das ich ihnen, den Israeliten, geben werde. Jeden Ort, den euer Fuß betreten wird, gebe ich euch, wie ich es Mose versprochen habe. [...] Wie ich mit Mose war, will ich auch mit dir sein. Ich lasse dich nicht fallen und verlasse dich nicht. Sei mutig und stark! Denn du sollst diesem Volk das Land zum Besitz geben, von dem du weißt: ich habe ihren Vätern geschwo-ren, es ihnen zu geben.« (Jos 1, 1 ff.) – »So gab der Herr Israel das ganze Land, das er ihren Vätern mit einem Eid zugesichert hatte. [...] Keine von all den Zusagen, die der Herr dem Hause Israel gegeben hatte, war ausge-blieben; jede war in Erfüllung gegangen. [...] Das Volk sagte zu Josua: Dem Herrn, unserem Gott wollen wir dienen und auf seine Stimme hören. So schloß Josua an jenem Tag einen Bund für das Volk und gab dem Volk Gesetz und Recht in Sichem. Josua schrieb alle diese Worte in das Buch des Gesetzes Gottes [...].« (Jos 21, 43 ff.; 24, 24 ff.)

Noch einmal auf das Thema Mythos – biblische Erzählung zurückbezo-gen: Der Glaube Israels, der wie aller Glaube die Zuwendung Gottes oder der Götter erreichen will, »wird nicht dadurch gesichert, daß in einem Ver-wischen der Zeit- und Raumgrenze Menschliches ungebrochen ins Gött-liche zurückverankert würde. Vielmehr geschieht diese Vergewisserung durch den Hinweis auf das Wort der Verheißung, das in der Geschichte dem Geschehen der Verwirklichung vorausläuft«.[113] Wir haben also nicht nur eine Geschichtstheologie, ein Geschichtsbuch und einen Gott, der sich in der Geschichte durch seine Taten erweist, wir finden auch, in diesen Zusam-menhängen wirksam, eine eigentümliche Bestimmung des Verhältnisses von Wort und Tat in der Geschichte, als Geschichte. Wort und Tat sind nicht eins, wie man regelmäßig zu diesem Thema liest. Das Wort wird Tat, wird das »gewirkte Wort«, *nachdem* es ausgesprochen und erklärt worden ist, nachdem es in schriftlicher Form Verbindlichkeit erlangt hat. Es entsteht auch aus diesen Elementen eine Folge, eine Konsequenz, oder anders betrachtet, eine Zweiteilung der Erzählung in erzählte Worte und erzählte Taten. Dies ist wichtig festzustellen, weil aus dem Referat des ersten Abschnitts vielleicht der Eindruck mitgenommen worden ist, biblische Geschichte erschöpfe sich in Aktionen. Tatsächlich erscheint sie uns als ein vielfach von Anweisungs- und Lehrreden, von Reflexionen und Erinnerungen durchsetzter Geschehensbericht, und was auf der Ebene der Einzelerzählung gilt, hat Bestand natürlich auch für den gesamten Korpus, den wir Bibel nennen und der ja nicht nur aus Geschichtswerken, sondern auch aus Schriften juristischen, paränetischen, liturgischen Charakters zusammengestellt ist. Wobei man bei den prophetischen Büchern anerkennen muß, daß auch sie in letzter Hinsicht als Geschichtsbücher qualifizieren, »insofern sie ja nicht Lehren, Wahrheiten o. ä. vermitteln wollen, sondern eschatologische Ereignisse vorausdarstellen«[114]. Noch anders gesagt: Die Propheten rufen das Volk, das sich im Besitz der versprochenen Heilsgüter wähnen konnte, »von Neuem in die Bewegung einer Geschichte, die von Verheißung zu Erfüllung drängt«[115].

Nach dieser sehr schematischen Darstellung könnte jemand, der die Bibel noch nie in der Hand gehabt hat, die Vorstellung eines auf allen Ebenen koordinierten, nach Ankündigung und Ausführung »schlüssig« ausformulierten Textes gewinnen. Schon eine oberflächliche Lektüre wird ein ganz anderes Bild vermitteln. Als Schneidau und Alter den metonymischen Duktus der Erzählung charakterisierten und zu ihren Sequenzen vorsichtig anmerkten, »ohne daß die Verbindung zwischen einem Element und dem anderen immer klar definiert wäre«, bekamen wir einen ersten Hinweis darauf, daß da noch mehr sein könnte, was sich nicht ohne weiteres aus den genannten Voraussetzungen ableiten läßt. Die feste Perspektive, der große Zug, der von dem skizzierten theologischen Apriori, Geschichte als Offenbarungsgeschehen zu begreifen, ausgeht, erscheint oft als eine dringend benötigte Hilfskonstruktion, die ein Bündel disparater Überlieferungsstränge und diverser Aussagetypen zusammenhält. Diese Not besteht auf zwei Ebenen, auf der Ebene der erzählerischen Durchführung ebenso wie auf der Ebene der Konstitution des Textkorpus Bibel. Zu erstem Aspekt zitiere ich Erich Auerbachs berühmten Vergleich zwischen dem Erzählstil der *Odyssee* und der *Genesis*: »Auf der einen Seite ausgeformte, gleichmäßig belichtete, ort- und zeitbestimmte, lückenlos im Vordergrund miteinander verbundene Erscheinungen; ausgesprochene Gedanken und Gefühle; mußevoll und spannungsarm sich vollziehende Ereignisse. Auf der anderen Seite wird nur dasjenige an den Erscheinungen herausgearbeitet, was für das Ziel der Handlung wichtig ist, der Rest bleibt im Dunkel; die entscheidenden Höhepunkte der Handlung werden allein betont, das Dazwischenliegende ist wesenlos; Ort und Zeit sind unbestimmt und deutungsbedürftig;

die Gedanken und Gefühle bleiben unausgesprochen, sie werden nur aus dem Schweigen und fragmentarischen Reden suggeriert; das Ganze, in höchster und ununterbrochener Spannung auf ein Ziel gerichtet, und insofern viel einheitlicher, bleibt rätselvoll und hintergründig.«[116] Es kostet wenig Mut, dieses Fazit mit wenigen Umakzentuierungen auf die viele Jahrhunderte späteren und anderen Kulturzusammenhängen verbundenen kanonischen Evangelien zu übertragen. Auch dort diese konstitutive Spannung zwischen »design und disorder«, »providence and freedom«, zwischen dem großen linearen Zusammenhang einer »enddetermined fiction« (Kermode) und ihren Brüchen, Sprüngen, Inkohärenzen und Widersprüchen.

Die Bibel – das waren am Anfang *ta biblia*, eine Sammlung »kleiner Bücher«, nichts was man in die Hand nehmen konnte, sondern, wie James Barr schreibt, »ein Schrank oder ein Kasten mit Fächern oder ein Zimmer oder eine Höhle mit den entsprechenden Rollen darin«[117]. Schwer faßbar in ihrer äußeren Einheit bestand und besteht die Bibel im Inneren aus einer noch schwerer zu überblickenden Mischung aus »Geschichtsschreibung, Epos, Gesetzen, Gedichten voll Lob und Tadel, Aphorismen, Sprichwörtern, Liebesgesängen, Visionen und vielem anderen mehr«. »Die Bibel ist keine erkennbare Summa, nicht das Produkt eines menschlichen Autors, sie ist vielmehr eine Anthologie. Die enorme Vielfalt der Temperamente und Kulturen ihrer Autoren umfaßt eine Zeitspanne, die länger als ein Jahrtausend dauerte, und die nachfolgende christliche Tradition hat im wesentlichen die Vielfalt und den Reichtum der Bibel hoch bewertet und ihre Struktur so bewahrt.«[118]

Das erstaunliche und großartige Ergebnis der langen Produktions-, Redaktions- und Rezeptionsgeschichte der biblischen Texte ist die gerade angesprochene Tatsache, daß die Widersprüche, die Wiederholungen, die abständigen und die unwahrscheinlichen Episoden, der Partikularismus und Eigensinn der Erzählungen nicht der großen Geschichtskonstruktion geopfert wurden und daß umgekehrt der Plan nicht unterging im »mare historiarum«. Auch das Christentum, die zweite Religion, die sich diesen Textkorpus in parteilicher Absicht aneignete, hat sich dieser Spannung von Plan und Kontingenz gestellt, was letztlich der Preis ist, wenn man das Programm Geschichte als Offenbarung ernst nimmt. Es hat den Prozeß der Anerkennung der »Vielheit« (s. das Motto dieses Kapitels) auf eine doppelte Weise vollzogen: Indem es die Septuaginta, die griechisch-alexandrinische Version des Alten Testamentes, dem eigenen Überlieferungsbestand mehr oder minder unverändert eingliederte und indem es bei der Ausarbeitung und Sanktionierung seiner eigenen Zeugnisse nicht auf einen totalen Bruch hinarbeitete, sondern den zweiten Korpus dem ersten innerhalb bestimmter Grenzen anglich. Schon die Zulassung von mehr als einem Evangelium darf als ein

Bekenntnis zu dieser Tradition der Neueinsätze und der Vielheit der Stimmen verstanden werden. Sie ergab sich in einem weiteren theologischen Sinne aus dem Topos, daß die Wahrheit der Erscheinung Gottes mit menschlichen Mitteln nie ausgeschöpft werden kann, und in einem engeren neutestamentlichen Sinne aus dem Faktum, »daß auch die Vermittlung seiner [Christi] Offenbarung auf menschlichem Wege vor sich gegangen ist«. »Die Pluralität der Evangelien [...] ist nichts als der Ausdruck der Menschlichkeit des historischen Entstehungsprozesses der Evangelien«.[119]

## »All the constellations of the storie«: Das typologische Verfahren

Auf Plan und Vielheit, auf »design and disorder« gibt es zwei Antworten der Rezeption, welche die Grundeigenschaft der Bibel, Erzählung zu sein, ernst nehmen. An die »Strukturwerte« und die »Strukturkonzepte« heftet sich die Typologie. Sie ist die Form der Exegese, die im Vorgehen der Schrift selbst ihre Legitimation hat. Sie ist ein Verfahren der Textproduktion ebenso wie der Textinterpretation. Schon das Alte Testament spannt in einem Verfahren der inneren Exegese als ein »selfglossing book« vielfältigste Beziehungen zwischen seinen einzelnen Niveaus und Teilen aus. Der Parallelismus reguliert seinen Satzbau, er bestimmt auch in entscheidenden Strecken das Verhältnis der Geschehenseinheiten, der Ereignisse und der Protagonisten. Hinzu kommen die zahlreichen Summarien und Rückbezüge, die Rekapitulationen, die zu jener Eigenschaft des Textes beitragen, die Northrop Frye »its capacity of self-re-creation« nennt: »Der dialektische Fortschritt von einem Niveau des Verstehens zum nächsten scheint in die Struktur der Bibel eingebaut zu sein und teilt sich dem Bewußtsein des Lesers, während er weiterliest, in einem Maße mit, für das ich kein anderes Beispiel finde.«[120] Dieses Verfahren der »self-re-creation« endet mit dem Alten Testament nicht, versteht sich das Neue theologisch doch als die »Rekonstruktion« des Alten und ist es doch auf dem Resonanzboden dieses mehr oder minder fertigen Korpus der hebräischen Bibel und ihrer griechischen und aramäischen Übersetzungen geschrieben worden. »Man hat ausgerechnet, daß die fünf letzten Kapitel des Markus-Evangeliums 57 Zitate aus dem und 160 Allusionen an das Alte Testament enthalten, nicht gerechnet die 60 Stellen, an denen sich eine Beeinflussung durch das Alte Testament nachweisen läßt.«[121] Diese selbstinterpretative Struktur der Bibel und das Faktum der Offenbarung in zwei Büchern hat die frühe, die allerfrüheste Schrifttheologie, die mit Christus anfängt, genutzt, um einen genuin christlichen Interpretationsansatz zu entwickeln. Er findet die Einheit in der Vielheit der Geschichten; er reagiert konstruktiv auf die Entscheidung des Christentums, sich in historischen Erzählungen zu offenbaren. Der Sinn, den diese Befragung der Texte erstellt, wird aus der »Innergeschichtlichkeit sowohl des bedeutenden wie des bedeuteten Dinges« gewonnen. Um mit Erich Auerbach fortzufahren: »Die Figuraldeutung stellt einen Zusammenhang zwischen zwei Geschehnissen oder Personen her, in dem eines von ihnen nicht nur sich selbst, sondern auch das andere bedeutet, das andere hingegen das eine einschließt oder erfüllt. Beide Pole der Figur sind zeitlich getrennt, liegen aber beide als wirkliche Vorgänge oder Gestalten innerhalb der Zeit; sie sind beide, wie schon mehrfach betont wurde, in dem fließenden Strom enthalten, welcher das geschichtliche Leben ist, und nur das Verständnis, der *intellectus spiritualis*, ist ein geistiger Akt [...], der sich mit dem gegebenen oder erhofften Material des vergangenen oder zukünftigen Geschehens zu befassen hat, nicht mit Begriffen oder Abstraktionen.«[122]

Das Wort vom »fließenden Strom der Zeit« bedarf einer Korrektur: Typologie lebt als historisches Auslegungsverfahren nicht allein vom Fortschreiten der Zeit, von dem derart produzierten Abstand, der die Voraussetzung dafür ist, daß zwei Elemente aufeinander bezogen werden können. Ebenso wesentlich sind ihr die Hiatus, welche die großen Etappen der Heilsgeschichte skandieren, welche die Gnadenstände überschaubar und korrelierbar machen. Typologie realisiert also die Geschichtsbewegung *und* die Geschichtsgestalt ihrer Referenztexte. Sie kann dies, indem sie Übereinstimmung *und* Differenz zu ihren operativen Prinzipien macht. In der Typologie durchdringen sich auf einzigartige Weise das generelle Verlangen nach einer analogen Welt- und Zeitordnung und der christlich geschärfte Sinn für die Einzigartigkeit geschichtlicher Ereignisse. Denn ebenso wichtig wie die Entsprechung ist der Faktor Differenz: Zwei Geschehnisse stehen dann in einer figurativen Relation, wenn sie sich ähneln *und* unterscheiden: das spätere Ereignis muß das frühere erfüllen *und* übersteigen. Und damit sind jeweils die Qualitäten der Heilsepochen mitcharakterisiert. Wie Anne Higgins richtig erkannt hat, liegt in dieser zweifachen Bestimmung auch eine theologische Kompensation der Härten der christlichen Zeitauffassung bereit, womit ich zum Anfang der Überlegungen dieses Kapitels zurückkehre: »Die Figur bewirkt mehr, als wir dachten, wenn sie ähnliche Ereignisse zusammenführt und zugleich sorgfältig voneinander scheidet. Wenn die Figur nicht Ereignisse zusammenführen würde, dann müßte man in der Geschichte nur ein lineares Muster diskreter, sukzessiver Vorfälle erblicken, die sich immer weiter von den Theophanien der Vergangenheit entfernen; wenn die Figur nicht Ereignisse unterscheiden würde, dann würde man nur das Muster der Wiederholungen erkennen und nicht den Wandel und die

Entwicklung, welche für christliche Theorien der Geschichte und der Verantwortung des einzelnen so wesentlich sind.«[123]

Vergessen wir über diesen geschichtstheologischen Erwägungen nicht die materiellen Grundlagen – Stichwort: *ta biblia*, die Disparatheit der biblischen Bücher und Geschichten. »Der Glaube, daß man am besten einen Text interpretiert, indem man ihn mit einem anderen Text von gleicher Autorität zusammenbringt, setzt ganz klar einen Kanon voraus: die Idee, die Korrespondenzen zwischen allen Teilen erforschen zu wollen, wäre absurd, hätte man keine Vorstellung vom Umfang des Ganzen. Wenn der ganze Text göttlich inspiriert ist [...], dann ist auch der flüchtigste Widerhall vielleicht nur eines einzigen Wortes von Bedeutung. Und wenn alles inspiriert ist, dann sind auch alle möglichen Beziehungen zwischen den Teilen des Textes inspiriert.«[124] Typologie ist das Mittel, zwischen unterschiedlichen Büchern Zusammenhänge zu stiften – Typologie funktioniert dank der Annahme einer Einheit und Geschlossenheit des Textkorpus. Derart ist ihre Dialektik. Sie fordert und produziert *das* Buch der Bücher, das Textuniversum, an dem die spezifisch christliche Ordnungserfahrung sich manifestieren kann. Auch die christliche Kultur baut also an einer »Welt verknüpfter Analogien und Korrespondenzen«. Aber anders als im Fall der mythischen Weltsicht sind ihr Material nicht kosmische Ordnungsstrukturen, ist ihr Ziel nicht das *tota simul*; sie relationiert historische Personen, Vorgänge, Zeiten, um in ihrem Entsprechungsverhältnis den geschichtlichen Sinn erfahrbar zu machen. Frank Kermode, den ich zuletzt zitierte, hat in diesem Zusammenhang an das große Gedicht George Herberts erinnert, das den Titel *The Holy Scriptures II* trägt:

> »Oh, that I knew how all thy lights combine,
> And the configurations of theire glorie!
> Seeing not onely how each verse doth shine,
> But all the constellations of the storie.
>
> This verse marks that, and both do make a motion
> Unto a third, that ten leaves off doth lie:
> Then as dispersed herbs do watch a potion,
> These three make up some Christian's destinie.«[125]

Es verwundert nicht, daß ein Lyriker so treffende Worte für den Beziehungsreichtum der biblischen Bücher gefunden hat. Wer ständig »Zusammenklang in Zusammenhang« (Rühmkorf) und umgekehrt verwandelt, findet an den »Konstellationen« dieser Erzählungen sein Leitgestirn. Das gilt übertragen genauso für die bildende Kunst, die auch eine Lyrikerin ist, wenn es um den Aufbau konsonanter Beziehungsgefüge geht.

Auffüllendes Erzählen: Die Midrashim und die Apokryphen

Typologie ist die eine Antwort der Rezeption. Sie hält sich an den Plan der Heilsökonomie und versucht die Vielheit nicht zu verraten. Eine andere Form der Antwort zieht die Vielheit dem Plan vor. Ihr Nährboden ist der Minimalismus der biblischen Erzählung, sie lebt vom Unabgeschlossenen, Unausgeführten, Unbefriedigenden, gleichwohl Viel-Versprechenden dieser Texte. Für sie ergeben sich überall Ansatzpunkte, den biblischen Bericht schon auf der Ebene der Fakten, der Motive, der größeren Zusammenhänge zu erweitern und zu ergänzen – zugunsten einer »besseren«, reicheren Erzählung. Die beiden Testamente sind zunächst einmal Erzählungen, die permanent neue Erzählungen auslösen.

Auf der Seite des Judentums begegnet als spezifische Reaktion das Phänomen Midrash (und die apokryphe Literatur, die ich hier beiseitelasse). Midrash, genauer *midrash haggadah*, das ist neben dem *midrash halakhah*, der Gesetzesauslegung, die viel freiere und niemals den Status der Regel anstrebende Erläuterung der narrativen Texte, weniger eine »Fachexegese« als eine »religiöse Betätigung«. Midrash »füllt biblische Erzählungen auf, indem er Details ergänzt, Personen identifiziert, die Lebensverhältnisse der biblischen Gestalten anachronistisch zeichnet, diesen die Kenntnis der ganzen Bibel und auch der Zukunft zuschreibt, Widersprüche bereinigt, durch Analogie die Details der Erzählungen miteinander verbindet«[126]. Der Funktion, nicht dem Status nach entspricht dieser jüdischen Technik der Erklärung durch Erzählung die apokryphe Literatur des Christentums, welche an Umfang und Vielfalt den kanonischen Korpus einstmals um vieles übertroffen hat. Sie ist nie ganz aus dem Umlauf gezogen worden, und die sie tragenden Interessen und Bedürfnisse sind einer noch viel produktiveren und legitimierten Erzählgattung zugeführt worden: der Hagiographie. Wie der Midrash füllen die Apokryphen mit Details auf, wo die Schrift sich auf wenige Angaben beschränkt, sie liefern Gründe, wo die Schrift Handlungen referiert, sie nennen Namen, wo die Schrift mit anonymen Akteuren auskommt, sie vermehren und spezifizieren das Personal, wo die Schrift wenige gegen unbestimmte Kollektive setzt, sie schaffen ein sicheres Umfeld, wo die Schrift mit einem »spotlight effect« arbeitet und alles andere im ungewissen läßt, sie sind an Sequenzen und Entwicklungen und am »Dazwischen« interessiert, wo die Schrift nach hartem Einsatz die Höhepunkte anstrebt. Und natürlich können die Erzählsupplemente beider Religionen kein Ende finden, wenn es um die Grundorientierungen, aber auch die Defizite und die Faszinosa ihres Potentials geht. Im Fall der Apokryphen wären das die Wundertaten und die Erscheinungen Christi nach seiner Auferstehung, die stark vermehrt werden und aus denen Christus als ein ganz anderer Held, ein gewaltiger Kämpfer gegen die Mächte der Finsternis hervorgeht. Midrash dagegen läuft zu großer Form auf, wenn die Bibel scheinbar sorglos Tabus ignoriert oder bricht, die den Sonderstatus des Volkes Israel und seine daraus resultierenden Berührungsverbote betreffen: »[...] eine Geschichte, welche im Lauf der Zeit zweideutig oder unanständig geworden war, wie etwa die Geschichte von Sarahs Aufenthalt im Harem des Pharao, sie [...] verlangte nach Midrash. Narrative Erklärungen wurden aufgeboten, um Sarah zu rechtfertigen – der Pharao wußte, daß sie eine verheiratete Frau war, und konnte als Ägypter ihr seinen Willen nicht aufzwingen. Oder wie konnte es angehen, daß Joseph die Tochter Potiphars, eine Ägypterin, heiratete? Ein Alexandrinischer Roman behauptete, die Tochter sei zuvor bekehrt worden; eine rabbinische Interpretation besagt, diese sei in Wirklichkeit die Tochter Dinahs, also jüdischen Ursprungs gewesen und nur von der Frau des Pharaonen großgezogen worden. So wurden Diskrepanzen oder anstößige Stellen durch die Erfindung romanhafter Erzählungen eliminiert.«[127]

Die Apokryphen und die Midrashim sind umständlich. Als Inbegriff ihrer narrativen Strategie erscheinen mir die Sätze, mit denen das neunte Kapitel des sogenannten Protoevangeliums des Jakobus anfängt und aufhört, und da man diese Schrift zu Recht einen »midrash chrétien« genannt hat, soll sie hier für beide Formen des Umgangs mit der Schrift die Technik des »auffüllenden Erzählens« illustrieren.[128] Beantwortet werden durch dieses »Evangelium« die Kardinalfragen der apokryphen Autoren und ihres Publikums: Was geschah davor, dazwischen, danach? Was waren die Motive? Wie kamen eigentlich Maria und Joseph zusammen, bevor sie schwanger wurde und beide nach Bethlehem zogen? Kapitel 9 des Protoevangeliums nennt mit dem ersten Wort gleich den Namen des Maria zubestimmten Freiers und setzt uns auch über seinen Beruf und seine momentane Tätigkeit ins Bild: »Joseph aber warf die Axt weg« – ein Satz, der jede Novelle oder Kurzgeschichte des Realismus zieren würde. Das Geheiß eines Engels und der Aufruf der Boten versammelt die Witwer des Landes in den Tempel, »die sollen jeder einen Stab tragen, und welchem der Herr ein Wunderzeichen geben wird, dessen Weib soll sie [Maria] sein«. Joseph wirft also die Axt weg, um dieser Aufforderung Folge zu leisten. Im Tempel fällt das Los auf ihn, der sich sogleich mit dem Hinweis auf sein Alter und seine Söhne entziehen möchte. Doch findet er beim Hohenpriester kein Gehör: Dieser weist ihn unter Androhung von Strafen an, Maria in seine Obhut zu nehmen. Das Kapitel endet: »Und Joseph sprach zu ihr: Maria, ich habe dich aus dem Tempel des Herrn empfangen und lasse dich nun in meinem Hause und gehe fort, um meine Bauten zu errichten; danach werde ich wieder zu dir kommen; der Herr wird dich bewahren!« Eine perfekte Pflege des narrativen Inventars; es will alles bedacht und versorgt sein: was war, was ist, was sein wird. Der Erzähler waltet als sorgsamer Nährvater seines Berichts. Mit diesem Stichwort sei zugleich angedeutet, daß das »human interest«, das nach narrativer Kohärenz verlangt, fast deckungsgleich ist mit einer Nachfrage nach einem ganz bestimmten Thema: Die »missing links« werden vorrangig im Bereich der »Familiengeschichten« gesucht und gefunden.

## Die Erzählung im Zeitalter der Lehre: Das thematische Defizit

An dieser Stelle ist folgendes als Ergebnis vorzuweisen: Wir haben die Argumente für eine vollständige Rechtfertigung des historischen und narrativen Modus als *der* Ausdrucksform christlicher Kunst und Literatur beigebracht. Diese Behauptung schließt ein, daß Geschichte als Offenbarung Struktur hat, daß sie also in systematischer Absicht verwendet werden kann. Dies gilt für die großen Geschehenszusammenhänge genauso wie für jeden Ausschnitt aus dem reichen Repertoire biblischer Historien, weil sich in ihm die übergreifende Geschichtsbewegung, der von einem einheitlichen Willen bestimmte Heilsplan wiederfinden lassen müßte. Dies gilt weiterhin für jeden Versuch einer Relationierung der Ereignisse und Geschichtsverläufe nach dem typologischen Modell. Zugleich haben wir festgestellt, daß die Qualität der Geschichte, Vielheit und Wirklichkeit in ihrer Totalität zu sein, durch den systematisierenden Umgang mit ihr nicht beschnitten worden ist und daß es darüber hinaus Mittel und Wege gab, den Reichtum der biblischen Erzählung zu vermehren und ihn dort, wo er nur keimhaft angelegt war, nach bekanntem Muster nachträglich zu erzeugen. Die Mittel, mit den Stärken und Schwächen der Vorlage umzugehen, wurden in der Erzählung selbst gefunden, die damit in einem mehrfachen Sinne notwendig und legitimiert ist: als Medium des Nachvollzugs der Heilsgeschichte (reproduzierendes und paraphrasierendes Erzählen), als Form der Ergänzung, Fortsetzung und Ersatz derselben (auffüllendes Erzählen) und als Material eines geschichtsimmanenten Deutungsverfahrens (argumentierendes, typologisches Erzählen).

All das klingt nach einem geschlossenen und sich selbst regulierenden System. »Gott hat alle Wirklichkeit geschichtlich geordnet«[129] – wenn Ethelbert Stauffer derart die zentrale Überzeugung und das »Ordnungsverfahren« des frühchristlich-theologischen Denkens summieren kann, dann müssen wir für unseren Zusammenhang verstärkt die Frage stellen, warum christliche Bildsummen gemischte Komplexe sind und mit dem historischen Bilderkreis nicht auskommen und nicht aus einem Material allein und allezeit ihre Synthesen bilden – was durchaus möglich ist, wie wir sehen werden, aber nicht die Regel, wenn der Auswahl der Werkkomplexe in Kapitel 1 und 2 irgendeine repräsentative Aussage zukommt. Solange die thematischen Komplemente von den Repräsentanten oder Zeichen der Schrift eingenommen werden, ist die Legitimation einer zweiten Ordnung neben der historischen gegeben: Wir haben von der Notwendigkeit einer Offenbarungsreligion gesprochen, ihre Mittler und die Umstände ihrer Vermittlung vorzuweisen; wir haben darauf abgehoben, daß die christliche Bildverkündigung ihren festen Bezugspunkt in einem schriftlich fixierten und kanonisch geschlossenen Korpus von *Schriften* hat; wir können weiterhin an die oben gemachten Ausführungen zur Wort-Tat-Struktur des biblischen Berichts anknüpfen und sagen, daß sich die Instanzen der Schrift gewissermaßen als die Verkörperungen des hohen »Wort«-Anteils der Erzählungen bzw. der für das Textganze konstitutiven Mischung von Erzählung und Lehre verstehen lassen. Das alles sind gute Gründe, aber ich halte sie nicht für tiefgehend genug, um das Phänomen der kompositen Ordnungen der christlichen Kunst zu erklären. Und das nicht nur, weil wir auf komplexe Strukturen stoßen, in denen die Position des Thematischen nicht von den Exponenten des Schriftprinzips besetzt wird. Gerade wenn ausgemacht ist, daß der historische Modus das Potential hat, selbst, aus eigener Kraft thematisch zu werden, muß die Notwendigkeit, sich in einem multimodalen Gesamtzusammenhang abzusichern, besonders fragwürdig werden.

Schauen wir uns den zeitlichen und räumlichen Kontext der Jahrhunderte vor und nach der Zeitenwende an, dann standen die Zeichen für eine Geschichtsreligion nicht günstig. »Der griechisch-philosophische Gedanke, daß die wahre Religion in erster Linie Lehre sei, und zwar Lehre, die sich über den gesamten Kreis des Wissens erstrecke, fand immer mehr Eingang in die Christenheit.«[130] »Die Überzeugung, daß, weil die christliche Religion die absolute ist, sie auch auf alle Fragen der Metaphysik, Kosmologie und Geschichte Auskunft geben müsse«, zog, wie Harnack treffend weiterschreibt, »die Ausspinnung des Evangeliums zu einer großen Gott-Welt-Philosophie«[131] nach sich. Man halte die Ausgangsposition der neuen Religion mit ihrer Fundierung in einem Korpus von Erzählungen gegen den Hintergrund einer Entwicklungsdynamik, wie sie der Kulturtheoretiker

Ernest Gellner skizziert: »Cultures had always consisted of systems of concepts, which contained their own suggestiveness, anticipations, imperatives. Societies instilled those in their members by ritual and otherwise, thereby engendering cohesion and making communication possible. Concepts had always been confirmed by *stories* within which they figured. Now they were also confirmed by well articulated doctrine, their moral suggestiveness codified in formal works, their premises supposedly *proven* and made logically binding.«[132] »Now«, das heißt: Durch die »platonische Wende« war es möglich und dann verbindlich geworden, Transzendenz zu formalisieren (Gellner: »The transcendent receives formal recognition«), eine einheitliche Lehre, Gott und die Welt betreffend, auszubilden und Konzepte (»Ideen«) als logische und moralische Modelle für Realität aufzustellen, mit anderen Worten: ihnen – und nicht (nur) Erzählungen den Status einer göttlichen Autorität zu verleihen. »Now«, das bedeutet jedoch nicht, daß Ritual und Erzählung als Ausdrucks- und Durchsetzungsformen einer Kultur obsolet geworden waren. Es heißt nur, daß bei einem solchen Entwicklungsstand jede Kultur, jede Religion, jede Epoche die Aufgabenteilung zwischen den Wissens- und Vermittlungsformen Ritual, Erzählung und Lehre für sich neu regeln muß. Zu den spannungsreichsten und produktivsten Verhältnisbestimmungen dürfte es immer dann kommen, wenn eine Konstellation gegeben ist, wie wir sie für das Christentum beschrieben haben. Ein auf historischen Erzählungen aufbauender Glaube wird im Zeitalter der Lehren zur allgemeinen Religion – ein Vorgang, der sich im 2. Jahrhundert vollzieht, als das Christentum »weltweit« verbreitet ist und von den Apologeten theologisch auf die Auseinandersetzung mit der hellenistischen Philosophie eingestellt wird. »Lehre [...] wird also zum Element der Identität des Christlichen.«[133] Erst in diesem Bedingungszusammenhang gilt eigentlich, was Jurij M. Lotman einmal als transkulturelle und transhistorische Gesetzmäßigkeit formuliert hat[134]: daß der »Text« einer Kultur doppelt artikuliert sei, daß es zwei Formen von Subtexten in entwickelten Kulturen gebe, Subtexte, welche die größeren Strukturen der Welt nachzeichnen, und Subtexte, »die den Platz, die Position und die Aktivitäten des Menschen in der ihn umgebenden Welt beschreiben«[135]. Die erste Gruppe beantwortet die Frage »Wie ist alles geordnet?« Dem Status nach ist sie paradigmatisch, ihre formalen Merkmale sind ihre Statik und ihre räumliche Konstruktion, welche eine Werteordnung realisiert: binäre Oppositionen wie oben/unten, rechts/links, zentral/peripher, innen/außen, Ordnung/Chaos werden im Sinne einer geschlossenen axiologischen Struktur interpretiert. Die zweite Gruppe von Subtexten fragt: »Was geschah und wie geschah es?« und »Was taten die Charaktere?«, sie ist syntagmatisch disponiert, ihr Modus ist der narrative, sie beschreibt die Bewegung eines Helden durch einen Parcours, der nach den Regeln des ersten, kulturtypologisch zugehörigen Subtextes eingerichtet ist. Der Subtext, der sagt, wie alles gewesen und geworden ist, kann dann nicht mehr auskommen, ja existieren ohne den Subtext, der sagt, wie alles geordnet ist.

## Das thematische Defizit: Die Antwort des Johannes

Eine Antwort auf diese Defizite, eine zumal für die Belange der christlichen Bildsysteme enorm wichtige Antwort, geht noch innerhalb der kanonischen Schriften ein. Ich meine damit nicht die Ergänzung der historischen Bücher um den Briefkorpus; er ist nur am Rande an Fragen nach der »Weltordnung« interessiert. Ich meine auch nicht die Apokalypse des Johannes, die zweifellos zahlreiche Auslegungen in diese Richtung veranlaßte – freilich geschah das erst in nachantiker Zeit. Ich meine, daß der erste, der diese Nachfrage nach Lehre und Thematik einkalkuliert und ihr in seiner Vita Christi Raum gibt, der Verfasser des Johannes-Evangeliums war. Die Rede ist natürlich vom Prolog und von seinem Verhältnis zur Gesamterzählung.[136]

Der Prolog ist ein philosophischer Text. In ihm werden fast schulmäßig die Verwendungsweisen des Wortes »Sein« durchgenommen: die Existenzaussage (*in principio erat verbum*), die Prädikation (*et verbum erat apud deum*), die Identitätsbehauptung (*et deus erat verbum*) und die Wahrheitsbehauptung, das veritative Ist, das sich quasi kumulativ aus der mehrfachen Intonation des »erat« und der repetitiven Formel: »hoc erat in principio apud deum« ergibt. Der Prolog ist philosophisch, aber er argumentiert nicht; vielmehr bezieht er seine Wirkung daraus, daß er den Ton der mythischen Rede anschlägt, die von den großen Analogien handelt und in Analogien spricht. Seit langem nimmt die Forschung an, daß eine »kultisch-liturgische Dichtung« (Bultmann), ein christliches oder vorchristliches Preislied dem Text des Johannes zugrunde liegt. Der Prolog ist eine mythisch-hymnische Rede, aber er verleugnet das »narrative Habitat« nicht, in dem er steht. Die Sätze, die das Sein auf so vielfache Weise beugen, stehen auffälligerweise im Präteritum. Der Prolog ist, indem er seine eigene Narration eröffnet, zugleich intertextuell engagiert, also dem größeren Text verpflichtet, in den er sich hineinschreibt. Kein Zweifel, daß er auf die ersten Verse und die Tonlage der Genesis antwortet, daß er die Anfänge beider Testamente konform gestalten will. Vielfach kodiert, erfüllt der Prolog vielfache Funktionen. Die naheliegendste: Die Frage nach der Autorität dessen, der anfängt zu sprechen, der die ungefestigte Lehrüberlieferung schriftlich faßt und literarisch zu einer Biographie arrangiert, wird umgangen. Es wird eine Autorität vorausgesetzt, die unbeeindruckt von den Nöten der Tradierung, der Wahl der Medien und der Gattungen alle verstreuten *logoi* umfaßt, motiviert, kontrolliert und unendlich übersteigt. »Installed in privileged position, the *Logos* presents himself as foundational stability, a force outside of time and prior to world.«[137] Wir begegnen hier einer metaphysischen Entrückung jenes Phänomens, das wir für das Alte Testament als Doppelung von Wort und Tat bzw. als Wort-Tat-Zusammenhang, als Erfüllungsstruktur beschrieben haben. Die Vorgängigkeit des Wortes wird im Prolog des Johannes-Evangeliums absolut gesetzt; seine Wirkmacht zum Prinzip erhöht. Das heißt weiterhin, daß die gerade angesprochene Doppelung, die in den anderen Erzählungen als Erzählung aufgehoben ist, hier in einen Dualismus von Logos und *logoi,* von WORT und Wörtern, von Thema und Rhema zerfällt. Der Zusammenhang der beiden Größen verliert den Charakter der Folge und wird in das Verhältnis von absoluter Ursache und nachfolgender Explikation gebracht. Diese enorme Distanz, die im Prolog vorbildhaft angelegt ist, muß Form werden. Im gegebenen Fall basiert sie auf dem wirksamsten aller Distanzmittel, der Engführung. Der Prolog spricht, soweit dies überhaupt möglich ist, die Sprache des Prinzips, von dem er spricht, und wie dieses Prinzip kommt er vor, im räumlichen und zeitlichen Sinne: vor den *logoi* der Erzählung. Bachtins Begriff des autoritären Wortes hat hier seinen Platz: »Das autoritäre Wort kann um sich herum Massen anderer Wörter organisieren (die es interpretieren, lobpreisen, es auf diese oder jene Weise einsetzen usw.), aber es verschmilzt nicht mit ihnen (zum Beispiel durch allmähliche Übergänge), und es bleibt deutlich abgehoben, kompakt und träge: es verlangt sozusagen nicht nach Anführungszeichen, sondern nach einer monumentalen Hervorhebung, beispielsweise einer besonderen Schrift.«[138]

Nun wird das Logos-Konzept aber nicht nur für die eigenen und engeren Belange eines Textsystems instrumentalisiert; es erfüllt eine weiterreichende Funktion, indem seine Reichweite wahrhaft global angesetzt wird. Der Logos garantiert nicht nur bzw. ist nicht nur die Rede von Gott, Geschichte und Welt: »Abgesehen von den Attributen Christi, sind alle Dinge dank des Logos Gottes.«[139] Von ihm, dem Schöpferwort, dem »sermo operatorius« (Ambrosius), geht alles aus; unablässig erfüllen seine Emanationen, seine *logoi* die Welt. Wenn aber die Welt nur eine andere Version des Logos ist, dann können dessen Repräsentanten auch die Repräsentation der Weltgesetze übernehmen. So ist in diesem Evangelium exemplarisch der Grund für jenes Modell bereitet, das wir die interne Lösung des Defizits genannt haben: der Unterschied zwischen Logos und *logoi* wird durch eine Modusdifferenz und Aufgabenteilung ausgedrückt.

Das thematische Defizit: Die Antwort der Kirchenväter

Was das Verhältnis zu den Textgrundlagen angeht, so sind drei Entscheidungen hervorzuheben, die den Übergang vom christlichen Glauben zur katholischen Kirche markieren: die Entscheidung gegen die Forterzählung, also gegen Midrash und gegen die apokryphe Literatur, soweit sie sich als Fortschreibung der Heilsgeschichte zu erkennen gab, und die Entscheidung für einen zugleich weiten und begrenzten Umfang der Schrift, also für die Einbeziehung der heiligen Bücher des Judentums in den christlichen Kanon und für eine strenge Auswahl aus der christlichen Textüberlieferung. Das auf den ersten Blick nicht erkennbare Gemeinsame dieser Optionen ist ihr antinarrativer Vorbehalt. Theologie konstituiert sich auf der Basis des Kanon als Schrifttheologie, aber nicht eigentlich als Philologie oder Hermeneutik einer großen Erzählung.[140] Die institutionell wirksame Einsicht in die Notwendigkeit einer Usurpation der hebräischen Bibel und in die Andersartigkeit der vier Evangelien hatte nämlich zweierlei nicht (oder nur sehr begrenzt) zur Folge: Weder hat die Patristik das Gattungsvorbild (Erzählung) und das Stilmodell *(sermo humilis)* fortgesetzt oder eine eigene Form des Sprechens von ihren Inhalten entwickelt, noch hat sie die spezifischen Qualitäten der kanonischen Texte zur Richtschnur der Interpretation und Verkündigung erhoben. Sicher, sie hat die Typologie, die als immanentes Aufbau- und Auslegungsverfahren quasi mit der Schrift mitkam, als einen Ansatz der Exegese aufgegriffen und ausgebaut, aber sehr bald ihrer Spezifik entkleidet und mit der Allegorese vereinigt. Bereits für Origines gilt, daß »die Geschehnisse und Institutionen der Vergangenheit nicht anderen Ereignissen und Institutionen in der Zukunft präfigurieren, sondern daß sie als die sichtbaren, körperlichen Realia Symbole unsichtbarer Wirklichkeiten sind, die vergangen, gegenwärtig oder zukünftig sein können. Die historische Typologie wird damit durch eine vertikale Symbolik abgelöst, wie sie für die hellenistische Gnosis charakteristisch ist.«[141]
Wir handeln hier von dem zentralen und folgenreichen Paradox der frühen Kirche. Sie sanktioniert einen im Wesentlichen narrativ verfaßten Korpus von Schriften und enthistorisiert ihn; sie sichert institutionell seine Eigenart, sprich Stärke, und behandelt sie als *Insuffizienz*. Ich nehme dieses Wort aus einer Streitschrift Tertullians und fühle mich dazu berechtigt, obwohl der Kirchenvater das genaue Gegenteil behauptet: »Die Schrift ist nicht in Gefahr, und du brauchst ihr nicht mit Spitzfindigkeiten aufzuhelfen, um sie vor scheinbarem Widerspruch zu bewahren. [...] Sie ist sich selbst genug – sufficit sibi.«[142] (Wenn der hl. Thomas von Aquin einer Bosheit und einer Unrichtigkeit in einem Satz fähig war, dann war es, als er auf Tertullian antwortete: »Die Schrift genügt sich selbst, denn sie sagt alles, was

die Kirchenväter später sagen werden.«[143]) Wollten wir Tertullians Grund-
satz für die Zeit der Väter verallgemeinern, so hätte keine Schriftauslegung
mehr an den Grundlagen auszusetzen gehabt, die sie im selben Atemzug für
selbstgenügsam, unantastbar, heilig, von Gott inspiriert erklärte. Was den
Apologeten und den Kirchenlehrern der ersten Jahrhunderte zu schaffen
machte, kann man sich nach dem oben Gesagten denken: Gegen die hellenistische »Weltweisheit« und gegen die Mythen der konkurrierenden neuen
Religionen hatte sie »nur« historische Berichte bzw. theologische Betrachtungen über historische Berichte (die Briefe) aufzubieten, die in stilistischer
Hinsicht nicht gerade als Paradestücke gelten durften und in sich merkwürdig unvollkommen und widersprüchlich waren. Die auffälligsten Defizite in
der Aufzählung des Eusebius: Die Apostel und damit die Evangelisten
»waren sprachlich unbewandert« und »verlegten nicht viel Sorgfalt und
Fleiß auf Schriftstellerei«; als Männer des Wortes schrieben sie »nur
gezwungen«, z. B. um den Gemeinden, von denen sie schieden, »durch die
Schrift das zu ersetzen«, was sie durch ihr Fortgehen verloren; sie fühlten
sich zur Niederschrift veranlaßt, weil die anderen Autoren ganze Zeiträume
des Lebens oder wichtige Lehren Christi ausgelassen hatten; und auch dann
gaben sie nie alles, was sie wußten: »Paulus z. B., obwohl der wortgewaltig-
ste und geistreichste von allen, hat uns nur seine ganz kurzen Briefe hinterlassen. Und er hätte doch unzählige Geheimnisse mitteilen können, da er ja
bis in den dritten Himmel geschaut hatte und sogar bis in das göttliche
Paradies entrückt worden war, wo er gewürdigt wurde, geheimnisvolle
Worte zu hören.«[144] »Ich meine«, sekundiert Origenes, »die gesamten
Schriften [...] sind nur eine sehr knappe Einführung in die einfachsten
Grundlagen des gesamten Glaubenswissens«[145] und ein Gutteil mache
überhaupt keinen Sinn, wie der Autor anhand einer langen Liste von
Schriftstellen des Alten und des Neuen Testaments nachweist, die »nichts
Wahres, ja nicht einmal Vernünftiges und Mögliches enthalten«[146]. Alle
Kirchenväter aber zeigten sich von dem irritiert, was Auerbach so positiv
als »die ganze Mannigfaltigkeit des Menschenlebens« gewürdigt hatte.
Augustinus: »Es gibt selbst von Gott oder von Personen, deren Heiligkeit
die hl. Schrift rühmend erwähnt, Worte und sogar Taten, die unerfahrenen
Menschen geradezu wie Schandtaten vorkommen [...].«[147] Freilich wird
auch dieses »Anstößige« der Intention des höchsten Autors gutgeschrieben.
Was James L. Kugel einmal die »Friktionalität«[148] der Bibel genannt hat, ist
bei Origenes sicherster Hinweis auf einen verborgenen Sinn: »Wenn sich
aber überall die Nützlichkeit der Gesetzgebung und der glatte, folgerechte
Zusammenhang der geschichtlichen Erzählung ohne weiteres deutlich zeigten, dann würden wir nicht glauben, daß man in den Schriften außer dem
auf der Hand liegenden Sinn noch einen anderen finden könnte. Deshalb

95

hat der göttliche Logos sozusagen einige › Ärgernisse ‹, › Anstöße ‹ und › Unmöglichkeiten ‹ mitten in das Gesetz und die Geschichtsdarstellungen hineinbringen lassen; denn wir sollten nicht ganz und gar von der ungetrübten Anmut des Wortlautes hingerissen werden und dadurch [...] nichts Göttlicheres aufnehmen.«[149]

Mehr aber noch als solche Steine des Anstoßes, die ja auch den jüdischen Exegeten Schwierigkeiten bereitet hatten, empfanden die Väter den Mangel einer philosophischen Dimension als schmerzlich. Wie hilflos sich der Umgang mit diesem Defizit oft gestaltete, läßt sich am Beispiel des Ambrosius studieren, der im Proömium seines Kommentars zum Lukas-Evangelium erklärt, die »Darstellungsweise« dieses Textes sei »die geschichtliche«, und sich sofort in die Defensive gedrängt fühlt. Er geht mit keinem Wort darauf ein, wie es eine systematische Behandlung eigentlich verlangt hätte, was den Charakter und die Vorzüge der »geschichtlichen Darstellungsweise« (stilus historicus) ausmacht, sondern nimmt sogleich die Herausforderung an, zu sagen, was sein Text nicht ist: Lehre der Weltweisheit (philosophia mundi). Die »göttliche Schrift« lasse dieselbe wegen ihrer »prunkenden Worte« zwar als nichtig erscheinen, aber wen es nach den Erkenntnissen der »Natur-, Moral- und Vernunftphilosophie« verlange, der werde auch von einer Lektüre des Alten und des Neuen Testamentes »reichen Ertrag« haben: »Denn welche erhabenere Weisheit kennte die Naturphilosophie als die von ihm [Lukas] mitgeteilte Tatsache, es sei der Heilige Geist auch Schöpfer der Menschwerdung des Herrn gewesen? In die Naturweisheit schlägt sonach seine Lehre von der schöpferischen Wirksamkeit des Geistes ein. Darum trägt auch David Naturphilosophie vor, wenn er sagt: › Sende aus Deinen Geist und sie werden erschaffen werden. ‹«[150] Es sei dahingestellt, ob die Weltweisen sich beeindruckt gezeigt hätten.

Der Ausweg, den die Väter aus diesen Nöten anboten, ist so bekannt, daß er in seiner Entwicklung und seinen Erscheinungsformen nicht ausführlicher dargestellt werden muß, zumal die Berührungspunkte mit allem Folgenden rar sind.[151] In Fortsetzung der Schultradition paganer Mythendeutung und Philos Lektüre der hebräischen Bibel optierten sie für die allegorische Auslegung ihrer Texte. »Wahrscheinlich gab es tatsächlich einen Mann mit dem Namen Samuel«, schreibt Philo von Alexandria, »aber wir betrachten den Samuel der Schrift nicht als ein lebendiges Wesen aus Körper und Seele, sondern einzig und allein als einen Geist, welcher im Dienste Gottes frohlockt.«[152] Und weil nicht nur Samuel, sondern auch der Beginn der Vätergeschichte mit Gottes Auszugsbefehl an Abraham in den nächsten Kapiteln wiederkehren werden, erlaube ich mir auch Philos Rekapitulation dieser Gottesworte zu zitieren: »Nimm Deine Wohnung, wie ich dir sagte, in dir selbst; laß deine Meinungen zurück, [repräsentiert durch] das Land der Chaldäer, und wandere nach Haran, dem Ort der Sinneswahrnehmung, welche der körperliche Sitz des Verstehens ist. Denn die Übersetzung von Haran ist › Loch ‹, und Löcher deuten auf die Öffnungen hin, welche die Sinneswahrnehmung benutzt.«[153] Den zu »Geistern« verwandelten Helden und Heldinnen der hebräischen Bibel hat Philo dann die Karrieren von Philosophen oder philosophischen Abstraktionen auf den Astralleib geschrieben. Auf einer Art innerer Jenseitswanderung treffen sie mit anderen Kategorien zusammen: Abraham, der bei Philo nicht Land und Reichtum sucht, sondern auf der Suche nach der Wahrheit ist, begegnet in Sara der Weisheit und in den Männern, die ihn im Hain Mamre besuchen, den drei Mächten, die direkt unter Gott existieren: Logos, Schöpfung und Herrschaft.

Auf diese Weise wurden die alttestamentlichen Erzählungen in ihrem historischen und narrativen Aussagegehalt entwertet: »Die Ereignisse und Personen verwandelten sich zu Begriffssymbolen [...], das Historische verlor seine Autonomie und damit auch seine unmittelbare Wirkung [...].«[154] Was Auerbach da konstatiert, ist nicht die späte Kritik eines Literaturwissenschaftlers, es ist ein Exegese-Programm, welches die Patristik sich selbst gegeben hat. Origines ernennt in seiner hermeneutischen Grundsatzerklärung »Wie man die göttlichen Schriften lesen und verstehen soll« den Logos nicht nur zur ersten und letzten Quelle des Seins, sondern auch zum Genius der geistigen Schriftauslegung. Es gibt einen »Zusammenhang der geschichtlichen Ereignisse« und »einen Zusammenhang des Pneumatischen«, sagt er. Um auf letzteren zu führen, bediente sich der Logos des »bisher niedergeschriebenen Ablaufs der Vorgänge«, »soweit sie sich auf diese Geheimnisse beziehen ließen« – »wobei er den tieferen Sinn vor der Menge verbarg«. Wo die Erzählung solches nicht hergab, »weil es sich um zu tiefe Geheimnisse handelte, da webte die Schrift in die Geschichtsdarstellung Unwirkliches mit hinein, was teils gar nicht geschehen kann, teils zwar geschehen könnte, aber nicht geschehen ist«[155]. Der narrative Modus hat also in jedem Fall das Nachsehen: Lassen sich seine Hergangsschilderungen und die »Zusammenhänge« des Pneuma vereinbaren, wird diese Tatsache verborgen; ist solche Angleichung nicht möglich, dann wird die Erzählung zur Strafe vom Logos entwertet.

Über dem Fundament, um eine beliebte Metapher zu gebrauchen, des wörtlichen, d. h. des narrativen und historischen Schriftsinns, errichtete man nun einen elaborierten Überbau vielfältiger Sinne: der allegorische, der moralische, der anagogische und andere mehr. Damit konnten letztlich alle immanenten Defizite der Textgrundlage behoben werden. Die Lakonik und der Minimalismus der Erzählungen ließ sich als Hinweis auf Verborgenes auffassen. Anstößiges konnte auf einem anderen Niveau überraschende Absichten für den Heilsplan anregen, die Ungereimtheiten und Widersprüche der Synoptiker gingen auf in einer ideellen Gesamtarchitektur der Schrift, die auf die Logik der raumzeitlichen Gegebenheiten nicht angewiesen war. Dem Bedürfnis nach »Philosophie« in den Spielarten Kosmologie, Erkenntnistheorie und Ethik ließ sich jetzt auf einfachste Weise Rechnung tragen, und wenn auch die Väterexegese vom jüdischen Prinzip der aktualisierenden Auslegung Abstand nahm, so gelang es ihr doch mit Hilfe der Allegorese, das im 3. und 4. Jahrhundert besonders drängende Problem anzugehen, den Bibeltext und die Glaubenssätze der sich etablierenden Kirche miteinander in Einklang zu bringen. Denn auch das mußte letztlich selbst geleistet und konnte den Evangelien nicht fertig entnommen werden – Ekklesiologie, Dogmatik, Kultvorschriften.

Man hört zur Verteidigung der Allegorese immer wieder das Argument, ihr allein sei es zu verdanken, daß ein ganzes Glaubenssystem und große Teile des biblischen Korpus für spätere Zeiten und für die Kulturwelt des ganzen römischen Reiches hätten gerettet werden können.[156] Diese Aussage bezieht sich meist auf die Adaption der hebräischen Bibel, einer in der Tat »unwahrscheinlichen« Textsammlung, bedenkt man ihr Alter, ihre Theologie, ihre Spezifik, ihren Detailreichtum, ihre Zusammensetzung usw. Aber die Allegoriker haben auch vor den Evangelien nicht Halt gemacht, vor Schriften, die gerade einmal 100, 200 Jahre alt und historisch im Kontext des römischen Reichs verankert waren: »Auch diese enthalten nicht durchgehend die Geschichtserzählung ohne solche Zusätze, die im › leiblichen ‹ Sinn gar nicht geschehen sind.« (Origines)[157] Es geht hier nicht um wahr oder falsch. Aus heutiger Sicht spricht zwar wenig dafür, die Testamente als Weisheitsbücher zu lesen. »No secret is being proclaimed here, but rather the life and words and actions of a man who is also the son of God. What Jesus offers is not wisdom, *gnosis*, sophia, but a new life.«[158] Die entscheidende Frage ist anders gelagert: Wie geht eine Rezeption mit der »Insuffizienz« der Schrift um, ohne ihr großes Prae, ihre »historische Evidenz« und »sinnliche Gestalt« (Auerbach) zu opfern? Wer sich die Bibelkommentare der Patristik und des Mittelalters anschaut, muß sich fragen, ob diese Atomisierung der Erzählung in winzigste Einheiten und die darauf aufbauende disintegrative Deutungsart wirklich den Namen Rettung verdient. In Fortsetzung der antiken Schultradition haben die christlichen Schrifttheologen den Wort-für-Wort-Kommentar gepflegt, was sicher als eine Form der Ehrerbietung gegenüber dem hl. Text verstanden wurde, gleichwohl im Verein mit der obligaten Tiefendeutung die Fragmentierung eines historischen Berichts auf die Spitze trieb. Es gibt wohl kein unglücklicheres Genre als den Bibelkommentar der Allegorese, den Fachtradition und Pietät an den Fortgang der Erzählungen band (»Ordo glossarum sequitur ordinem narrationis«), der ihn aber weder in dieser Dimension reproduzieren noch verstehen konnte, weil er den Geschichtsbericht als das Uneigentliche empfand und an jeder Stelle in Richtung eines anderen, eines »wesentlicheren« Zusammenhanges durchqueren mußte.

Das Geringste, was nach diesem Kapitel gefolgert werden kann, bevor die nächsten sich wieder Werkkomplexen der christlichen Kunst zuwenden, ist dieses: Noch bevor die Kunst sich auf ihren »Großen Code« (Blake)[159] einstellen konnte, hatte sich ein reichhaltiges Spektrum von Reaktionen auf ihn, auf die Bücher des Alten und des Neuen Testaments, herausgebildet. Wenn im 2. und 3. Jahrhundert auch vieles schon vorformuliert und eingeschliffen war, entschieden war nichts, als mit der Kunst ein weiteres Instrument der christlichen Verkündigung und Selbstverständigung auf den Plan trat. Vor allem die Nöte und die Interessen waren nicht abgetan, welche in den anderen Sektoren die Aufnahme, die Anverwandlung und die Ergänzung der biblischen Schriften bestimmten. Nachdem wir im 1. und 2. Kapitel in Umrissen die Bestandteile und Formen der Synthese, also das »Ordnungsverfahren« der Kunst skizziert haben, steht nun an, einerseits die materiellen Grundlagen der Betrachtung bedeutend auszuweiten und andererseits die spezifische Leistung der beteiligten Modi und Medien genauer zu würdigen – dieses nun vor dem Hintergrund der zuletzt entwickelten Rezeptionsformen. Es liegt nahe, mit jener Kunstgattung zu beginnen, welche den engsten Kontakt zum Buch der Bücher hält: mit der Bibelillustration und mit der Gestaltung des Buches unter christlichen Vorzeichen.

## 4. Kapitel

## Die illustrierte Bibel als Geschichtsbuch und als visuelle Synthese

Frage: Warum ist die Welt mit dem Buchstaben Beth gegründet worden? (Als Präfix bedeutet Beth »in« und ist deswegen der erste Buchstabe des ersten Wortes der Genesis: BeRashit, »Im Anfang«.)
Antwort (des Midrash): Beth (□) ist auf drei Seiten blockiert und offen nur auf einer Seite. Deswegen haben wir kein Recht, nach dem zu forschen, was über uns ist, was unter uns ist, was vor uns liegt, nur nach dem, was hinter uns liegt, angefangen mit dem Tag, da die Welt geschaffen wurde.

Nach Harry Berger

### Eine Geschichtsnovelle des Alten Testaments: 1 Samuel 9 und 10

Kapitel 9 und 10, 1-6 des ersten Buchs Samuel erzählen eine Geschichte, wie sie im Buche – im Buch der Bücher – steht. Eine typische Geschichte ist sie in den Augen der biblischen Erzählforscher, weil sie die große, die programmierende Figur der Gesamterzählung einerseits durchhält und andererseits sich dabei der unscheinbaren und unwahrscheinlichen Elemente und Personen bedient.[160] Auf der Ebene des Plots werden die für Israel nicht ganz unwesentlichen Begebenheiten, die zur Findung und Kür seines ersten Königs führen, behandelt. Damit ist in thematischer Hinsicht die Frage angesprochen, wie nach dem Zeitalter der Patriarchen und Propheten sich das Verhältnis zwischen den Exponenten Gott, Prophet und König neu gestaltet (welches auf der Ebene der Erzählung das Verhältnis zwischen Wort und Tat, *verba* und *facta* impliziert) und wie »die Ablösung der unmittelbaren primitiven Theokratie durch die mittelbare«[161] vor sich geht. Für die Antwort des Textes hat Buber den glücklichen Ausdruck von der »erzählenden Politeia«[162] gefunden. Als Handlungsträger finden wir auf der einen Seite Samuel, der bis dahin als Prophet, Richter und Priester das Volk Israel geführt hat und jetzt von den Seinen und von Gott angegangen wird, einen König einzusetzen, und auf der anderen Seite Saul, einen unbekannten jungen Mann aus dem Stamme Benjamin, den Gott für dieses Amt ausersehen hat. Wie die beiden Hauptpersonen zusammenkommen, erzählt die »Geschichtsnovelle« in Kapitel 9.

Saul wird von seinem Vater ausgeschickt, drei verlorengegangene Eselinnen zu suchen. Die ausgedehnten Nachforschungen im Gebirge Ephraim, in den Ländern Elisa und Saalim, in der Landschaft von Benjamin und in der Gegend von Zuph führen nicht zum Ziel; Saul denkt schon daran, unverrichteter Dinge zurückzukehren, doch der ihn begleitende Knecht hat eine bessere Idee: »Hier in der Stadt wohnt doch ein Gottesmann. Alles, was er sagt, tritt ein. [...] Vielleicht kann er uns Auskunft geben über den weiteren Weg, den wir einschlagen sollen.« »Saul sagte zu seinem Knecht: Dein Vorschlag ist gut. Kommt, wir wollen hingehen.« Sie fragen ihnen entgegenkommende junge Frauen, ob sie den Seher in der Stadt antreffen, was diese bejahen. Durch das Stadttor eingetreten, begegnet ihnen als erste Person Samuel, dem der Herr den entsprechenden Hinweis gegeben hat: »Siehe, das ist der Mann, von dem ich dir gesagt habe, daß er über mein Volk herrschen wird!« Nachdem Samuel den Fremden wegen der Eselinnen beruhigt hat: »Sie sind gefunden«, richtet er ihm ein Ehrenmahl aus und beherbergt ihn für eine Nacht. Am nächsten Morgen führt er ihn vor die Stadt und salbt ihn ohne große Umstände und Worte zum König: »Hiermit hat der Herr dich zum Fürsten über sein Volk gesalbt.« Daraufhin – und jetzt sind wir im 10. Kapitel – schickt er ihn nach Hause und prophezeit ihm drei Begegnungen, drei »Zeichen«, die ihn auf seinem Weg erwarten: zwei Männer zuerst, die ihm berichten, daß die Eselinnen gefunden seien; drei Männer dann, die drei Böcklein, drei Brote und einen Schlauch Wein tragen und ihm zwei Brote abgeben, schließlich eine Gruppe von musizierenden Propheten: »Da wird dann der Geist des Herrn auch über dich kommen, so daß du mit ihnen weissagen wirst, ja, du wirst in einen neuen Menschen verwandelt werden.« All dies tritt nacheinander ein: Zur Bestätigung seines Erwähltseins »kommt der Geist Gottes über Saul«. Der Geistesempfang macht also Saul zum Propheten, bevor er schon richtig König ist. »Als aber die Verzückung zu Ende ging, kam er nach Hause. Da sagte sein Oheim zu ihm und seinem Knechte: Wo seid ihr denn gewesen? Er antwortete: Wir haben die Eselinnen gesucht. Aber als wir sahen, daß wir sie nirgends fanden, gingen wir zu Samuel. Da sagte der Oheim Sauls: Gib mir kund, was Samuel euch gesagt hat! Samuel antwortete seinem Oheim: Er hat mir gesagt, daß die Eselinnen gefunden seien. Was aber Samuel im Blick auf das Königtum gesagt hatte, verriet er ihm nicht.«

Die eine Geschichte, die Suche nach den Eselinnen, wird so ordentlich zu Ende gebracht. Die andere Geschichte, die Suche nach dem zukünftigen König Israels, die in den Rahmen der ersten hineingeschrieben und ihr parallel gesetzt wird, findet ebenfalls einen befriedigenden Ausgang. Die entsprechende Person wird gefunden, durch äußere Akte (Ehrenmahl, Salbung, eintretende Prophezien) und durch den inneren Vorgang des Geistesempfangs (Wandlung zum neuen Menschen) affirmiert. Doch damit fängt alles erst eigentlich an, wie der Erzähler mit dem letzten Satz zu erkennen gibt. Im Handlungskreis des Hauses, wo alles seinen Ausgang nahm und wo die Eselinnen hingehören, interessiert die zweite Geschichte, die größere und folgenreichere nicht. Die Funktion der Geschichte mit den Eselinnen erfüllte sich dank göttlicher Fügung darin, daß sich die Wege der beiden Suchenden kreuzen. Damit ist sie erschöpft und wird insgesamt als die beschränktere Version des Themas Suche gekennzeichnet. Denn eigentlich findet Saul gar nicht, was er sucht, sondern ihm wird nur gesagt bzw. prophezeit, »daß die Eselinnen gefunden seien«. Während Samuel findet: den wirklichen und durch das Wort Gottes ausgewiesenen König Israels. Im nächsten Abschnitt erfolgt dessen Akklamation durch die Stämme Israels, dann kommt die erste erfolgreiche Bewährungsprobe als Heerführer im Krieg gegen die Ammoniter.

## Bibellektüre und ihre »Gruben«: Die Illustration und die Exegese

Ich habe diese Geschichte vorgestellt, weil sie die Textvorlage für die älteste erhaltene Bibelillustration lieferte. Die Rede ist von den Fragmenten der Quedlinburger Itala-Handschrift, die in Berlin aufbewahrt werden und die in Rom vermutlich noch vor dem Ende des 4. Jahrhunderts entstanden sein dürften – den Entstehungszeitraum setzt man heute zwischen 380 und 430 an.[163] Erhalten sind 14 Illustrationen, die in der Regel zu viert auf reinen Bildseiten angeordnet sind. Ursprünglich dürfte es sich um eine Teilausgabe der Bücher Samuel und Könige gehandelt haben, die dicht bebildert war, mit ziemlicher Sicherheit zum ersten Mal. Darauf lassen die an den Buchmaler gerichteten schriftlichen Instruktionen schließen, die sehr detailliert ausfallen. Sie waren einst von der Malerei überdeckt und sind im Lauf der Jahrhunderte wieder lesbar geworden. Ich konzentriere meine Betrachtung auf fol. 1 r und besonders auf die erste Szene dieser Bildseite, mit der die Illustration der drei »Zeichen« anhebt, die Saul auf dem Nachhauseweg empfängt. Das vierte Feld hat dann die Akklamation des Hütejungen zum König der Juden zum Gegenstand. (Abb. 21-22)

Wenn diese Bilder zum ersten Mal die Geschichte Sauls illustriert haben, dann sind sie zugleich das erste Rezeptionszeugnis dieser Vorlage überhaupt. Die Väter haben die Bücher Samuel nämlich einer Kommentierung nicht für würdig erachtet. Wir können das mit ziemlicher Sicherheit sagen, da Gregor d. Gr. seine Auslegung, die er um 600 in Rom vorgetragen hat,

*Abb. 21 Berlin, Staatsbibliothek, Handschriftenabteilung, Quedlinburger Itala, fol. 1r, Berufung des Saul, Nachzeichnung und Rekonstruktion nach I. Levin*

gegen die Vermutung verteidigt, diese Schriften könnten ohne das Gütesiegel der Väterexegese als wertlos gelten.[164] Es bestanden offenbar verschiedene Interessenlagen, wenn es um die Ausmalung und die Ausdeutung der biblischen Bücher ging. Eine Geschichte, die vom Übergang eines Volkes zur Monarchie, von Königen und Gegenkönigen (ab Kap. 16 kommt ja David ins Spiel) und von gewaltigen kriegerischen Auseinandersetzungen handelt, zog eine andere Klientel an als die prophetichen Bücher oder die Psalmen. Wir begegnen diesem Rezeptionsverhalten ein zweites Mal im 13. und 14. Jahrhundert, als das monastische Monopol der Exegese und Illustration aufgebrochen wurde und sowohl die Adligen als auch die Bürger der Städte sich einen neuen biblischen und legendären Bilderkreis zusammenstellten. Das ist dann auch die Zeit, in der die Bücher Samuel und Könige wieder Konjunktur haben. Gregor, um zu ihm zurückzukommen, geht jedenfalls ohne Kompromisse daran, die politischen und historischen Aspekte dieser Geschichtsbücher zu »vergeistigen«. Er versteht den »sensus

*Abb. 22 Berlin, Staatsbibliothek, Handschriftenabteilung, Quedlinburger Itala, fol. 1r, Berufung des Saul*

occultus« der Geschichte Sauls als eine große Allegorie über das Amt des Verkünders der christlichen Botschaft und Lehre *(praedicator)* – was einen Rückschluß auf seinen Zuhörerkreis und den Anlaß seiner exegetischen Vorträge erlaubt. Saul, der Typus des nach Inspiration und Glaubensfestigkeit strebenden Predigers, geht auf die Suche nach den verlorenen Eselinnen, das sind die verirrten, von Gott abgefallenen Seelen. Er findet sie nicht an den fünf genannten Orten, denn damit sind die fünf Sinne gemeint, die sie in Beschlag halten. Samuel, d. i. die Kirche, springt dem Suchenden bei und dient als Interpret und Sprachrohr göttlicher Wahrheiten. Die drei Begegnungen des Heimwegs werden von Gregor mit großer Sorgfalt kommentiert, da sie ja als »Zeichen« Gottes ganz besondere Weisungen zu enthalten scheinen.

Der seinen exegetischen Bemühungen zugrunde liegende Text dürfte etwa so gelautet haben: »Wenn du heute von mir weggehst, wirst du zwei Männer beim Grab Rahels an den Grenzen Benjamins um die Mittagsstunde antreffen, welche über große Gruben springen, und dir sagen: Gefunden sind die Eselinnen [...]«[165] In den zwei Männern trifft Saul auf zwei schon »vollkommene Prediger der heiligen Kirche«. Sie erscheinen ihm am Grab Rahels, weil Rahel als Verkörperung der *vita contemplativa* die geistige Ausrichtung des Predigerberufs andeutet; und das Ganze geschieht »in finibus Beniamini«, »um die Grenzen der [Auslegungs]Regel der heiligen Schriften« zu bezeichnen: »sie [die perfekten Prediger] weichen nicht von der Glaubensregel ab, wenn sie das Höchste kontemplieren«[166]. Daß sie dabei über Gruben springen, läßt ihre Verachtung für alles Weltliche erkennen, das immer unten liegt.

Wenn diese Auslegung auch nicht vor unserer Bilderbibel entstanden ist und nicht die Autorität der Väter hat, so sind wir dennoch auf eine für unsere Zwecke besonders ergiebige »lectio divina« gestoßen. Denn was Gregor an die Hand gibt, ist die Interpretation eines biblischen Buches, die von der Bildungsgeschichte des Interpreten und von den Möglichkeiten der Interpretation überhaupt handelt. Gerade die Ausdeutung der uns wichtigen Szene macht das klar: Die vollkommene Verkündigung, sprich: Bibelauslegung, überspringt alles Irdische und strebt nach den »ewigen Werten«; diese kontemplativ erfassend, weicht sie nicht von der »regula fidei«, der von der Kirche gesetzten Glaubensregel, ab. Kürzer lassen sich die normativen Praktiken der patristischen Exegese am Ende ihrer Epoche kaum zusammenfassen.

Vergleichen wir damit, was der Maler und sein Berater aus der gleichen Vorlage gemacht haben, welche Standards der Auslegung in diesem Fall gelten. »Mache ein Grabmal, daneben stehen Saul und sein Begleiter und zwei Männer, die über Gruben springen und sprechen und ihm melden, daß die Esel gefunden sind.« So lauten die Angaben des Palimpsests zur ersten Miniatur auf fol. 1 r, und in genau dieser Reihenfolge hat der Minator seine »Hauptworte« aufgereiht: In einer Zeile erscheinen nebeneinander ein stilisiertes Grabmal, Saul, sein Begleiter, zwei Männer, die Gruben. Den Tätigkeitsworten gemäß: »sie sprechen und melden«, wird die Begebenheit als militärischer Rapport inszeniert, als Überbringung einer Botschaft durch Melder (rechts) an Empfänger (links). Was fehlt bzw. vom parataktischen Schema abweicht, sind erwartungsgemäß die Inhalte, welche die Vorgabe hypotaktisch ausdrückt. Die Männer werden nicht gezeigt, wie sie über die Gruben springen (salientes), sondern daß sie über die Gruben gesprungen sind – deswegen liegen die Gruben nicht in einer Reihe mit allen anderen Bildgegenständen, sondern leicht hinter ihnen. Die Esel bzw. ihre Auffindung sind der geistige Gehalt der Szene, das Phantasma – seine Übersetzung können nur die Tituli besorgen. Über den jeweiligen Bildelementen steht geschrieben: »Grabmal der Rahel«, »Saul«, »Zwei Männer, die Saul melden, daß die Esel gefunden sind«. Damit der verbalen Botschaften nicht genug: Ein späterer Glossator hat registriert, daß ein Text- und Bilddetail unkommentiert geblieben ist: die Gruben und die Beziehung der Boten zu ihnen und fügt also an entsprechender Stelle hinzu, das letzte Wort behalten wollend: »Grube« bzw. »über die Gruben springend«.

Die so noch einmal hergestellte Differenz »springend« = Text und »gesprungen« = Bild weist uns auf den Charakter der Abweichungen hin, die trotz engster Anbindung an die Vorlage vorkommen. Sie sind nicht von dem Ehrgeiz motiviert, einem höheren Textverständnis zuzuarbeiten, was Gregors Strategie gleichkäme. Der Griff zum Perfekt scheint auf den ersten Blick ganz und gar von dem statischen, dem »Stehtheater«-Stil dieser Kunst diktiert zu sein, also zu Lasten der Darstellungskonventionen zu gehen, die dem Maler die Hand führen: ich erinnere an Grabars »Vokabular« der imperialen römischen Kunst, an diesen aufdringlich präsenten Code, der angeblich christliche Sinneffekte nicht mehr zuläßt, es sei denn in Gestalt von Sonderzeichen. In der Tat: Was können die zwei hier ohnehin deplazierten Kreuze auf den Schilden der Boten gegen die römische Grundausstattung einer Szene ausrichten, die im Palästina einer 1500 Jahre zurückliegenden Zeitepoche spielt?

Von der Warte einer aufgeklärten Hermeneutik aus gesehen – und das ist »unsere« Perspektive seit über 200 Jahren –, erscheinen die so verschiedenen römischen Versionen des Textes, wie sie der unbekannte Maler und der »große« Papst und Exeget vorgelegt haben, gleichermaßen weit von jener Richtschnur abzuirren, die wir an den Visierstangen der Intentionalität des Autors, des Textes, des Kontextes, der Gattung etc. ausgerichtet haben. Gregors allegorische Leseart springt über die Gruben, sie will im Sinn eines geistigen Verständnisses weder die Einzeltatsachen noch den großen Zusammenhang des biblischen Berichts »realisieren«. Die wörtliche Herangehensweise des Malers springt quasi in die Gruben, vertieft sich in alle Sachangaben, die sie dem Basistext entnehmen kann, und transformiert sie in das eigene Idiom – die wichtige Frage, wieweit sie den Handlungszusammenhang im Auge behält, wird später zu erörtern sein. Unsere Distanz betrifft aber nicht nur die Art der Exegese, sie betrifft zunächst einmal und ganz primär die Textgrundlage. Die heute gebräuchlichen Ausgaben haben die Gruben und den Sprung über sie und die Angabe der Tageszeit nicht mehr. Die ehrlichsten Editoren lassen es an dieser Stelle bei einem Fragezeichen oder drei Punkten bewenden. Wer sich damit nicht zufriedengibt, schreibt: »am Grab Rahels an der Grenze Benjamins in Zelzah«[167]. Zu richten ist hier nichts mehr; die unendlich verworrene Überlieferungsgeschichte läßt nur den einen, einigermaßen gewissen Schluß zu, daß in der Tat eine weitere konkrete Ortsangabe erfolgte, die schon früh falsch tradiert wurde und Anlaß zu den entsprechenden szenischen Ausdeutungen gab: so zuerst in der Septuaginta, dann in der Vetus Latina, auf der unsere Illustration basiert, dann in der Vulgata. Die Version, die ich oben zitiert habe, ist die Fassung, wie sie mehr oder minder gleich den Illustratoren des 4. Jahrhunderts und dem Kommentator der Zeit um 600 vorlag.

Die Ehrfurcht vor dem Text, dem originalen wie dem übersetzten, die kein Iota verlorengehen lassen möchte und deshalb auch aus schwieriger oder verderbter Überlieferung Sinn gewinnen muß, darf sicher als gemeinantik und für den Umgang mit Homer nicht anders gelten als für die Bibel. Was sie nicht hervorgebracht hat, ist Philologie und Sachforschung. Ehrfurcht paart sich nämlich auf paradoxe Weise mit einer »nicht zu erschütternden Sicherheit im Gegenüber mit dem zu erklärenden Text«, welche die Bibel so behandelt, »als wäre sie von einem Menschen seiner Zeit geschrieben«[168]. Wenn, um ein Beispiel zu geben, der Bischof von Hippo, das so fern von der Kultur der Wüstenvölker nicht ablag, beim lateinischen Wort »tabernaculum« sofort das Militärzelt und nicht das Beduinenzelt asoziiert (»tabernaculum belli res est«), dann findet er nicht nur einen falschen Einstieg in das Verständnis von Psalm 15, der mit der Frage anfängt: »Herr, wer darf als Gast in dein Zelt kommen?«[169], dann reagiert Augustinus genauso reflexhaft »römisch« wie der Illustrator der Itala, der, offenbar angestoßen durch das Wort Meldung, die Begegnungsszene am Grabmal Rahels als militärisches Manöver aufzieht.

Aus dem bisher Gesagten wollen wir den vorläufigen Schluß ziehen, daß der Illustrator von der Wortsprache der Römer in die Bildsprache der Römer überträgt, dabei – wie die Kommentatoren – allen Eigenheiten und assoziativen Reizen der neuen Sprachgestalt nachgebend und auf diese Weise automatisch zu einer ganz und gar zeitgenössischen Version gelangend. Auch die Tatsache, daß er Wort für Wort übersetzt, läßt ihn nicht weit hinter die Standards seiner literarischen Vorläufer und Kollegen zurückfallen. Hieronymus, der zur gleichen Zeit das Buch Samuel neu übersetzt, schreibt in einem berühmten Brief, daß »in den heiligen Schriften auch die Wortfolge ein Mysterium«[170] sei, und behauptet andernorts, das Buch Esther »Wort für Wort«[171] übertragen zu haben. Überhaupt möchte ich die Wort-für-Wort-Illustration, die auf den ersten Blick etwas Serviles und Pedantisches an sich hat, nur als die äußere Erscheinungsform einer Grundorientierung des Illustrators, mehr noch des Projekts Bibelillustration in spätantiker Zeit verstanden wissen. Sie ist Ausdruck einer sehr viel weiter reichenden Haltung, die sich auf den Text als ganzen einläßt und die nicht von vornherein auf Selektion aus ist wie alle früheren und fast alle späteren künstlerischen Zugriffe auf die Bibel.

## Die illustrierte Bibel

Wir wissen nicht, wie viele Miniaturen die Itala zählte. Die ersten Bearbeiter, Boeckler und Degering, hatten ein Monumentalwerk von elf Bänden mit je 220 Blatt berechnet, was im Widerspruch zu Weitzmanns später formulierter und seitdem weithin akzeptierter These steht, daß man sich immer nur einzelne Bücher – in diesem Fall also die eng zusammengehörigen Bücher Samuel und Könige – zur Illustration vorgenommen hat.[172] Eine Rekonstruktion des Codex Vat. gr. 333, der diese vier Bücher enthielt, kommt auf 400 bis 500 Bilder – er stammt zwar erst aus dem 12. Jahrhundert, geht aber auf frühchristliche Vorgänger zurück. Aber auch ohne den Umweg über spätere Zeugen nehmen zu müssen, sagen uns die mit ziemlicher Sicherheit hochzurechnenden Größenordnungen der antiken Bilderhandschriften: Wenn illustriert wurde, dann sehr vieles, um nicht zu sagen: alles. Die Cotton-Genesis des British Museum hatte an die 360 Bilder mit überschlägig gerechnet 500 Einzelepisoden, und wenn wir für die ursprünglich ungefähr 192 Seiten der Wiener Genesis die Illustration von durchschnittlich drei Teilgeschehen annehmen, dann kommen wir auf eine noch höhere Zahl.[173] Die pagane Literatur, allen voran die Epen Homers und Vergils, die gerade in der Spätantike den Status heiliger Bücher gewannen, können solche Dichte der Durchillustration nicht für sich beanspruchen. Für die Ilias-Handschrift der Ambrosiana (5. oder 6. Jh.), von der nur einige Miniaturen und so gut wie kein Text erhalten sind, hat Bianchi-Bandinelli

*Abb. 23 London, British Library, Cotton-Genesis, fol. 3v und 4r, Rekonstruktion von K. Weitzmann u. H. Kessler*

einen Gesamtumfang von 640 Seiten und maximal 180 Miniaturen berechnet, was ziemlich genau einem Bild nach drei Seiten Text oder einem Bild auf 83 Verse entspricht.[174] Die Bildabfolge des Vergilius Vaticanus, der zur gleichen Zeit entstanden ist wie die Itala, hat etwa die doppelte Dichte. Hier betrug der errechnete Durchschnitt der Illustrationsabstände 45 Verse, »also etwas mehr als zwei normale Textseiten zu je 21 Zeilen«[175]. Das ist viel, aber doch auch signifikant weniger als in der Cotton-Genesis mit einem Text von 1533 Bibelversen und 360 Miniaturen, also einer Verteilung von einem Bild auf 4, 5 Bibelverse. (Abb. 23) Selbst wenn man deren Textmenge mit dem Zwei- oder Dreifachen eines Vergilischen Hexameters ansetzt, gelangt man zu einem qualitativ anderen Text-Bild-Verhältnis. Die Rekonstruktion von Kessler und Weitzmann sieht für jede Seite mindestens eine Miniatur vor, was bedeutet, daß die Illustrationen ihr eigenes Kontinuum aufbauen und als zusammenhängende »Bildspur« gelesen werden konnten. Wie dicht die Bildfolge ausfiel, läßt sich heute am besten vor den Atriumsmosaiken von San Marco aus dem 13. Jahrhundert nachvollziehen, denen bekanntlich die Cotton-Genesis als Vorlage diente. Allein das Sintflutgeschehen war den Illustratoren elf Miniaturen wert:

- Der Bau der Arche
- Gottes Befehl an Noah, seine Familie und die Tiere in die Arche zu bringen
- Noah bringt die Vögel in die Arche
- Noah bringt die Vierfüßler in die Arche

*Abb. 24  Venedig, San Marco, Atrium, Mosaiken mit Szenen der Sintflutgeschichte*

- Noah bringt seine Familie in die Arche
- Gott verschließt die Arche
- Die Sintflut
- Noah schickt einen Raben und die erste Taube aus
- Noah schickt die zweite Taube aus
- Noah schickt die dritte Taube aus
- Noah verläßt die Arche[176] (Abb. 24)

So kommt der Eindruck erst gar nicht auf, daß die illustrierenden Bilder da sind, um eine Handschrift zu schmücken, den Text zu skandieren oder um als Gliederungshilfe zu dienen. Autorenbilder, typische Szenen oder zusam-

III

menfassende Tableaus sind auf diese Weise in paganen Handschriften eingesetzt worden, um als Vorsatzminiaturen Codices bzw. einzelne Bücher einzuleiten – der Vergilius Romanus (6. Jh.), bei dem wir auf 309 Seiten 19 Bilder zählen, ist von dieser Art, die in der späteren christlichen Buchkunst so enorm erfolgreich war.[177] Wir werden auf diese ganz andere Aufgabe der Miniaturmalerei, nämlich ihre Beteiligung bei der Realisierung eines Buchprogramms, am Ende des Kapitels zurückkommen.

Entgegen der älteren Annahme, daß die ersten erhaltenen Zyklen aus einer viel älteren, paganen und jüdischen Tradition des illustrierten Buches kommen, sehen wir heute den überlieferten Bestand nicht mehr als die Spitze eines Eisberges und als Folgeerscheinung, sondern entdecken die singulären Züge an solchen Illustrationsunternehmungen wie der Cotton- und der Wiener Genesis – was wir auch auf die Itala ausdehnen können. Immer wahrscheinlicher wird, daß die gleichzeitig erfolgende Illustration paganer und biblischer Bücher eine spezifische Leistung und Erscheinung der späten Kaiserzeit ist. »Es handelt sich bei der Bildausstattung der Codices narrativen Inhalts also mehr um eine Illustrationsweise, die um die Wende vom 4./5. Jhd. n. Chr. in Verbindung mit als kanonisch betrachteten › klassischen ‹ Literaturwerken narrativen Charakters zuerst im Westen in Erscheinung tritt. Vorläufer dieses Illustrationsmodus sind unter dem erhaltenen Material im Textzusammenhang nicht überliefert – weder im Bereich der Buchrolle noch des Papyruscodex, der [...] schon sehr bald als nahezu ausschließlicher Träger von Bibeltexten diente und so ideale Voraussetzungen für die Entwicklung narrativer Illustrationen geboten hätte.«[178]

Der Bibel, dem übersetzten Buch par excellence, wird im frühen Illustrationszyklus eine andere Form der Übersetzung, eine Vulgata in Bildern, an die Seite gestellt, die ebenso aktuell ausfiel und in der Dichte der Bebilderung sich gleichermaßen dem kontinuierlichen Wortlaut, der ganzen Szenenfolge, dem übergreifenden Zusammenhang verpflichtet wußte und auf diese Weise den Charakter dieses Textes als Geschichtsbuch stärkte.

Ein Midrash in Bildern: Die Miniaturen der Wiener Genesis

Ebenso wie der Satz gilt, daß am Anfang der illustrierten Bibeln die größte Bilderdichte zu beobachten ist, gilt auch das Fazit, daß das Verhältnis von Text und Bild zuerst äußerst vielfältig ausfällt – und damit ist gleichermaßen angesprochen das äußere Verhältnis, welches die Text-Bild-Kombination im Buch und auf der Seite beschreibt, und das innere, welches die Interpretationsgemeinschaft von Text und Bild meint. Seinen Überblick über die Errungenschaften der für die Geschichte der Buchillustration entscheidenden nachkonstantinischen Zeit faßt Weitzmann folgendermaßen zusammen: »Kein maßgeblicher Typus von Illustration ist seitdem hinzugekommen, und die Buchillustration von heute profitiert immer noch von den Erfindungen des 4. Jahrhunderts.«[179] Den Grund für diesen Entwicklungssprung sucht dieser Autor in einer historischen Konstellation der Medien- und Produktionsgeschichte. Er macht den Übergang von der Buchrolle zum Codex ebenso verantwortlich wie jene »lucky coincidence«, die darin bestand, »daß die große technische Innovation des Pergament-Codex zum Tragen kam, als an einem Kreuzungspunkt der Geschichte nebeneinander pagane, christliche und kaiserliche Illustrationen im selben Skriptorium produziert werden konnten und einander beeinflußten«[180]. Ich vermisse an dieser Ursachensetzung den Hinweis darauf, daß es in einem neuen Medium einen neuen, einen anderen Text zu illustrieren gab, die Bibel − oder sagen wir besser: dieses System von Texten, diesen Korpus von Büchern, der im 4. Jahrhundert schon längst als geschlossen galt. Ich möchte im folgenden diesen Aspekt in den Vordergrund rücken und fragen: Was macht es für einen Unterschied, wenn mit bereitstehenden und noch in Erprobung befindlichen Mitteln die Bücher der Bibel illustriert werden?

Der Gegensatz zwischen der Itala und der Wiener Genesis (6. Jh.) könnte größer kaum gedacht werden, wenn wir allein das Kriterium ihrer Nähe bzw. Ferne zum autoritativen Text anlegen. Materiell gesehen, führt die Wiener Bibelhandschrift je einen Bildkomplex und seinen Bezugstext auf einer Seite zusammen, erlaubt sich aber starke Kürzungen im Text. Die Wiener Handschrift ist insofern eine veritable Bilderbibel, als die Redaktion des Textes auf die Miniaturen abgestimmt wurde und nicht umgekehrt. Damit auf jeder Seite ungefähr gleichviel Platz für Bild und Text zur Verfügung stand, mußte der Bearbeiter umfangreiche Kürzungen vornehmen. Otto Mazal hat sorgfältig herausgearbeitet, wie geschickt er dabei vorging, wie es ihm gelungen ist, eine Kurzfassung des ersten Buches der Bibel herzustellen und nicht nur eine Folge von Bildüberschriften.[181] Wenn also dem Inhalt und der Optik nach ein »reader's digest« entstand, so ist doch klar, daß alle Kürzungen dem ins Bild übersetzbaren historischen Gehalt des Textes zugute kamen. Gestrichen wurden nicht nur die zahlreichen Wiederholungen, sondern auch die langen Geschlechterlisten und die vielen Dialoge und Lehrreden. Bei der endgültigen Festlegung der Illustrationsfolge müssen Redaktor und Maler zusammengearbeitet haben.

Während der Textbezug der Miniaturen bis Kap. 36 relativ eng gestaltet ist, sind danach starke Abweichungen zu verzeichnen. Die Illustratoren folgen hier einer anderen Überlieferung als der darüber exzerpierten, kanonischen; sie geben einen Midrash in Bildern. Man vergleiche die gedrängte, aber aus originalem Material (39, 9-13) zusammengesetzte Textvorgabe auf fol. 16 r mit der zweistreifigen Miniatur (Taf. 5) darunter: »[... nichts hat er mir vorenthalten] als dich, weil du seine Frau bist. Wie soll ich also dieses große Unrecht vollbringen und vor Gott sündigen? ‹ Obwohl sie auf Joseph Tag für Tag einredete, hörte er nicht auf sie, mit ihr zu schlafen und mit ihr Umgang zu pflegen. Eines Tages ging Joseph in das Haus, um seine Arbeiten zu verrichten. Niemand von den Hausgenossen war im Gebäude. Da zog sie ihn am Gewand und sagte: › Schlafe mit mir. ‹ Er aber ließ sein Obergewand in ihren Händen, floh und eilte ins Freie. Als die Frau sah, daß er sein Kleid in ihren Händen gelassen hatte, geflohen und ins Freie geeilt war«[182] (Ende des Textes auf dieser Seite).

In der Miniatur entspricht nur die im oberen Register links dargestellte Szene dem Wortlaut des biblischen Berichts: Hier greift die Frau des Potiphar nach Joseph, der sich unter Zurücklassung seines Mantels ihrem Verlangen entzieht und der Tür zustrebt. Rechts davon, immer noch auf der oberen Bildebene, ist Joseph ein zweites Mal dargestellt, diesmal wie versonnen auf das Haus des Potiphar zurückblickend; neben ihm beugt sich eine Frau über ein kleines Kind in der Wiege und steht eine alte Frau in exotisch wirkender Aufmachung, einen Spinnrocken hochhaltend. Im Register darunter setzt sich das Motiv der Wochen- oder Kinderstube fort – hier sind es drei Frauen und zwei Kinder, die in verschiedene Tätigkeiten und Formen des Austauschs verwickelt sind. Es würde uns ein gutes Kapitel kosten, wollten wir die verschiedenen Deutungen und die Textvorlagen, auf die sie sich berufen, durchgehen.[183] Wenn ich eine Tendenz aus den bisher vorgelegten Arbeiten extrahieren darf: Für alle Interpreten steht fest, daß die Zutaten nicht zu einer genrehaften Ausschmückung beitragen und uns etwa eine umfassendere Vorstellung vom Frauenhaus des Potiphar geben wollen. Midrash steht vor anderen, dringenderen Aufgaben; dieses Verfahren operiert ja wie eine exegetische Feuerwehr. Wenn der großartig unbekümmerte Erzähler (bzw. laut Harold Bloom[184]: die Erzählerin) J, auf den (die) diese Passage der Genesis zurückgeht, von Tabuverletzungen berichtet oder wenn das große Thema, die chronische Obsession dieser Geschichten berührt wird und die Kontinuität des Volkes Israel in Frage steht, dann läuft das Verfahren Deutung durch Erzählung auf Hochtouren. Bei Joseph in Ägypten steht beides zur Erklärung an. Die Versuchung durch die Frau des Potiphar, die dem Diener ihres Mannes nicht nur in diesem einen Fall, sondern »Tag für Tag« nachstellte, thematisiert die Mannbarkeit des biblischen Helden und wirft die Frage auf, wie und mit wem er im Exil dem Gebot zur Fortpflanzung nachzukommen gedenkt. Die Midrashim und die ihnen folgende Bilderzählung lösen diese Fragen, indem sie von der zahlreichen

Nachkommenschaft erzählen, die aus Josephs Verbindung mit Aseneth, der Tochter des Potiphar, hervorging, was nur scheinbar den gleichen Tabuverstoß bedeutete wie die Verbindung mit der Mutter. Die Legende will, daß Aseneth als kleines Kind aus Palästina von einem Adler (oder Engel) nach Ägypten getragen und von Potiphar gefunden und adoptiert worden sei. Danach wäre sie keine Ägypterin, sondern vom Stamme Israel – eine Überlieferung zieht den Kreis noch enger und erklärt sie zur Tochter der Dinah, einer Schwester des Joseph, die die Frucht ihrer sündigen Verbindung mit einem Shechemiten ausgesetzt habe. Damit bliebe die Frage nach dem legitimen Konnubium wirklich in der Familie. Und damit ist der Weg zu einer Deutung der Szene in der oberen Bildebene rechts bereitet. Im Midrash »Genesis Rabbah« heißt es von der Frau des Potiphar: »Durch ihre astrologischen Künste sah sie voraus, daß sie ein Kind von ihm [Joseph] haben würde, aber sie konnte nicht wissen, ob es von ihr selbst oder von ihrer Tochter stammen würde.«[185]

»Dieser Motivkreis wirft auch ein Licht auf die Darstellung des Babys in der Wiege hinter Joseph, über das sich eine Frau beugt. Die Legende um die Herkunft und das Schicksal von Aseneth gibt genügend Anlaß dafür, in dem Baby die kleine Aseneth zu sehen, in der sich darüber beugenden Frau nochmals die Ziehmutter, nämlich Potiphars Frau. Auf diese Weise sollte bereits in der Verführungsszene durch die Ikonographie darauf hingewiesen werden, daß Joseph dereinst die Ziehtochter des Potiphar zur Frau nehmen werde, die nach einer jüdischen Tradition in Wirklichkeit seine leibliche Nichte war, und daß sich die Verbindung mit dem Haus des Potiphar nach göttlichem Plan auf eine andere als von der Verführerin gewünschte Art ergeben solle.«[186] Die damit noch nicht gedeutete stehende Frau müßte dann als Personifikation der astrologischen Vorhersage aufgefaßt werden, worauf als einschlägige Attribute Sternenmantel und Kopfbedeckung mit Halbmond und Stern deuten, während der Spinnrocken die Nähe zum paganen Bild der Schicksalsgöttinnen hält. Der sinnende Joseph steht hier gewissermaßen am Scheidewege: Er könnte zurück, in die Arme seiner Verführerin eilen; er wird aber durch eine Vision, so sagen es die Midrashim, davon abgehalten, eine Vision, welche die Bilderzähler als Vorausschau auf die ihm eigentlich zubestimmte Frau, auf Aseneth, auslegen. Erweitert man diesen Erklärungsansatz auch auf das untere Register, so ließe sich, die verschiedenen Lesarten extrem verkürzend, sagen, daß hier der zweite, vollkommene Zustand der Verheißung eingetreten ist: Aseneth hat Joseph die Nachkommen Ephraim und Manasse geschenkt, und es macht dann nur einen geringeren Unterschied, ob man in den beiden anderen Frauen die beiden verbleibenden Parzen erblickt, die über das Geschick dieser Stammhalter wachen, oder eine von ihnen mit Potiphars Frau identifiziert. Der

Bild-Midrash und sein Held haben ihre Pflicht getan: Die von der Kern-szene aufgeworfene Frage nach Josephs und Israels Nachkommenschaft ist beantwortet, das Tabu wurde bewahrt, das Überleben des Stammes Israel ließ sich auch unter den schwierigen Bedingungen des Exils sichern, die Familiengeschichte konnte weitergehen.

## Apokryphes: Die Marienseide der Abegg-Stiftung

Es bietet sich an dieser Stelle an, nach der Rezeption der Apokryphen im Bilderzyklus zu fragen, die ja das christliche Gegenstück zu den Midrashim darstellen – beide, haben wir gesagt, legen Erzählung durch Erzählung aus. Ich kann hierzu kein Beispiel der Buchmalerei heranziehen und verweise nur en passant noch einmal auf die Mailänder Elfenbeine (Taf. 3-4), die ja wohl den Einband eines Evangelienbuches schmückten und trotz ihres Struktur gewordenen Bekenntnisses zu den kanonischen Evangelien pro-blemlos apokryphe Motive integrieren: die Verkündigung an der Quelle etwa. Aber hier bleibt die Verarbeitung nicht-kanonischen Gutes punktuell; daß sie durchaus habituell werden kann und einen regelrechten Midrash christlicher Provenienz hervorbringt, möchte ich an einem Werk der textilen Kunst aufzeigen, an der sogenannten Marienseide, die aus einem ägypti-schen Grabfund in das Museum der Abegg-Stifung gekommen ist und

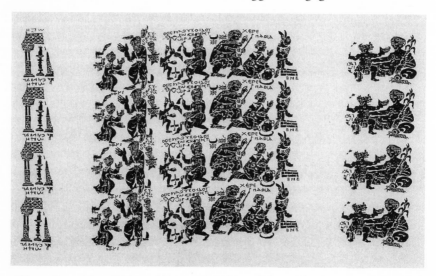

*Abb. 25 Bern, Abegg-Stiftung, Marienseide, Rekonstruktionszeichnung*

deren Ikonographie uns Liselotte Kötzsche entschlüsselt hat.[187] (Abb. 25) Es handelt sich um ein heute 55 cm breites Gewebe des ausgehenden 4. Jahrhunderts, das im vierfachen Rapport einen kurzen Marienzyklus in folgenden fünf Szenen erzählt: Maria im Tempel, die Erwählung des Joseph, die Verkündigung an der Quelle, die Krippe und das Bad des neugeborenen Kindes. Wie es weiterging, bleibt der Spekulation oder neuen Entdeckungen überlassen; daß der Streifen einmal breiter ausfiel, dürfte feststehen. Entscheidend ist für unseren Zusammenhang, daß die Erzählfolge, soweit wir sie überblicken, auf apokrypher Überlieferung fußt. Das gilt für die Episoden, die im Neuen Testament überhaupt nicht vorkommen, wie die erste, zweite und fünfte, und das gilt für die nicht-kanonischen Zutaten zu den sanktionierten Szenen: man denke an die Quelle in Szene 3 oder die Tiere an der Krippe im nächsten Abschnitt.

Zwei Bemerkungen zur Haltung und zum Programm dieser Erzählung scheinen mir angebracht. Zum einen fällt sogleich das Flüssige des Vortrags auf, das durch ein sehr einfaches und mediengerechtes Mittel erzeugt wird. Zumindest für die drei ersten relativ gut erhaltenen Erzähleinheiten ist zu sagen, daß sie durch eine nach rechts bewegte Figur eingeleitet werden, die auf eine zweite, reagierende, empfangende Gestalt trifft: am Anfang ist es die junge Maria, die von einer Taube verfolgt auf einen Tempelpriester zueilt (eine schwierig zu deutende Szene), dann ist es der Bote, der dem arbeitenden Nährvater den ergrünten Stab überbringt, und an dritter Stelle der Engel der Verkündigung, der sich Maria nähert. So entsteht eine schnelle Taktfolge, die wie ein Rapport in der Horizontalen auf den Rapport der Vertikalen antwortet. Diese vorwärtsgerichtete Bewegung – und damit komme ich schon zum Erzählprogramm – findet zwar ihre Erfüllung im jeweiligen Einzelgeschehen, aber sie hat auch als ganze einen Ausgangspunkt und gewinnt an Richtungsautorität. Der Ausgangspunkt ist formal und konzeptionell besonders überzeugend gesetzt. Das Ganze beginnt mit einer Abbreviatur des Tempels, die wir uns vermutlich zu einem Gebilde aus drei Arkaden ergänzen müssen. Es ist eine Konvention der Wiedergabe von Szenen in Innenräumen, den architektonischen Rahmen dem Geschehen voranzustellen. Richtig gelesen, beginnt die Streifenerzählung also nicht mit dem Tempel, und dann kommt eine apokryphe Episode aus Marias Kindheit, sondern Episode und Ortsbezeichnung sollen wir aufeinander projizieren. Dennoch bleibt der Eindruck bestimmend, daß die Erzählfolge sich von diesem festen »Startblock« wegbewegt, vom Tempel, der das Statische der alten, zu überwindenden Autorität des Gesetzes bezeichnet und dem im Verlauf der Erzählung so charakteristische Gegenstücke wie die Quellnymphe entgegengesetzt werden, die nicht nur das oppositionelle Prinzip des Fließenden und Weichen verkörpert, sondern natürlich auch durch ihre formale Analogie zur Maria der Verkündigung auf die Protagonistin und auf das Thema »Ursprung« hinleitet.

Daß hier wieder ein »Familienroman« erzählt wird, bedarf kaum der Hervorhebung und der Gebrauch des Begriffs keine Rechtfertigung, schließlich hat ihn Freud zuerst in seinem kurzen Beitrag zu Otto Ranks *Der Mythos von der Geburt des Helden* (1909) geprägt.[188] Wie in der zuletzt betrachteten Miniatur der Wiener Genesis geht es um Fortpflanzung bzw. um Empfängnis und Geburt unter schwierigen, ja unwahrscheinlichen Umständen. Und da hier die Geburt Gottes stattfindet, sind die Anforderungen an Legitimation und Status der Beteiligten noch höher als in den modellhaften Erzählungen aus der Zeit der Stammväter und -mütter, in denen sich ja die Mehrungsverheißung immer wieder an den Klippen strenger Konnubiumsregeln brach. Tatsächlich besteht die ganze Folge, soweit erhalten, aus Akten, die legitimierende und heraushebende Bedeutung haben; alle Vorgänge verweisen auf Zukünftiges, alle Zeichen sind letztlich Vorzeichen. Joseph wird durch den ausschlagenden Stab, Maria durch die Taube und durch den Boten Gottes auf ihre Funktionen vorbereitet; die große Zukunft des göttlichen Kindes kündigen die Tiere an der Krippe und das Bad in Gegenwart der Quellnymphe an, was einschlägige antike Topoi für die Kindheitsgeschichte des Helden sind. Die Geschichte, wie sie die Midrashim und die Apokryphen erzählen, lebt von »Zeichen und Wundern«; daß sie um Familiengeschichtliches kreist, heißt nicht, daß es in ihr durchweg eng und gemütlich zugeht. Eine Mixtur aus heimlich und unheimlich, aus Kinderstube und Wahrsagerin, wenn nicht Parze, aus axtschwingendem Joseph und Quellnymphe macht ihr Spezifikum aus. Aber für unser Interesse ist genauso wichtig festzustellen, daß all dies offenbar problemlos im Medium der linearen, ja beschleunigten Erzählung untergebracht werden kann.

## Die Koexistenz von »Ereignis- und Ergebnismoment«: Noch einmal die Itala-Illustration

Bei einer Serie von Vorzeichen bleibend, aber nun ins nicht minder attraktive Heldenfach überwechselnd, kehren wir wieder zur Quedlinburger Itala und ihrem ganz anderen Textverhältnis und Illustrationstypus zurück. In diesem Codex ist die Abfolge reiner Textseiten durch reine Bildseiten unterbrochen, welche die Erzählung späterer Textabschnitte visualisierend vorwegnehmen – in unserem Fall bildet die Illustrationsfolge zu 1 Sam 10 auf

fol. 1 r die Vorderseite des Anfangs von Kap. 1 Sam 9. Bild und Text erscheinen also getrennt, ohne daß die größere Distanz den Illustrator verleiten
würde, eigene Wege zu gehen bzw. an andere Erzähltraditionen anzuknüp-
fen. Im Gegenteil: In die Erzählfunktion teilen sich hier, einander komple-
mentierend, Wort und Bild auf eine Weise, die es uns erlaubt, mit der letzten
Bearbeiterin dieses Bibelfragments, I. Levin, zu sagen: »Es wirkt so, als
wollten diese Beschriftungen kundtun: › Dies hier ist die Illustration einer
Episode im Text, auf das Genaueste ausgewiesen durch die Namen der Charaktere und ihrer Aktionen ‹.«[189] Worin aber dieser Zyklus mit den anderen
bisher betrachteten übereinkommt, das ist einerseits der nicht zu überbrückende Abstand zum Verfahren der allegorischen Schriftauslegung und
andererseits die Sorge um die Erzählung, die als Handlungskontinuum verstanden wird.

Wie diese Entscheidungen Form werden, soll als nächstes betrachtet werden. Für die Wiener Genesis ist dies schon so oft geschehen, daß ich mich
auf wenige Hinweise auf Bekanntes beschränken kann.[190] Wenn auch bei
weitem nicht in allen Illustrationen verwirklicht, so ist das Erzählen im Stil
der »kontinuierenden Darstellungsweise« doch der vorherrschende, der
Leitmodus – siehe noch einmal die Miniatur aus der Josephsgeschichte, wo
auf eine osmotische Weise sich das Kontinuierliche des Erzählstils mit dem
Thema der Kontinuität des Hauses Israel zu verbinden scheint. Wo auch
immer dieses Verfahren herkommt, ob hier die christliche Kunst den zeit-
haltigen, bewegungsintensiven Erzählstil der römischen Triumphsäulen und
vergleichbarer Denkmäler als wahlverwandt adaptiert oder ob laut Weitzmann in diesen Bildstreifen das Material einer ganz anderen Illustrations-
technik durchscheint: Einzelbilder, die in Rolle wie Codex gemäß ihrem
Textbezug verteilt gewesen waren und die nun auf der breiteren Buchseite
zu narrativen Komplexen zusammenmontiert wurden – das Ergebnis steht
in jedem Fall für eine Haltung zum Text, welche an ihm das Ereignismoment und die Kontinuität in formaler wie materieller Hinsicht steigert:
durch formale Bindemotive ebenso wie durch die Interpolationen des auffüllenden Erzählens.

Daß das »distinguierende Erzählen« in Einzelbildern, welches in der Itala
(ebenso wie in der Cotton-Genesis und in der Marienseide) praktiziert wird,
denselben Zielen verpflichtet sein kann, soll im folgenden gezeigt
werden. Kontinuität entsteht hier zunächst einmal durch die gleiche Hinter-
grundgestaltung aller Bildfelder, »eine graublaue mittlere Zone, über der
Berge und Architekturen sich gegen einen rosa Sonnenauf- oder -untergang
absetzen, der graduell in ein kühleres Blau übergeht«[191] Was die Rahmen
trennen, wird vom Hintergrund panoramatisch zusammengehalten. Vor
allem aber ermöglichen die Mittel Personenidentität und bildübergreifendes

Komponieren eine flüssige Lektüre. Immer im Hinblick auf fol. 1 r gesprochen: Wir finden nicht nur den Protagonisten Saul auf allen vier Einzelbildern wieder, dieser ist auch jeweils an gleicher Stelle in die gleiche Figurenkonstellation einkomponiert. Viermal erscheint er links im Bildfeld und in Konfrontation mit einer anderen Gruppe aufgebaut. Auffällig werden vor dem Hintergrund dieser Regelmäßigkeit zwei Abweichungen. Einmal, nämlich im dritten Bild, zeigt der Richtungssinn des Gegenüber nicht nach links, wie es dem Begegnungs- und Konfrontationsschema entspricht, sondern nach rechts, was bedeutet, daß alle fünf Personen sich nach der gleichen Seite wenden. Der Illustrator möchte so die andere Qualität dieses dritten Zusammentreffens zum Ausdruck bringen. Der Texterzähler hat ihm das vorgetan, indem er die detaillierten Weissagungen Samuels bezüglich der Zeichen nur in diesem Fall szenisch umsetzt. Die zwei ersten Zeichen, die wirklich nur Zeichen, symbolische Ereignisse waren, werden subsummiert in dem Satz: »All die Zeichen trafen an jenem Tag ein.« Das dritte Zeichen ist die Fortführung des eigentlichen Vorgangs, der von der Verwandlung des Bauernsohns zum König handelt; dazu heißt es: »Als sie nach Gibea kamen, begegnete ihnen die Prophetengruppe, und der Geist Gottes kam plötzlich über ihn, so daß er mitten unter ihnen weissagte.« In Samuels Prophezie hatte es geheißen: »[...] so daß du mit ihnen weissagen wirst.« Auf dieses »mit ihnen, mitten unter ihnen«, dieses Unisono im wörtlichen Sinn, hat es der Illustrator angelegt. Die anderen Zeichenträger kommen und gehen; im dritten geht der Betroffene mit ihnen, wird er einer von ihnen, was nicht nur die gleiche Richtung, sondern auch der geringere Abstand zwischen den Propheten und Saul einerseits und die vergleichbar größere Distanz zwischen Saul und seinem Begleiter andererseits anschaulich macht.

Die beiden ersten Zeichen widerfahren Saul, er empfängt sie – dementsprechend seine passive Haltung. Er legt diese progressiv im dritten und endgültig im vierten und letzten Bild ab, welches die endgültige Bestätigung bringt: die Akklamation. Auch dieses Geschehen würde an sich dazu verleiten, den Akklamierten in rezeptiver und nicht in aktiver Pose zu zeigen. Aber auch hier denkt der Erzähler in übergreifenden Bezügen. Nach dem iterativen Modus, nach der dreimaligen Wiederholung muß etwas geschehen, und da es um Saul geht, muß dieser seinen »narrativen Status« ändern: er wird vom »Empfänger« zum »Sender«, um im Jargon der Narratologie zu bleiben. Sauls Ausfallschritt und der ausgreifende Gestus des rechten Arms wirken wie der Aufbruch aus einer verordneten Starre. Er ist nun handlungsfähig geworden, die Geschichte geht weiter, nachdem das Wort sich erfüllt hat.

Was wir hier in einer noch sehr schematisch gehandhabten Frühform beobachten, das bildübergreifende Erzählen, die Aktivierung der Bewegungsvorstellung durch leichte Verschiebungen und Variationen, überhaupt der bewußte Umgang mit Formaten und Positionen, mit Flächenwerten und Distanzen, gehört zur Grundausrüstung einer christlichen Erzählkunst in Bildern. Man müßte wahrscheinlich erst einmal das Prädikat »christlich« weglassen und sagen: einer Erzählkunst, denn alles Erzählen ist als lineare Struktur auf eine Pflege der Kontiguität angewiesen: die Überschneidung, die Berührung, die Distanz sowie die überbrückende Geste, das sind überall die primären Mittel der Gestaltung. Der aussagekräftige Fall ist dann der hier verhandelte, das durchgestaltete Syntagma, die Aktivierung der genannten Werte über das einzelne Feld hinweg. Es setzt voraus, daß man ein Geschehen zu erzählen hat, dessen Einzelmomente zählen, jedes für sich, und dessen Richtungssinn, so darf man vermuten, einen hohen Rang hat.

Es gibt ein auffälliges Bilddetail, das diese Betonung des Sequentiellen nicht mitmacht. Saul tritt in allen vier Szenen auf fol. 1 r als König auf, d. h., er besetzt jene Bildvokabel, die der reichsrömische Stil für den König und obersten Feldherrn kennt: ein Imperator in Rüstung. Zumindest im Fall der ersten drei Begebenheiten mutet es voreilig an, den jungen Hirten, der ausgezogen war, zwei Eselinnen zu finden, mit diesem Ehrenkleid auszustatten, denn offiziell ist Saul noch nicht König. Samuel hat ihn im geheimen gesalbt, dann schickt er ihm die drei Zeichen zur Bestätigung und zur »Ausrüstung mit dem Heiligen Geiste« und damit er »ein anderer Mann werde«, dann kehrt Saul nach Hause zurück – und verrät nichts. Die sichtbare Bekleidung mit dem neuen Amt erfolgt erst auf dem Wahltag, wo das Los (!) auf Saul fällt und er von den versammelten Stämmen akklamiert wird. Wiederum hilft es wenig, wenn die Forschung solche Fragen mit dem Verweis auf Präzedenzfälle erledigt – in diesem Fall reklamiert sie eine Parallele zu der Vatikanischen Bilderhandschrift der Aeneis, die den Helden des Epos von Anfang an als römischen Kaiser und nicht als trojanischen Heros abbildet.[192] Es macht aber einen großen Unterschied, ob die Illustratoren Aeneas, den schon die ersten Worte des Textes (*Arma virumque cano*) in den Vorstellungskreis des Kriegshelden rücken, mit den höchsten Würdeformeln ausstatten oder ob ein unbekannter Hütejunge in solchen Insignien auftritt, bevor er sie verdient hat. Außerdem hat Aeneas genealogisch, um nicht zu sagen: typologisch ein Anrecht auf die Attribute des römischen Kaisertums, denn er ist dessen Ursprung und Vorbild, während von Saul das gleiche nicht behauptet werden kann.

Wir müssen hier anders ansetzen. Daß Figuren situationsunabhängige Züge in eine Szene hineintragen, ist keine Eigenart der spätantiken römischen oder frühchristlichen Kunst. Die Geschichte der antiken Bilderzählung beginnt eigentlich damit, daß in archaischer Zeit der »Erzählwert« von

Einzelfiguren höher angesetzt wird als die Schürzung aller narrativen Momente zu einem einheitlichen Geschehenszusammenhang »nach dem Wahrscheinlichen oder Notwendigen« (Aristoteles). »Jede Figur«, konstatiert Himmelmann-Wildschütz im Hinblick auf archaisches Erzählen, »trägt sozusagen ihre eigene Erzählung am Leibe.«[193] Diese weitgehende Aussage bedarf allerdings der Differenzierung. Die frühe Kunst der Griechen kennt viele Möglichkeiten, die »Erzählung am Leibe« mit der erzählten Situation in Beziehung zu setzen: Sie reichen von koordinierender über konstrastierende Auszeichnung bis hin zu einer Art situationsübergreifenden Charakteristik, welche eine Art Voll- oder Inbegriff einer Figur geben will, der wenig zum Verständnis der dargestellten Begebenheit beiträgt, ihm aber auch nicht gerade entgegenarbeitet. Die Kunst, von der ich hier spreche, hat dieses Spektrum auf eine Möglichkeit eingeengt.

Clemens Lugowski ist bei seiner Untersuchung der Prosaromane des deutschen 15. und 16. Jahrhunderts auf einen sehr ähnlich gelagerten Fall gestoßen und hat aus ihm weitgehende Folgerungen über Eigentümlichkeiten spätmittelalterlichen Erzählens gezogen, die für unseren Gegenstand von direkter Bedeutung sind. Im 14. Kapitel der *History von den vier Heymons Kindern* (deutsche Übersetzung von 1535 nach französischer Vorlage von 1521) kommt es zu einer Begegnung zwischen dem Zauberer Malegys und Karl d. Gr., wobei wichtig zum Verständnis des folgenden ist, daß der Zauberer sein vorbeireitendes Gegenüber, wie es sich gehört, mit den Worten »gnädigster Herr König« anspricht: »Da ließ der König das Roß Beyart hinter sich führen und begehrt, daß Malegys ihm ein Schnidlein auf den Kopf gebe, auf daß er auch seiner Sünden entledigt werde, da er mit behaftet war, und präsentiert ihm einen goldenen Pfennig zu geben. Da sagt Malegys: Das steht nicht in meiner Macht, es sei denn, daß ihr mir den König weist. Der König antwortet: Man sagt, daß ichs bin. Da sagt Malegys: Gnädigster Herr, so bitte ich um Verzeihung, daß ich so ungeschickt gegen E. M. geredet habe, denn ich habe E. M. nicht gekannt.«[194] Die »Erzählung« will, daß der Zauberer genau weiß, wen er vor sich hat, aber erst einmal so tut, als kenne er ihn nicht; der »Stil der Erzählung« durchkreuzt diesen kleinen Plot, indem Malegys von Anfang an, und zwar dreimal, den »Unbekannten« mit »gnädigster Herr König« und »E. M.« anredet. Lugowski hält für diesen Widerspruch folgende Erklärung bereit: »Es wird in diesem Moment die kompliziertere Beziehung des Malegys zu einem Menschen, den er als König kennt, der aber nicht wissen darf, daß er ihn kennt, nicht völlig realisiert. Das Königsein erhält das Übergewicht, wird isoliert herausgestellt, ohne Zusammenhang mit allem anderen, und behauptet sich als nackter, unbezogener Seinsverhalt.«[195] Diese Interpretation, in den größeren Zusammenhang von Lugowskis Theorien eingebettet, führt weiter und führt uns gleichzeitig zu einem produktiven Widerspruch zu Lugowski. Was in dem gerade angeführten Zitat Isolierung heißt, nennt der Autor auch treffend und unseren Interessen entgegenkommend »thematische Überfremdung«. Der Handlungsfortgang wird permanent mit »Darstellungen des reinen Seins im Ergebnis« durchsetzt – nach Lugowski zersetzt. Solche Ausrichtung aller »Ereignismomente« am »Ergebnismoment« führt dann nicht nur zur vorauseilenden Prädikatisierung eines Handlungsträgers, sie greift, dieser Auffassung zufolge, die Temporalstruktur der Erzählungen direkt an: »Allen diesen Beispielen ist gemeinsam, daß eine handlungsmäßige Bewegtheit in Form einer *Tatsache* gegeben wird, die leicht einen resultathaften Charakter zeigt.«[196] Deswegen spricht Lugowski auch von einer »perfektischen Aktionsart«, was uns an den Übergang von »springend« zu »gesprungen« erinnert, und gelangt zu dem weitgehenden Schluß: »Das Ergebnismoment an der perfektischen Aktionsart hat keinen temporalen Charakter; so ist in der Welt der › Heymonskinder ‹ die Zeitlichkeit zum Vorläufigen entwertet zugunsten dessen, was sich als ein Zeitlos-Endgültiges darstellt.«[197]

Ich kann für die von mir vertretenen Sachverhalte nicht so weit gehen, nicht im Falle eines Buches (und seiner Nachfolge), von dem zu Recht gesagt worden ist: »time is perhaps the secret protagonist of the entire narrative«[198] – was ja Lugowskis Auffassung diametral widerspricht, der von seinem Material behauptet: »Die Zeitlichkeit hat keinen Rang.«[199] *Mit* Lugowski könnte man von einer »resultathaften« Attribuierung sprechen, wenn der christliche Erzähler seine Figuren gemäß ihrer historischen Bestimmung vorausgreifend charakterisiert. Anders als die pagane hat die christliche Kunst nur diese eine Möglichkeit; die aktantielle Rolle läßt sich von der thematischen nur »überfremden«, wenn das Ergebnis stimmt. Und das geschieht »am Leibe«, weniger durch »Beistände«. Denn auch darin wahrt die christliche Kunst im historischen Genre einen Abstand von der paganen, daß sie weitgehend darauf verzichtet, Personifikationen und Allegorien in den Geschichtsbericht zu inserieren, um ihn thematisch zu profilieren. Für diese Zwecke ist ein eigener Modus, ein eigenes Register eingerichtet. Die *historia divina* hat sich als Ereignis und Ergebnis selbst zu explizieren.

Verheißung und Erfüllung, Prophezie und Eintreten der Prophezie, das ist die »programmierende Figur«, die der Vertrag zwischen Gott und dem Volk Israel stiftet und die sich als »narrative covenant«, als »Bund der Erzählung«[200], allen Ebenen derselben mitteilt, dem Plot der Heilsgeschichte ebenso wie Szenenfolgen von der Art der gerade behandelten bis hin zur Syntax – man denke in letztgenannter Hinsicht nur an den berühmten biblischen Parallelismus. Ich habe als Beispiel im entsprechenden Kontext des vorausgehenden Kapitels aus dem 2. Buch Mosis die Strafandrohungen (Wort) und die darauffolgenden Plagen (Tat) zitiert, die Gott über die Ägypter kommen läßt, um sein Volk aus der Gefangenschaft zu befreien. Als Vergleich diente die inverse Serie der Schöpfungsankündigungen und der darauffolgenden Schöpfungsakte im 1. Buch Mosis. Ich erinnere hier daran, daß sich die frühe Bibelillustration in den Bann dieser beiden großen Serien hat ziehen lassen. Das wissen wir bzw. können wir mit ziemlicher Sicherheit rückschließen aus den Bilddokumenten, die von den alttestamentlichen Bilderreihen in St. Peter und St. Paul vor den Mauern zeugen.[201] Im monumentalen Maßstab und wenn man nur 46 (St. Peter) bzw. 38 (St. Paul) Bildfelder hat, um das Alte Testament zu erzählen, mindestens zweimal sieben Bilder (St. Peter) bzw. acht und elf (St. Paul) für beide Subzyklen im Zyklus zu reservieren, das ist eine deutliche Entscheidung der Bildredaktion gegen die gleichmäßige Verteilung der Bildakzente auf die gesamte Strecke der Erzählung und für eine dosierte Mischung aus Durchillustration und Selektion. Nach diesem Rezept sind die meisten Bilderreihen der christlichen Kunst eingerichtet. Dem unerbittlichen Zwang zur Konzentration auf Höhepunkte widersteht gerade die monumentale Kunst, die zu strengster Ökonomie verpflichtet ist, wenigstens soweit, daß sie sich Zyklen im Zyklus leistet, welche die konsequente und konsekutive Aktionsart der Heilsgeschichte exemplarisch zur Anschauung bringen. Auch Gott hat sich ja Zeit gelassen – er hätte die Welt an einem Tag erschaffen und die Ägypter mit einem Schlag vernichten können –, er nimmt sich Zeit, um dem ersten König seines Volkes die Tatsache seiner Auserwähltheit vor Augen zu führen, und er hält sich dabei auffällig an das Szenarium, das sein Prophet entworfen hat. Zeit im biblischen Verstande muß sich in einem doppelten Sinne erfüllen: als auszuführende Sequenz und als vollendete Konsequenz, als Aktion und Akt, als Durcharbeiten und als Eintritt einer in der Heilsgeschichte angelegten, von Gott diktierten Fügung, kurz: als Chronos und als Kairos.

Von dieser Art ist die zweifache Natur, das christliche Paradox der Itala-Illustrationen: Einer, der schon König ist, wird nach allen Regeln der narrativen Kunst zum König gemacht. Die Erzählung der Bibel ist darin von ihren frühen Illustratoren richtig verstanden worden, daß alles Geschehende *auch* auf eine »Seinsstruktur« (Lugowski) bezogen ist, daß die große Klammer von Vorsehung und Erfüllung auch das kleinste Teilgeschehen regiert. Wir würden das gerne mit demselben Autor »Motivation von hinten« nennen, dann muß diese Formel aber die für christliche Erzählung konstitutive Möglichkeit einschließen, daß ein Ergebnismoment, das von Anfang an feststeht, mit allen Überraschungseffekten und in aller »Folgerichtigkeit« erst erarbeitet wird.

## Der Codex von Rossano: Theologische Interventionen

Ich möchte im folgenden eine Handschrift in die Betrachtung einbeziehen, die eine Einwirkung theologischer Interessen erkennen läßt und als eigentlich exegetische Leistung angesprochen werden kann. Dazu einleitend nur ein kurzer Hinweis auf die Cotton-Genesis (Ende 5., Anfang 6. Jh.), über deren Illuminator André Grabar gesagt hat: er »interveniert ohne Scham« und: »er macht aus seinen Bildern ikonographische Kommentare des heiligen Textes«[202]. Diese Äußerungen dürfen keinesfalls auf die Handschrift als ganze ausgedehnt werden, die im Gegenteil einen besonders flüssigen, kinematischen Erzählstil pflegt und sich exegetischen Ansprüchen nicht verpflichtet weiß. »Exquisite literalism is the dominant characteristic of the Cotton Genesis cycle of miniatures«, schreiben die letzten Bearbeiter, Kurt Weitzmann und Herbert Kessler. »Cotton Genesis represented, separately and in detail, virtually every action reported in the Genesis text [...].«[203] Die Handschrift ist nach einem Bibliotheksbrand des 17. Jahrhunderts nur in Bruchstücken auf uns gekommen; wer diese Behauptungen nachvollziehen will, hält sich an die Mosaiken des Atriums von San Marco in Venedig, die ja bekanntlich im 13. Jahrhundert nach dieser spätantiken Vorlage gefertigt wurden (Abb. 24).

Grabars Behauptung gilt tatsächlich nur für die ersten Miniaturen der Cotton-Genesis und hier für die Personifikation der Schöpfungstage, die als geflügelte Wesen Gottvater beistehen (Abb. 26) – besonders schön kann man das Anwachsen ihrer Schar von Tag zu Tag wiederum auf den Mosaiken studieren. Diese Personifikationen, so will es die Grabar folgende Ikonographie, verdanken ihre Existenz einer vom Platonismus auf die Patristik vererbten Spekulation über das große und hier nicht näher zu behandelnde Thema der sogenannten Schöpfungsvermittler.[204] Danach müßten die »Engel« Verkörperungen jener ersten Hypostase Gottes sein, die »Weisheit« genannt wurde und die in Gottes Auftrag und mit Hilfe ihrer Hypostasen das Schöpfungswerk besorgte. »Es handelt sich um Kommentarbilder [images-commentaires], welche auf die Beteiligung von Theologen schließen lassen«[205], die wie Ambrosius, so möchte ich Grabars Satz ergänzen, den Wahrheitsbeweis dafür antreten wollen, daß die Leser der Heiligen Schrift und natürlich speziell der Genesis auf »die erhabenen Wahrheiten der Naturphilosophie«[206] nicht zu verzichten brauchen. Folgenreich könnte die Beobachtung sein, daß diese »Interventionen« nur am Anfang erfolgen. Wenn wir der stets einsatzbereiten Erklärung nicht folgen, daß eine spezielle und dem Umfang nach begrenzte Vorlage diesen ersten Illustrationsstrang so deutlich verschieden vom Rest der Bildausstattung hat ausfallen lassen,

*Abb. 26 Paris, Bibliothèque Nationale, Cod. fr. 9530, fol. 32r, Kopie des 3. Schöpfungstags
nach der Cotton-Genesis*

dann könnte man statt dessen zweierlei vermuten. Zum einen, daß nur hier
zur allegorischen Ergänzung gegriffen wird, weil jeder Erzähleingang unter
Legitimationszwang steht, zumal derjenige, der zugleich vom Anfang der
Welt handelt. Ähnliches kann man an dem ägyptischen Bildvorhang des 5.
Jahrhunderts (?) in der Abegg-Stiftung Bern in Riggisberg (Schweiz) feststellen.[207] Dort wird der Zyklus aus 16 Genesis- und Exodus-Szenen von
einer energisch in das erste, oberste Register hineineilenden Psyche initiiert,
welche auf diese Weise der Schöpfung des ersten Menschenpaares assistiert.
Zum anderen wäre denkbar, daß für die Cotton-Genesis eine striktere philosophische und theologische Bildexegese geplant war, daß sie auch die
nötige Unterstützung an den thematisch engagierten Anfangspassagen der
Genesis mit ihren Universalien Gott, Kosmos, Schöpfung, Mensch fand,
dann aber gegen die Strömungen des »mare historiarum« nicht durchgehalten werden konnte. Ein solches Scheitern hätte Methode, wenn weiter gilt,
was sich in diesem Kapitel andeutet, daß die großen Zyklen der frühchristlichen Kunst, die monumentalen wie die kleinformatigen, ohne allegorische

Aufrüstung auskommen und ihr »Thema« in der »Konsequentialität«, d. h. genauer im Zusammenwirken von Ereignis- und Ergebnisperspektive, oder aber in der sich gegenseitig erläuternden Korrelation zweier Erzählstränge finden.

Die schönste Ausnahme von dieser Regel wäre dann der Codex des Erzbischöflichen Museums von Rossano, eine Evangelienhandschrift, die ins 6. Jahrhundert gehört und wohl in den syrisch-palästinensischen Raum zu lokalisieren ist.[208] Das Folio 7v (Taf. 6) der den Texten vorausgehenden Bilderserie ist dem Gleichnis vom guten Samariter nach Lukas 10, 25 ff. gewidmet, an deren Bildversion zwei Besonderheiten auffallen. Zum einen macht die Illustration nichts aus den Textvorgaben, daß da einer unter die Räuber fällt und von ihnen verwundet wird und daß darauf zuerst ein Priester und dann ein Levit an dem unglücklichen Wanderer vorübergehen. Sie konzentriert sich vielmehr auf das »Ergebnismoment« des Heilsgeschehens und identifiziert den Samariter (was auf hebräisch Heiler heißt) umstandslos mit Christus. Der Maler und sein theologischer Berater folgen damit der kanonischen Lesart dieser Parabel in der patristischen Exegese und suchen danach auch die entsprechenden alttestamentlichen Belegstellen aus, die als Botschaft der Propheten und Könige unter dem Bildstreifen zu lesen sind. David sagt hier z. B.: »Wäre nicht der Herr meine Hilfe, weilte meine Seele im Hades.« (Ps. 94, 17) Leider ist die letzte Gestalt der Bilderzählung am rechten Rand nur fragmentarisch erhalten. Erkennen können wir gerade noch, daß sie in ein weißes Kleid gehüllt ist und ein Buch in der linken Hand hält. Das läßt den Schluß zu, daß der an dieser Stelle zu erwartende Herbergswirt ebenfalls eine Interpretation gemäß der patristischen Auslegung erfahren hat: die Herberge, in die Christus den von Sünden versehrten Menschen bringt, das ist die Kirche, die Hüterin der Gläubigen und der Schrift; der Wirt, das ist ein Apostel, ein Bischof, ein Lehrer.

Solche Semantisierung geht eindeutig weiter als die vorauseilende Auszeichnung des jungen Saul als Feldherr sprich König. In letzterem Falle handelt es sich um eine Attribuierung, die, wenn sie auch verfrüht ist, doch dem Träger zukommt. Daß das seine Richtigkeit hat, zeigt die Geschichte. Attribut und Erwerb des Attributs bleiben in einer nachvollziehbaren Relation aufeinander bezogen. Im Fall der späteren Parabelillustration ist die Verwandlung des Samariters in Christus und des Wirts in einen Hüter der Ecclesia nicht Gegenstand der Erzählung; sie ist das Depositum eines zweiten Textes, der seine Bezüge nicht linear, sondern vertikal herstellt. Innere Glossierung also auch hier, aber jetzt eine der transhistorischen, der allegorischen Art. Es reicht, wenn wir diese Rezeptionsform als Identifizierung und Ersetzung bezeichnen. In der spätantiken Bibeldichtung begegnen wir vergleichbaren Umdeutungen, etwa wenn der Gott des Alten Testaments als »Christus« angesprochen wird oder wenn die drei Männer, die Abraham und Sara im Hain von Mamre besuchen, unter der trinitarischen Formel des »deus trina positus sub imagine« auftreten.[209]

Ordinatio: »Das Bild der Seite« im Codex von Rossano

Der Codex Rossanensis steht in unserem Überblick über die frühe Bibelillustration in weiterer Hinsicht für die Anwendung des typologischen Schriftverständnisses auf die Kunst, womit wir von der Ebene des Bildkommentars wieder auf die Ebene des Syntagmatischen wechseln. Der Aufbau der Bildseiten geschieht in zwei Geschossen: Unter einem kurzen Auszug aus dem Bezugstext oder einer Art Inhaltsangabe und Überschrift steht die streifenförmige Illustration, die im kontinuierenden Stil erzählt. Darunter, quasi als Sockel des Heilsgeschehens, sind jeweils vier Propheten oder Könige des Alten Testaments plaziert, die durch ihren Zeigegestus den Inhalt der ihnen auf Tafeln beigegebenen Voraussagen mit dem neutestamentlichen Ereignis vermitteln. Es ist also ein eingeschränktes Verständnis von Typologie, das hier realisiert wird. Es werden nicht zwei oder mehr Ereignisse aus den beiden Testamenten analog gesetzt, wie das auch mit dem Parabelstoff möglich gewesen ist, allerdings erst sehr viel später, zu einer Hochzeit christlicher Dispositionskunst – ich verweise auf das Samariter-Fenster der Kathedrale von Sens aus dem Anfang des 13. Jahrhunderts, wo eine Hauptachse, bestehend aus vier Positionen der Gleichniserzählung, von den Achsen der glossierenden Erzählungen durchschnitten wird.[210] Auf der Miniatur fungiert das Alte Testament nur als Stichwortgeber – statt der Realprophetien steuert es Voraussagen und ihre Urheber bei. Die Folgen sind gleichwohl immens.

Was intern für das erste, das narrative Register, aus der Zufügung des zweiten resultiert, ist leichter zu übersehen als das, was sie zusammen bewirken. Die Theologisierung, die in den beiden, hier kombiniert eingesetzten Mitteln der inneren und der äußeren Glossierung ins Spiel kommt, schwächt die Sequenz, das »Ereignismoment«. Im Falle dieser einfachen Geschichte, welche dem Minimalmodell von Narration: »Eintreten eines Mangels – Behebung dieses Mangels« so idealtypisch entspricht, wird besonders auffällig, daß das Eintreten der Mangelsituation, die Verwundung des Reisenden durch die Räuber nicht mitgezeigt wird. Im gleichen Moment werden Zeugen einer anderen Zeitstufe aufgeboten, um den größeren heilsgeschichtlichen Zusammenhang des reduzierten Herrenwortes wiederherzustellen.

Wenn wir die kompositionsgeschichtliche Bedeutung dieser im Rossanensis zum ersten Mal sichtbaren Kombination von Propheten und erzählenden Bildern würdigen wollen, dann ist es mit einem Hinweis auf ihren langanhaltenden Erfolg nicht getan.[211] Es bedarf kaum der Erwähnung, daß die bildende Kunst (und auch das geistliche Spiel) des ganzen Mittelalters von dieser Idee gezehrt und sich in immer wieder neuen Variationen der hier vorgegebenen Elemente bedient hat: das Neue Testament als szenisches Bild, das Alte Testament in Form seiner Repräsentanten und Künder. Bis ins Detail sind hier Vorgaben gemacht: die Vierzahl der Typen als Äquivalent des einen Antitypus z. B. taucht in der großen Zeit der angewandten Typologie, dem 12. Jahrhundert, ebenso häufig auf wie die Kombination von Schriftrolle und Verweis- bzw. Redegestus der Propheten. Was im Fall des Rossanensis jedoch eine viel stärkere Akzentuierung verdient, ist die Souveränität, mit der die *Seite* gestaltet wird.

Der erste Gedanke geht dahin, daß der typologische »Unterbau« eine Verlegenheitslösung sein könnte, um das vom relativ schmalen Bildstreifen nicht gefüllte Hochformat in den Griff zu bekommen. Der Codex selbst liefert die Argumente, diese Vermutung gleich wieder zurückzustellen. Es gibt zwei Bildseiten (fol. 8r, 8v), die in zwei Registern übereinander erzählen und dafür ohne die Propheten auskommen, und es wäre ein leichtes gewesen, in dieser Manier, die wir aus der Wiener Genesis kennen, das narrative Material auch der anderen Szenen zu zwei Zeilen zu strecken – im Fall der Samariter-Parabel hat man ja sogar Handlungselemente von einiger Bedeutung ausgelassen. Wir dürfen also sicher sein, daß die Illustratoren ganz bewußt eine Synthese aus sehr verschiedenartigen Elementen angestrebt und aus ihnen eine Verweisstruktur geschaffen haben.

Mittel und Thema sind uns bekannt. Es geht um den Wort-Tat-Zusammenhang, um die Klammer von Ankündigung und Geschehen. Die Miniatur differenziert in zwei Zonen zwischen einer Ordnung der Erzählung (Tat) und einer Ordnung des Repräsentativen (Wort), aber sie verläßt sich, was die Flächengliederung anbelangt, nicht auf ein Strukturgerüst, das den Elementen stabilisierende Positionen anweisen kann. Man ist versucht, von Werkgerechtigkeit zu sprechen: Die Pergamentseite ist nun mal kein komposites Gebilde wie ein Elfenbeindeckel. Ganz bestimmt ist aber hier so etwas wie Medienreflexion am Werk: Die Miniaturen konstruieren auf dem Feld der Schrift ihren Text, ihre Textur, man könnte auch sagen: ihren Phänotext. Ihr Material sind nicht nur zwei Bildmodi, sondern auch die Schrift, sind vor allem Beziehungsarten. Stellen wir uns zum Vergleich vor, Bild- und Bezugstext würden in einem ausgeglichenen Verhältnis die Seite bestreiten, so wie das in der Wiener Genesis der Fall ist. Dann kommen Wort und Bild im Verhältnis einer äußeren Analogie zusammen, die von den Vergleichsgrößen Masse und Linearität bestimmt wird. Die Bereiche und Medien bleiben aber für sich, durchdringen sich nicht und haben aneinander keine Forderungen. Auf ein interaktives Verhältnis von Wort und Bild stoßen wir dagegen sogleich, wenn wir die Lektüre des fol. 7v bei der Überschrift anfangen: »Über den Mann, der in die Hände der Räuber fiel.« Dieser Titulus steht genaugenommen nicht für die hier zu erwartende Funktion der Schrift als »Verankerung« (ancrage) nach Roland Barthes[212], soll heißen: Die eindeutige Schrift kommt in diesem Fall dem polysemischen Bild nicht zu Hilfe, um seinen Sinn zu verankern und festzuzurren, so wie wir das in der Reihe darunter sehen, wo ein Wort reicht, um aus der Reihe ziemlich gleichförmiger Gestalten einen Propheten namens David oder Michah zu machen. Eher haben wir es mit der von Barthes »Gelenk« (relais) genannten Funktion zu tun: Bild und Wort ergänzen sich, produzieren gemeinsam den Sinn ihrer Kombination. Der Text der Überschrift sagt, was das Bild ausläßt und was die Ursache des folgenden Heilsgeschehens ist: daß ein Mann unter die Räuber fällt. Aber mehr auch nicht: Das »Eigentliche« erfahren wir dann aus dem Bild, das »Eigentliche« *ist* das Bild, das an die Stelle des Textes getreten ist. Der Text »inkarniert« im Bild. Er vollzieht dieselbe Bewegung wie sein Protagonist, der die Persona des namenlosen Mannes aus Samaria angenommen hat.

In einer Eigenschaft kommen Bild und Schrift aber überein: Beider Verlauf folgt dem Zeilenschema, dem linearen Duktus. Diese Analogie gilt aber nur für die Überschrift bzw. für den Parabeltext, der anstelle des Bildes eingesetzt werden müßte. Die anderen Textsorten haben gemäß ihrer anderen Funktion auch ein anderes Format und einen anderen Richtungssinn. Bei den Tituli über den Repräsentanten des Alten Testamentes spricht die Horizontale nicht: als punktuelle Markierung leben sie von ihrer Zuordnung, nicht von eigenen Qualitäten. Anders die Worte der Propheten auf den Schriftrollen oder -tafeln. Die Umrahmung und der sie bestätigende »Blocksatz« sowie ihre Materialität, die bewirkt, daß die Vertreter des Alten Testaments hinter ihnen verschwinden können, definieren zunächst einmal einen eigenen Realitätsmodus: Diese Texte werden als aparte, hinzukommende Botschaft vom Träger und Aktionsraum des Haupttextes abgesetzt. In diese Differenzierung werden auch die Schriftarten einbezogen: Die Schrift der Textseiten (Taf. 7), eine breite, klassisch ausgewogene Bibelmaiuskel differiert deutlich von dem engeren, spitzbogigen Charakter und der geringeren Höhe der Auszeichnungsschrift der Bildseiten, was nicht auf verschiedene Schreiberhände, sondern auf die Absicht zurückzuführen ist, Textsorten auch graphisch zu unterscheiden, zu trennen zwischen dem Wort der Propheten, das vorläufig, verweisend und an einen menschlichen Ursprung gebunden ist, und dem Wort, das Fleisch geworden ist, das durch Fakten und Taten redet und keinen Urheber hat, zumindest keinen am Anfang dieser Erzählung sichtbaren. Der Erzähler des Gleichnisses ist sein Inhalt, der Messias ist die Erfüllung aller Prophezien, »god is the ultimate referent«. Danach richtet sich die Auswahl der verbalen Botschaften: »über den Mann, der in die Hände der Räuber fiel«, das sagt man nicht, das wird geschrieben, im »wörtlichen« Sinne über den Mann geschrieben – es handelt sich um die 39. Kapitelüberschrift im Evangelium nach Lukas. Dagegen bewahren viele der im Rossanensis exzerpierten Prophetenworte ihre orale und persönliche Prägung. In dem schon zitierten Vers Davids bzw. des Psalmisten: »Wäre nicht der Herr meine Hilfe, weilte meine Seele im Hades« empfängt nicht nur jeder Halbsatz seinen Impuls von der lebendigen Ich-Origo (meine Hilfe, weilte meine Seele), es kommt auch ansatzweise zu einer Selbstthematisierung der prophetischen Rede: Der Beistand des Herren entscheidet darüber, wo sich der Prophet aufhält, oben oder unten, »erhoben« mit dem »Richter der Erde« (V. 2 desselben Psalms) oder in der »Grube« mit den »Frevlern« (V. 13.), im »Hades«, der in den deutschen Bibelübersetzungen als »Land des Schweigens« figuriert. Die angemessene Position und Haltung ist natürlich die hohe und die aufrechte, die gottnahe und gottähnliche; auf den Gipfeln des Gotteslobs steht man, steht vor allem der Psalmist, seinem höchsten Gegenstand entgegengereckt, wie so oft auf den Zeichnungen des Utrecht-Psalters zu sehen. Womit wir die zugleich expressive und systematische Qualität des Dimensionalen erreicht haben, die zur Ausfachung der christlichen Bildsysteme Entscheidendes leistet, die aber natürlich besonders akut wird, wenn eine Parabel von jemandem erzählt, der von Jerusalem nach Jericho *hinab*steigt, unter die Räuber *fällt, liegen*bleibt und wieder*aufgerichtet* wird.

Die Horizontale des Bildtextes fällt hier prononcierter aus als der Schriftspiegel der reinen Textseiten (Taf. 7), die nämlich in zwei Kolumnen aufgeteilt und sehr blockhaft und epigraphisch konzipiert sind, in *scriptura continua* geschrieben sind und fast ohne Interpunktion und diakritische Zeichen auskommen – einzige Ausnahme der Punkt. Der Text erscheint distanziert und verschlossen, als ein Monument seiner selbst, im Gegensatz zu den Bildseiten, welche durch ihre verschiedenartigen Aussage- und Gestaltungsmittel offener, mehrdimensional, diskursiver angelegt sind. So paradox das zumal im Fall der Seite mit der Samariter-Parabel klingen mag, wo ja die Bilderzählung weniger referiert als interpretiert: Die Bildstreifen verhelfen in einem stärkeren Maße, als die Textgestalt es tut, der sequentiellen Struktur der christlichen Erzählung zur Anschauung. Selbst die Intervention eines höchsten Helfers ändert nichts an der Einhaltung des linearen

Moments. So verkürzt die Geschichte auch dargestellt wird, sie muß sich entwickeln, auf der zwischen Jerusalem und der Herberge ausgezogenen Strecke und am Leibe eines Protagonisten, der als Reisender den sündigen, irrenden Menschen schlechthin bedeutet. Und so wird der sprechende Gegensatz zwischen dem waagerechten Band des Bildtextes und den senkrechten Kolumnen der Zeugen in Figur, Gestus und Text hervorgebracht.

Daß der Horizontalismus des Narrativen in christlicher Kunst durch den Vertikalismus thematischer Achsen gekreuzt und stabilisiert wird, das läßt sich hier studieren. Die Folge ist, daß die Zuordnung der Modi und die spezifische Ausarbeitung ihrer Dimensionalität die Bild-Text-Seite als Kräftefeld konstituieren. In dieser Richtung liegt, was Wilhelm Messerer in bezug auf ottonische Malerei »schwebende Ordnung« genannt hat: »daß Figuren und Dinge nicht wesentlich durch materielle Berührung oder gleichmäßige Reihung, oder im Sinne eines Bildmosaiks, oder durch ein festes vorgegebenes oder doch übergeordnetes Bildgerüst verbunden sind, sondern (positiv), daß sie einander durch ihre Art und Aktivität › in der Schwebe halten ‹. In der Schwebe, daß heißt meistens über den freien, durch die Ausstrahlung der Gebärde und die Gewichtigkeit einer Erscheinung aktivierten Raum hinweg. [...] Das bedeutet, daß Beziehungen selten einseitig gerichtet sind, sondern über das mehrfach durchdrungene Bildganze hinweg, alles auf alles zugleich wirkt.«[213] Ohne Modifikationen läßt sich das nicht auf frühchristliche Buchmalerei übertragen. Die Feldwirkung geht in ottonischer Kunst, wie Messerer feststellt, von den Figuren und Dingen aus; in unserem Fall gibt es das natürlich auch: Die koordinierten Gesten der Propheten und Könige leisten auf eine elementare Weise die Verknüpfung zwischen ihrer Zone und der höheren des Heilsgeschehens und zugleich bewirken sie dessen Aufwertung – Hinweis dient auch als Hervorhebung. Aber im wesentlichen stellen die verschiedenen Aussagemedien und -modi das Material, welches zu einer Struktur »erläuternder Zuordnung«, zu einem sinnfälligen Beziehungssystem kombiniert wird.

Damit erfährt unsere These, daß christliche Kunst primär von der Interaktion der Ordnungen lebt, eine deutliche Unterstützung. Aber dies festgestellt habend, müssen wir noch einmal zum materiellen und thematischen Ausgangspunkt dieses Kapitels zurückkehren, in dem es um Durchillustration und nicht um wählerische Bildredaktion, um Übersetzung und nicht um Exegese ging. Trotz ihrer unterschiedlichen Stellung zum Text sollen am Schluß der Rossanensis und die Itala zusammengesehen und ihr Beitrag zur Definition der relativ jungen »Formgelegenheit« Buchseite verglichen werden. Ich verweise noch einmal darauf, daß anders als in der Wiener und in der Cotton-Genesis, anders auch als in den illustrierten Codices paganer Provenienz die Itala zwischen reinen Text- und reinen Bildseiten unterscheidet. Diese Tatsache erscheint vielleicht ebenso wie die Aufteilung dieser Bildseiten in einen Viererblock als simpel und schematisch. Es dürfte sich jedoch um eine Innovation mit weitreichenden Konsequenzen handeln. Es geht darum, daß man den Bildern und ihrer Anordnung zutraut, einen vom Text relativ unabhängigen Bedeutungszusammenhang aufzubauen. Ich unterstreiche gerne das Wort relativ, denn natürlich bleibt der Text nicht nur handgreiflich nahe, sondern dringt als Inskription auch in das Bild ein. Jeder Gedanke an Autonomiebestrebungen wäre ohnehin verfehlt. Wichtig ist nur, daß das Medium Bild sich mit eigenen Mitteln so zusammenhängend artikulieren kann, daß so etwas wie eine Anschauungs- und Sinneinheit entsteht. Wenn das akzeptiert wird, dann sind nur noch einmal die beiden Optionen zu unterstreichen, die christlicher Kunst nach unseren bisherigen Erkundungen zur Verfügung stehen und die idealtypisch in den beiden Codices Form annehmen. Auf fol. 1r der Itala wird eine Sequenz komplett und folgerichtig abgebildet. Drei vorhergesagte Begegnungen treten ein, so erfüllt sich das Wort: Ein junger Hirte wird der erste König der Juden. Einfachste Mittel des bildübergreifenden Komponierens bewirken, daß Konsequenz Evidenz wird. Mit fol. 7v des Codex von Rossano steht ebenfalls eine ganze Seite zur Verfügung, um eine *consecutio temporum* abzubilden. Diesmal geht es um das Ablösungs- und Verweisungsverhältnis, in dem die großen Zeiten des Alten und des Neuen Bundes stehen. Beide Merkmale dieses Verhältnisses, Differenz und Bezogenheit, steuern in ihrer Verfügung dazu bei, das Potential der Seite als Bildordnung aufzubauen, das »sinntragende Seitenbild«[214] begründen zu helfen.

## Compositio: Das Evangelienbuch als sichtbare Einheit

Dieser systematische Anspruch, mit dem Illustratoren und Schreiber des Rossanensis an die einzelne Bildseite herangehen, ist wirksam auch auf der Ebene der Durchgestaltung des ganzen Codex. Von den erhaltenen und vergleichbaren Handschriften ist der Rossanensis der erste, den die Inserierung von paratextuellen und paravisuellen Elementen nicht länger als eine Sammlung von Texten und Bildern, sondern als ein qualitatives Ganzes, als eine beziehungsreiche Synthese erscheinen läßt – womit auch im Inneren jenes Versprechen auf einen großen Verweisungszusammenhang eingelöst wäre, das die äußeren Hüllen der Schrift – man denke wieder an die Mailänder Buchdeckel – schon seit längerer Zeit abgegeben hatten. Was diese in einer intrikaten Weise simultan vermitteln, erfolgt hier im sorgfältig abgestimmten Nacheinander.

Das Neue Testament, das wir lesen, ist neben den Gesetzesbüchern der am besten erschlossene Text. Selten realisieren wir, daß die vertraute Einteilung der Evangelien in Kapitel und der Kapitel in Verse Errungenschaften des 13. bzw. des 16. Jahrhunderts sind.[215] Der antike Bibeltext hatte einen gänzlich anderen, viel kompakteren und optisch unzugänglicheren Charakter. Vor der Etablierung der Reichskirche im 4. Jahrhundert, bevor Konstantin seine berühmten 50 Codices, vermutlich Evangelienbücher, bei Eusebius von Caesarea in Auftrag gab, darf man mit fortgeschrittenen Techniken des *mise en page* und der Erschließung der Schrift durch nonverbale Zeichen und Systeme nicht rechnen.[216] Schon die Einführung für uns so normaler Gliederungsmittel wie Interpunktion, Wortabstand, Sinnabschnitt etc. brauchte Zeit und im Grunde ganz andere, nämlich fremdsprachige Leser und Schreiber, bis sie ausprobiert und eingebürgert wurden. Die *scriptio continua*, das Schreiben ohne Abstand und »ohne Punkt und Komma«, das einem Leseverhalten wie dem unseren so fremd erscheint, hatte in der Antike noch die Selbstverständlichkeit einer Literatur für sich, die mit Worten ausdrückt, was wir mit nonverbalen Markierungen anzeigen: »Wenn jemand spricht, mußte Markus schreiben: › Und Jesus sagte zu ihnen ... ‹, denn er verfügte nicht über Anführungszeichen. Das Wort › und ‹ diente ihm als Komma oder Punkt. Bewegungen durch die Topographie wie das Betreten eines Hauses oder das Gehen über Wasser, das Verlassen oder das Erreichen eines Ortes gliedern seinen Erzähltext genauso, wie es in unseren Büchern Abschnitte tun.«[217]

Immerhin hatten die christlichen Schreiber Wege und Mittel entwickelt oder adaptiert, die ihren Text vor den Schriften der heidnischen und jüdischen Welt auszeichneten. Das eine Mittel ist unter dem Stichwort *nomina sacra* bekannt.[218] Seit dem 2. Jahrhundert wurden die Schlüsselwörter Gott, Herr, Jesus, Christus in den griechischen Manuskripten kontrahiert, d. h. ohne Vokale geschrieben und durch einen hochgestellten Querstrich markiert. Dieses System ist in der Folgezeit auf die Manuskripte des Alten Testamentes, auf andere *nomina* und auf andere Schriftsprachen ausgedehnt worden. Vergleichbares kannte die jüdische und die pagane Paläographie nicht. Das andere Unterscheidungsmerkmal betrifft das Buchformat. Fast alles, was wir in diesem Kapitel angesprochen haben oder was dazu gehört, setzt den Gebrauch der Buchform Codex voraus: die Buchdeckel, die bildmäßigen Miniaturen, die Wahrnehmung der Formaufgabe Seite und bestimmte Text-Bild-Verhältnisse. Folgerungen in umgekehrte Richtung sind wohl nicht zulässig. Das Medium war etabliert, bevor man anfing, die ihm inhärenten Qualitäten zu erproben und zu nutzen.[219] Die christliche Option für den Codex, mit stupender Konsequenz eingeschlagen und durchgehalten, war zunächst ein Distinktionssignal wie die *nomina sacra*. Die christlichen Schreiber des 2. und 3. Jahrhunderts machten ihren Text auch im Format und in seiner Materialität verschieden von den Schriften der Juden und Heiden. Erst ihre Nachfolger, die Schreiber, Herausgeber und Übersetzer des 4. und 5. Jahrhunderts, realisierten das Potential, das sich aus dem Zusammentreffen dieser Buchform mit diesem Buch ergab.

In der späten Antike werden erste Schritte in die Richtung einer »Grammatik der Lesbarkeit« (M. P. Parkes) getan. Der Rossanensis, dessen Kolumnen in monumentaler *scriptio continua* geschrieben sind, weist immerhin bereits die *lettera notabilior* auf, den leicht vergrößerten und herausgerückten Anfangsbuchstaben neuer Textstücke. Auch hat der Schreiber eine sehr geschickte Art, das Zeilenende durch verkleinerte Buchstaben zu markieren. (Taf. 7) Bemerkenswert ist weiterhin, daß er den Titel und die drei ersten Zeilen der ersten Seite jedes Evangeliums mit goldener statt mit silberner Tinte absetzt. Aber es wäre problematisch, wollte man hier eine kontinuierliche Entwicklungsgeschichte anfangen lassen, an deren Ende die auf allen Ebenen erschlossene und durchgegliederte Handschrift steht. Das Modell, das mit dem Rossanensis schon ausgereift vorliegt, beruht auf einem anderen Gedanken, auf dem Gedanken der Arbeitsteilung zwischen Text und Paratext, zwischen einem weiterhin verschlossenen Schriftbild und einem erschließenden Apparat.

Im 6. Jahrhundert, als der Codex von Rossano angefertigt wurde, stand bereits ein reichhaltiges Repertoire von schriftlichen und bildlichen Vor- und Zwischenstücken zur Verfügung, das die Ausstattung einer solchen Prunkhandschrift durchaus in die Nähe der besser bekannten und erhaltenen Codices des frühen Mittelalters rückt. Aus dem Bestand des paganen Buchschmucks wurden in den Rossanensis zum Zweck der *compositio*, der sinnvollen Gliederung, nur zwei Elemente, *die* zwei Ordnungselemente, übernommen: der Titel, der meist wenig spektakulär ausfiel und der in diesem wie in den meisten frühen Fällen verlorengegangen ist, und das Autorenportrait, von dem eine Bildseite mit dem Evangelisten Markus erhalten blieb. Nach dem Titel kam eine der obligaten Praefationes, nämlich – in einen Zierrahmen gefaßt – der Brief des Eusebius an Karpianus, der in den Gebrauch der Kanontafeln einführt. Darauf folgte eine Zier- und Titelseite, die den Tafeln vorausging, dann auf acht Seiten diese selbst, die heute verloren sind. Die nächste Gliederungseinheit war das Evangelium in Miniaturen mit vermutlich 24 Bildseiten, das Ereignisse aus allen Evangelien illustriert und zu Recht von Loerke als »pictorial Diatesseron« tituliert wurde.[220] Als Hinführung auf den ersten Evangelientext folgte darauf die Liste der Kapitelüberschriften *(kephalaia, titloi)* des Evangeliums nach Matthäus auf zwei Seiten und danach dessen Autorenbild. Dann kam der Text, der also erst nach einem Vorlauf von 42 Seiten anfing, rechnet man einige Leerseiten dazu. Bei den drei anderen Evangelien blieb der Apparat auf die Liste ihrer Kapitel und das Bild ihres Verfassers beschränkt. Gleichzeitige Vulgata-Handschriften von ebensolchem Anspruch hätten noch mehr Vorstücke aufzuweisen gehabt: außer den genannten Beigaben (Titel, Autorenportraits, Kanontafeln samt Gebrauchsanweisung, Kapitelüberschriften) gehörten zum Standard die dem Hieronymus zugeschriebene Einweisung in die Eusebianischen Tafeln (»Sciendum etiam …«), der Brief desselben an den Papst Damasus (»Novum opus …«) und seine Überlegung über die Vielzahl der Evangelien (»Plures fuisse …«) sowie jeweils eine kurze Vita ihrer Autoren, *argumentum* oder *prologus* genannt.[221]

Am wichtigsten für die frühe Durchgestaltung des Codex war die Evangeliensynopsis des Eusebius samt ihren erläuternden Briefen aus der Feder des Erfinders und – in lateinischen Handschriften – des »Hieronymus«. Dem Eusebius war Ammonius von Alexandria in dem Versuch vorausgegangen, die Konkordanz der Evangelien zu erschließen; er hatte, wie Eusebius vermeldet, in seinem »vierfältigen Evangelium [Diatesseron] die gleichlautenden Perikopen der anderen Evangelien an die Seite des Evangeliums nach Matthäus geschrieben, mit der unausweichlichen Folge, daß die kohärente Sequenz der anderen drei und damit auch das Gewebe der Lesung zerstört wurde.«[222] Das ist eine zentrale Aussage für das Gesamtanliegen dieses Buches. Das biblio- oder paläographische Instrument, das Parallelstellen auffindbar machen soll, darf seinen eigenen Zwecken nicht die Grundqualität des heiligen Textes, dem es zugeordnet ist, opfern – und das ist nun einmal die »kohärente Sequenz« jedes einzelnen Evangeliums, sein allgemeiner Charakter als historisches Buch und Erzählung und seine daraus resultierende unverwechselbare Eigenart. »Damit Du aber«, fährt Eusebius fort, »bei Schonung des ganzen Körpers und Zusammenhangs auch der übrigen [Evangelien], die jedem Evangelisten eigentümlichen Stellen wissen kannst, an denen sie über das gleiche mit Wahrheitsliebe zu berichten sich gedrungen fühlten, habe ich, angeregt durch die Arbeit des genannten Mannes, aber nach einer anderen Methode die hier unten folgenden Tafeln [kanones], zehn an der Zahl, für Dich entworfen.«[223]

Ammonius hatte Eusebius zufolge den Fehler begangen, die konkordanten Passagen der anderen Evangelien neben den Leittext des Matthäus zu schreiben – vermutlich geschah dies in Parallelkolumnen nach dem Vorbild der »Hexapla« des Origines, die sechs Versionen des Alten Testamentes in ebenso vielen Kolumnen nebeneinanderstellte. Eusebius dagegen nahm den Auftrag einer Synopse nicht wörtlich wie Ammonius, sondern zum Ausgangspunkt einer Modellbildung. Er bewahrt die normale Form des Vierevangelienbuches: Hintereinander werden in ihrer integralen Textgestalt die Evangelien nach Matthäus, Markus, Lukas und Johannes geschrieben. Zum

Zwecke der Vergleichbarkeit hat Eusebius diesen »Textkörper« in insgesamt 1162 Sektionen unterteilt und diese für jedes Evangelium fortlaufend durchnumeriert: Am Rande einer vergleichbaren Stelle steht in schwarzer Schrift die laufende Nummer. Eusebius hat eine solche Einteilungsarbeit nicht als erster unternommen. Ihm gingen andere darin voraus, daß sie den Evangelientext in lauter Kapitel umbrachen; diese zeichnen sich im Gegensatz zu den Sektionen Eusebs durch ihre geringere Zahl und durch zusätzliche, den Inhalt ansprechende Überschriften aus, die allerdings nicht den Text skandierten, sondern entweder am Kopf oder Fuß einer Seite und/oder in einem eigenen Verzeichnis aufschienen. (Im Rossanensis am Anfang jedes Evangelientextes und am oberen Seitenrand.) Beide Systeme haben gemeinsam, daß sie nicht als sachliche oder proportionale Einteilung der Evangelien gelten können, sondern den Text aus einem vorrangig synoptischen Interesse bearbeiten. Vergleichbarkeit geht vor Stoffgruppierung und Gleichmäßigkeit der Abteilung. Das ersieht man schon daraus, daß die Abschnitte zwischen 1 und 20 Versen (nach unserer Rechnung) lang sein können. D. h., daß jede marginale Ordnungsziffer nicht als Merk- und Unterteilungszeichen »vor Ort«, sondern als Verweis, als Aufforderung funktioniert, sich den Text in seiner lateralen Dimension, in seiner Pluralität vorzustellen und zu verfolgen. Dies wird durch eine zweite, in roter Tinte unter die Sektionsnummer geschriebene Zahl ermöglicht, welche auf die Kanontafel am Anfang des Codex verweist, in der die betreffende Sektion aufgeführt ist. Ein Alpha bezieht sich etwa auf die erste Konkordanz, welche die Parallelstellen aller Evangelien enthält; ein Gamma bezieht sich auf die dritte Tafel mit den Matthäus, Markus und Lukas gemeinsamen Sektionen usw. Unser Gleichnis vom barmherzigen Samariter muß man im letzten Kanon suchen, der das Sondergut aller Evangelien sammelt, denn diese Parabel findet sich nur bei Lukas.

Die Kanontafeln: Das erste Textmodell

Die Kanontafeln des Bischofs von Caesarea verdienen die ganze Aufmerksamkeit der Bibel- und Buchwissenschaft, weil sie das erste Modell, die früheste Repräsentation eines Textes überhaupt, nicht nur des biblischen Textes sind. Ihre Aussage ist wünschenswert klar, selbst für denjenigen, der sich noch nicht in ihren Gebrauch eingearbeitet hat. Sie kennzeichnen das Evangelium als ein besonderes Buch, denn nur diese vielgestaltige, aber geschlossene Schrift sollte, konnte eine solche faßliche Einrichtung und Einleitung erhalten. Sie sagen ferner: Dies ist ein durch*sichtig* gemachtes Buch, es läßt sich mit Hilfe von Schemata und Symbolen visualisieren, es hat eine sichtbare Ordnung. Sie sprechen von der Art dieser Ordnung: Die Schreibweise der Sektionsziffern in parallelgestellten, aber deutlich geschiedenen Kolumnen und die abnehmende Zahl dieser Kolumnen führt automatisch zu einem Verständnis dieses Modells. Es werden zwei Eigenschaften seines Originals isoliert und miteinander in Beziehung gebracht: die Folge und die Analogisierbarkeit. Die vertikale und die horizontale, die diachrone und die synchrone Dimension zusammen ergeben den Gesamt-»Text«, das »Gewebe« aller möglichen Lesungen. Kurz: Die Ordnung, welche dieses Modell herstellt, ist im Medium des Visuellen eine relationale. Eine solche Art der Modellangleichung kann als strukturelle oder strukturrelationale bezeichnet werden. Damit ist auch festgestellt, was die synoptischen Tabellen nicht sagen: Sie hierarchisieren und sie qualifizieren nicht, sie sagen nichts über den Inhalt, die Substanz dieses Buches aus, und sie geben keinen Schlüssel zu seinem tieferen Verständnis. Sie sind vielmehr das Monument einer Auffassung, welche die Bibel primär als »selfglossing book« begreift, als ein Textsystem, das »sich selbst genügt« (Tertullian), wenn es denn in seinen systematischen Qualitäten erkannt worden ist. Bemerkenswert ist schließlich, welchen Ort dieses Modell im Verhältnis zu seinem Original einnimmt. Die Kanontafeln kommen vor dem Kanon, was buchgeschichtlich gesehen wenig, rezeptionstheoretisch aber viel besagt: Sie fungieren ja nicht als Inhaltsverzeichnis, und man kann sie auch nicht zuerst und dann den Text benutzen. Ob man vor- oder zurückgreift, wenn man den Apparat eines Buches befragt, mag einen kleinen Unterschied machen, eine Konvention sein. Aber es macht einen großen Unterschied, welche paratextuellen und visuellen Elemente einen auf den Text vorbereiten und ob sie sich als Ordnungshilfsmittel oder als Bild, als reflexive Form des Ganzen anbieten.

Es ist nicht zufällig Eusebius, der dieses Modell entworfen hat, einer der wenigen großen Kirchenväter, welcher der allegorischen Schriftexegese fernstand und in einem pragmatischen, manche sagen: opportunistischen Sinne das historische Denken der jüdischen und frühchristlichen Zeit und die darin vorgehaltenen Heilsgüter universal- oder besser reichsgeschichtlich transformiert. »Sein großes Thema ist die Erfüllung der göttlichen Verheißung, daß das auserwählte Volk Länder beherrschen wird; im Reich des Konstantin sieht er diese Verheißung in einer Ausweitung des himmlischen Königtums auf Erden verwirklicht, des Königtums, das von Christus begründet wurde und von Konstantin in Gottes Namen wahrgenommen wird.«[224] Seine Schriftdeutung ist dementsprechend darauf gerichtet, die Wahrheit des Glaubens in der bis zu ihm reichenden Kontinuität der Geschichte nachzuweisen – »die Geschichte des Menschen und besonders

*Abb. 27 Florenz, Biblioteca Laurenziana, Rabula-Codex, fol. 5r, Kanontafel mit Joel und Hosea und Darstellung der Hochzeit von Kanaa*

*Abb. 28 Florenz, Biblioteca Laurenziana, Rabula-Codex, fol. 9 v, Kanontafel mit Johannes und Matthäus*

*Abb. 29  Florenz, Biblioteca Laurenziana, Rabula-Kodex, fol. 10 r, Kanontafel mit Lukas und Markus*

des christlichen Menschen hatte für ihn die Natur einer *demonstratio*, einer Beweisführung«, schreibt Wallace-Hadrill in Anspielung auf die Schrift »Demonstratio Evangelica«.[225] Der Autor und Historiker Eusebius hat selbst eine Kombination von »Kanones« und »Testament« vorgelegt. Zuerst stellte er die »Chronik« oder die »chronographischen Kanones« zusammen, die in drei Kolonnen Jahreszahlen, Ereignisse der profanen und der sakralen Geschichte vergleichbar machen.[226] Auf dieses Tabellenwerk ließ er zeitlich und sachlich seine bekannteste Schrift folgen, die »Kirchengeschichte«, von der ihr Autor sagt, daß sie zu den baren Fakten der »Chronik« »die Erzählung in allen Details« liefere.[227]

Von Soden und nach ihm Nordenfalk haben die These vertreten, daß bereits der Archetypus der Tafeln nicht nur diagrammatisch in Tabellenform, sondern bereits mit Hilfe architektonischer Motive sprechend ausgestaltet worden war – sprechend von der Gesamtarchitektur des Textes und von der Einheit in der Vielfalt des Wortes. Da die Tafeln des Rossanensis verloren sind, müssen wir unsere Anschauung von einem glücklicherweise komplett erhaltenen Beispiel nehmen, von den Konkordanztafeln im Rabula-Codex der Biblioteca Laurenziana[228], der 586 datiert ist: Da sind die Zahlen der Synopsis in die Zwischenräume von bis zu fünf Säulen eingetragen, mit kleinen Bögen, welche die Interkolumnien überspannen, und einem großen Bogen, welcher die ganze Struktur zusammenfaßt. (Abb. 27-29) Der syrische Codex ist zugleich ein frühes Beispiel dafür, wie sich die altchristlichen und die mittelalterlichen Buchkünstler von der Formaufgabe der synoptischen Tafeln zu zahlreichen freien oder interpretativen Ausschmückungen haben anregen lassen, wie sehr sie also dieses Vorstück als Modell, als Stellvertreter der ganzen Schrift verstanden haben. Nur hier begegnet uns eingangs eine Bildseite mit den ganzfigurigen Portraits der Autoren der Evangelienharmonien Ammonius und Eusebius. Danach ist jede Tafelseite mit Randminiaturen geschmückt, welche andere Zeugen der Offenbarung aufrufen sowie zahlreiche Szenen aus dem Neuen Testament illustrieren. Im Zentrum von fol. 5r (Abb. 27) steht zum Beispiel die zweite Eusebsche Tafel, welche in ihren Spalten die Vergleichsstellen von Matthäus, Markus und Lukas zusammenführt. Am Fuß der Seite und neben den Außensäulen wachsen Blumen; hier findet man sonst auch Bäume, Gräser, Tiere. Auf halber Höhe dann eine durch die Kanonesbögen auseinandergerissene Darstellung der Hochzeit von Kanaan: links Maria und Christus, rechts die Diener, welche die Trinkgefäße füllen. Wir befinden uns hier in einem christologischen Zyklus: die Seite davor zeigt die Geburt, den Kindermord, die Taufe; die Seite danach berichtet von Wunderheilungen. An oberster Stelle, auf gleicher Höhe mit den reich geschmückten und belebten Lunetten der Arkaden stehen die Propheten Joel und Hosea.

Nach diesem Schema und mit wenigen Abweichungen sind die meisten Seiten der Kanonessequenz angelegt. In einer etwas anderen Kombination haben wir diese Elemente schon einmal angetroffen: die Säulenstellungen unter einem großen Umfassungsbogen, ihre Auszierung mit Paradiesesmotiven, die Bilderzählungen in abbreviierter Form, die Repräsentanten der Schrift – das sind die ikonographischen Einheiten, mit denen in demselben 6. Jahrhundert die Presbyteriumswände von San Vitale ausgestaltet wurden. (Abb. 2-3) Ich behaupte hier keine direkte Abhängigkeit; es ist die gemeinsame Aufgabe, die zu vergleichbaren Lösungen führte. Doch kann die Parallelisierung der beiden Werke dazu beitragen, das bisher übergangene Element der Architektur, genauer: der Arkaturen zwischen den Mosaiken zum Sprechen zu bringen. Ich ziehe dazu zwei weitere Kanontafeln des Rabula-Codex heran, die aus der Serie herausfallen, weil sie ohne narrative Beiszenen auskommen und statt dessen die Portraits der Evangelisten in die Architektur der Bögen mit einbeziehen. (Abb. 28-29) Sinnvollerweise sind dafür die Kanones VII und VIII ausgewählt worden, welche die übereinstimmenden Stellen von nur zwei Evangelisten aufführen: hier sind es Johannes und Matthäus und Lukas und Markus. Sie sitzen oder stehen in Arkaden und nehmen die Synopsis ihrer Texte in die Mitte, sie zugleich rahmend wie auch das Gebäude ihrer Harmonie stützend. Wenn es auch drei Interkolumnien sind, welche an derselben Stelle in Ravenna erscheinen, so dürfte es doch erlaubt sein, die durchbrochene und von einem inneren Überfangbogen zusammengehaltene Zone der oberen Arkatur als einen Stellvertreter der Heiligen Schrift zu begreifen, als einen Phänotext, zu dem die Urheber ein zweifaches Verhältnis einnehmen: Sie sind ihm zugeordnet, und sie garantieren als Träger des zweiten, alles umfassenden Bogens seine Einheit. Man kann auch eine andere Einstellung wählen und die zweimal zwei Säulen als Simile der Evangelisten verstehen, wofür die christliche Symbolik zahlreiche Belege bereithält. Dann würden sich aber Bild und Architektur in dieselbe Aussage teilen und einen Pleonasmus bilden, der sicher der christlichen Kunst nicht fremd, der aber in einem so komplexen Bezugssystem eher unwahrscheinlich ist. Weiter hilft, wie so oft, eine Betrachtung des Kontextes, in diesem Falle der Relation von Außen und Innen, Rahmen und Füllung, die eine Etage tiefer gilt. Außen finden wir die Repräsentanten des Alten Testaments (Moses, Jeremia, Jesaja) und innen vier »typische« Szenen aus der Genesis, eine Auswahl, die erklärt, warum Moses, der Autor des Pentateuch, zweimal figuriert. Der Raum zwischen den Zeugen des Alten Testaments wird also genutzt, um das in ihm Berichtete anschaulich zu machen. Der Raum zwischen den Evangelisten wird auf diese explizite Weise nicht gefüllt, aber das etablierte Analogieverhältnis läßt an dieser Stelle die Nachfrage nach dem neutestamentlichen Text bzw. Bildtext entstehen, eine Nachfrage, welche über die Assoziation seines ersten und »kanonischen« Modells befriedigt werden kann. Das ist nicht die einzige Stelle, an der die Repräsentation der christlichen Heilsgüter einem radikaleren Wandel im Darstellungsmodus unterliegt, als er durch den Übergang von einem repräsentativen zu einem narrativen Argument gegeben ist. Es fehlt ja auch der Antitypus zu den Typen des Alten Testaments, wodurch die untere Zone erst komplett würde; das Selbstopfer Christi ist präsent nur im ganz anderen Modus des Rituals bzw. Sakraments. Der »dieu caché«, dem die Handlungen der Priester gelten, hat sein Gegenstück im »texte caché« zwischen den Evangelisten.

Nach den Bildseiten des Codex von Rossano sind die Kanontafeln der syrischen Handschrift der zweite uns bekannte Fall einer Kombination von Narration und Thematik auf der Ebene der Buchseite, wobei den thematischen Part sowohl die repräsentativen Gestalten als auch die Kanonesbögen selbst übernehmen. Als Modell des Textes sind letztere ja erst der Anlaß, diesen Text in Bilder zu übersetzen: in die Bilder seiner Urheber und die Bilder seiner Inhalte. Sie besitzen aber auch das Potential, ihren Modellcharakter in einem rein thematischen Statement auszuspielen. Nordenfalk, Underwood und Klauser sind der Geschichte der Bildseiten nachgegangen, die kleine Zentralarchitekturen zum Gegenstand haben, die entweder als »Fons vitae«-Darstellungen den Anfang oder als Tholos- oder Ciboriumartige Gebilde den Schluß der Konkordanztabellen machen (Abb. 30) − die erstgenannten in westlichen, die letzteren in östlichen Handschriften. Auch diese Autoren können sich vorstellen, daß ihnen sehr früh, d. h. ebenfalls in der zeitlichen Nähe des Archetypus oder wirklich von Anfang an, eine Seite mit einem Architekturrahmen vorausging, der als Titel auf die Kanontafeln vorbereitete (Underwood)[229] oder den rein ikonischen Abschluß ihrer Serie bildete, eine Art visuelles Kolophon zum Vorstück des Eusebius (Klauser)[230] Auf jeden Fall sind diese Zentralbauten, wie auch immer sie weiter ausgestattet wurden, als Lebensbrunnen oder als Heiliges Grab, Inbilder der »Harmonie«, der Gesamtheit der Schrift; sie sind »runder« und vollkommener als die normalen Tafelseiten mit ihrer abnehmenden Zahl von Interkolumnien und ihrer zweidimensionalen Darstellungsart. Indem sie den Modellcharakter der Serie und das mit jedem Modell einhergehende Verkürzungsmerkmal zugleich ausstellen und aufheben, können sie als Voll- oder Vorbegriff der Kanontafeln gelten, sie fassen diese zusammen und leiten zum Evangelientext über. Klauser hat die letztgenannte Möglichkeit in einem suggestiven Vorschlag ausgearbeitet: »Man könnte den Gedankengang des Eusebius etwa folgendermaßen interpretieren: Wenn ich die Ziffernkolumnen, der Mode folgend, unter eine Architektur gestellt habe, dann

*Abb. 30 Paris, Bibliothèque Nationale, Ms. lat. 8850, Evangeliar aus St. Médard, fol. 6v,*
*Lebensbrunnen vor den Kanontafeln*

muß das a fortiori mit jeder Textseite des Evangeliars geschehen. Also muß im Prinzip eine die Kanonarkaden noch überbietende Architektur, eben das Ciborium, über alle Seiten des Textes gestellt werden. Da das aber eine Vervielfachung der Blattzahl bedeuten würde, also zu Schwierigkeiten finanzieller und technischer Art führt, soll wenigstens vor den Beginn des Evangelientextes ein Ciborium gestellt werden; alle folgenden Seiten sind unter diesem Ciborium ruhend zu denken. Man kann es auch so ausdrücken: Eusebius wollte dem Leser, der das Ciborium sah, sagen: Jetzt gehst du in das Heiligtum ein!«[231]

Die Buchmaler, die den Codex von Rossano ausgestalteten, sind einem anderen Modell als dem architektonischen gefolgt. Die Zierseite fol. 5 r (Abb. 31), die sie den Kanonesbögen voranstellen, hat einen runden Schmuckrahmen, in den die Medaillonbilder der Evangelisten eingesetzt sind. Der Kreis, das endlose Ornament, das Eingewobensein der Autorenbüsten sagen auf ihre Weise, was die Inskription verbal ausdrückt, die im Zentrum steht und zugleich der Titel der Eusebschen Konkordanz ist: »Darstellung der Harmonie der Evangelien«. Von der Gattung dieser Zierseiten müssen wir also annehmen, daß sie sich auf jeden Fall mit und z. T. aus den Kanonesbögen entwickelt haben, deren thematisches Potential bündelnd und zugleich ihren eigenen und den allgemeinen Positionssinn der Kanontafeln realisierend: Diese bereiten auf das Evangelium vor, die Zierseiten leiten in die Sequenz der Tafeln ein oder vermitteln zwischen ihnen und den Haupttexten. Das sind die Stellen, die Einschnitte in die Textur des Buches, an denen die Ausstattungsstücke zu wuchern beginnen: nach den Titeln, Tafeln, Autorenportraits und thematischen Kompositionen kommt es im frühen Mittelalter zur Ausbildung von Initial- und Monogrammseiten, *carpet pages*, Bildern der Symboltiere, Sammelminiaturen, Widmungsbildern, Textzierseiten etc. Alle diese Gliederungselemente folgen insofern dem antiken Vorbild, als sie nicht mit dem Text interferieren. Sie legen vor die Evangelien, vor die heiligen Schriften in ihren wichtigsten Abschnitten Schwellen, immer kompletter eingerichtete Vorräume, »accessus«, die »zwischen Text und Nicht-Text nicht bloß eine Zone des Übergangs, sondern der Transaktion« einrichten.[232] Was an das Verfahren des Johannes-Evangeliums erinnert, wo ja der Prolog mehr ist als Einleitung, nämlich Rede vom Ganzen und Größeren und Vermittlung zwischen dem Prinzip und der Realisation der Schrift.

Um zum Anfang dieses Abschnitts zurückzukehren: Was für die Seite galt, die wir zuletzt analysiert haben, die souveräne Verfügung der Buchmalerei über Format und Fläche, das haben wir auch an der Gestaltung des Buchganzen feststellen können. Dadurch daß das Evangelienbuch als ein mit Hilfe von Beziehungen aktivierter Raum konstituiert ist, rückt auch die-

MATΘΑΙ

ΥΠΟΘΕ
CICKANON·
THCTWNEY
ΛΓΓΕΛICTωΝ
CΥΜΦωΝI
ΑC–
+

Abb. 31 Rossano, Erzbischöfliches Museum, Evangeliar, fol. 5r, Zierseite mit Medaillonbildern der Evangelisten

ses Medium in die Reihe unserer visuellen Summen, unserer als Verweisungszusammenhänge funktionierenden Werke. Das Buch präsentiert sich als systematisch erschließbare Einheit in seinem Modell, in der Kanonessequenz samt ihren generellen Statements, und als gegliederte Folge in seinen Teilern, seinen Vor- und Zwischenstücken. Diesem produktiven Einheitsbegriff geht die Anerkennung der Vielfalt der Stimmen und Überlieferungen voraus. Ohne die Pluralität der Evangelien kein Kanon, keine Kanontafeln, kein konsequentes Buchprogramm, keine Differenzen und Analogien. Tautologisch wird anmuten, wenn zu den zuletzt genannten Voraussetzungen auch noch die weitere hinzugefügt wird, daß all dies nur in einer Schrift- und Buchreligion etwas bedeuten kann. Aber so ist es: Der

Gebrauch von Schrift und Buch (sprich: Codex) steigert die semantische Dichte der Texte, vermehrt den Reichtum der Bezüge; er erweitert den Skopus der Schreiber und Leser, ihren Überblick über die Seite und das Buchganze; er verlangt nach Komposition. Freilich: Wenn das Zwei- und Dreidimensionale und das Positionale stärker sprechen sollen, dann ist die bildende Kunst gefordert: nicht als Ausstattungsmedium, sondern als Bedingung der Möglichkeit, das Gebäude dieser ideellen Gesamtarchitektur des Textes sichtbar und verfügbar zu machen. Insofern sind wir berechtigt, den Codex Rossanensis das Gesamtkunstwerk einer Schrift-, Buch- und Kunstreligion zu nennen.

# 5. Kapitel

## »Argumentum historiae«:
## Die Mosaiken von Santa Maria Maggiore in Rom

> Kerygma wird, sofern es nicht auch erzählt wird, Pro-
> klamation einer Idee und, sofern es nicht immer neu
> erzählend gewonnen wird, historisches Dokument.
> Ernst Käsemann

Bekannt ist, daß die Langhauswände der großen Basiliken bevorzugt zur Anbringung von Bilderreihen aus dem Alten und dem Neuen Testament genutzt worden sind. In ihnen manifestiert sich der Triumph des zyklisch-historischen Modus und des typologischen Geschichtsdenkens. Hier bekennt sich die Kirche öffentlich zu dieser Kunstform und zur Vielfalt und zur Einheit der Zeiten und Bücher. Daß die angewandte Typologie vor allem als Anordnungs- und nicht als Anschauungsprinzip funktionierte, ist Gemeinbesitz der Forschung: »Anders gesagt, die Sujets des Alten und des Neuen Testaments bilden Einheiten, die in topologischer Hinsicht sorgfältig auseinandergehalten werden. Darüber hinaus wird ein zweigliedriges Komponieren (composition en binôme) nicht angestrebt, jeder Zyklus hält sich an die narrativen Vorgaben der Schrift und versucht nicht, im anderen Zyklus Echos auszulösen.«[233] Immer auf der Basis des Erhaltenen urteilend und ein Gegenbeispiel ausklammernd, das im übernächsten Kapitel analysiert wird, ändert sich an diesem Verfahren, Typologie topologisch und en bloc einzusetzen, nichts bis zur Maas-Kunst, die um 1150 das Prinzip der Einzelabstimmung von Typus und Antitypus zu einer hohen Schule der visuellen Argumentation entwickelt. Bis dahin ist es noch ein weiter Weg, und doch möchte ich von diesen auf den ersten Blick so pauschal verfahrenden Komplexen der frühen »En-bloc-Typologie« behaupten, daß in ihnen ein neues Formdenken, das Formdenken der christlichen Kunst, Gestalt annimmt. Seine Leistung besteht eben nicht nur darin, verschiedene Themenblöcke verschiedenen Orten zuzuweisen und sich mit einem positionalen Sinneffekt zufriedenzugeben. Es gelingt vielmehr, Bildmaterial und Darstellungsmodus zu anschaulichen Geschichtsgestalten auszuarbeiten. Die das Figuraldenken strukturierenden Grundbegriffe der Ähnlichkeit *und* Differenz artikulieren sich zuerst auf dem höchsten Verarbeitungsniveau, auf der Ebene der Modi und ihrer gegenseitigen Abstimmung, in einer Stillehre der christlichen Bildrhetorik.

*Abb. 32 Rom, Santa Maria Maggiore, Innenansicht der frühchristlichen Basilika, nach Spencer Corbett und L. Micchini*

Was ich als Beleg für diese These anzubieten habe, verteilt sich auf dieses und das nächste Kapitel. Umfang und Komplexität rechtfertigen es, in diesem Kapitel einzig und allein die musivische Ausstattung von Santa Maria Maggiore zu betrachten, die in das Pontifikat des Papstes Sixtus III. (432–40) fällt. (Abb. 32–39; Taf. 8–13) Erhalten sind die Mosaiken der beiden Langhauswände und des Triumphbogens – die Dekoration der Apsis und der inneren Westwand ist verloren.[234] Anders als in St. Peter und St. Paul werden in dieser Basilika die Geschehenseinheiten des Alten und des Neuen Testamentes nicht an den Langhauswänden einander gegenübergestellt. Diese gehören ausschließlich dem alttestamentlichen Zyklus mit seinen 27 (von ehemals 42) Bildfeldern, die Ereignisse aus den Büchern Genesis (Nordwand) bzw. Exodus, Numeri, Deuteronomium (Mos 2, 4, 5) und Josua (Südwand) zum Thema haben. Für das Neue Testament und seine apokryphen Supplemente ist die große Schauwand des Triumphbogens reserviert, wo ausgewählte Begebenheiten aus der Kindheitsgeschichte Christi illustriert werden.

## Der Motivanfang: Das Bündnis und seine zwei Verheißungen

Der sehr selektive Zugriff auf die Bücher beider Testamente und die überall zu erkennende Weigerung, den anerkannten Höhepunkten des biblischen Berichts gerecht zu werden, verweisen auf programmatische Absichten. Ginge es um ein Werk der mittelalterlichen Kunst, so würde man sofort vermuten, daß jede Rezension und Redaktion der Textvorlagen in Rücksichtnahme auf das neutestamentliche Gegenstück geschieht; in Santa Maria Maggiore ist das jedoch nicht oder nur sehr bedingt der Fall. Sicher, es ist die Grobverteilung nach »ante legem« (Nordwand), »sub lege« (Südwand) und »sub gratia« (Triumphbogen) eingehalten, aber was erklärt das schon im Falle einer Bilderzählung, die es fertigbringt, einen ausführlichen Moses-Zyklus ohne die Übergabe der Gesetzestafeln und die Kindheit Christi ohne die Geburtsszene zu konzipieren?

Fangen wir beim Anfang an. Das erste Bildfeld der Nordwand, die der Geschichte der Patriarchen Abraham, Isaak und Jakob gewidmet ist, zeigt eine Szene aus 1 Mos 14: Melchisedeks Tribut an Abraham. (Taf. 8) An diesem Anfang verwundert nicht nur das Unvermittelte des Einsatzes, erstaunlich ist auch, daß das hier erzählte Geschehen aus der chronologischen Reihenfolge springt: dem biblischen Bericht zufolge müßte das dritte Feld der Bilderreihe, die Trennung von Abraham und Lot (1 Mos 13, 5 ff.), an erster Stelle stehen. Die Forschung hat übereinstimmend die These vertreten, daß es der typologische Gehalt der vorgezogenen Szene sei, der ihr die am weitesten östliche Position und damit die größte Nähe sowohl zum christologischen Zyklus als auch zum Ort des Meßopfers gesichert habe.[235] Melchisedek, den die Genesis einen »Priester des allerhöchsten Gottes« nennt und der Wein und Brot offeriert, ist ein Typus des Altarsakraments – als solcher wird er seit den Anfängen der Väterexegese gehandelt und als solcher ist er uns schon bei der Vorstellung der Mosaiken von San Vitale begegnet. Nur taucht er dort allein auf, seine Gaben auf einem Altartisch deponierend. (Taf. 13) Es fehlt Abraham, der eigentliche Anlaß und Empfänger des Tributs. Melchisedek ist in Ravenna wirklich zum Typus reduziert, der szenische Zusammenhang sichtbar »thematisch überfremdet«. Dagegen steht in Rom der betont historische Charakter des ersten Mosaikfeldes und – wie wir sehen werden – der ganzen Langhausdekoration von Santa Maria Maggiore: die Berücksichtigung von Einzeltypologien hilft da nicht weiter, auch nicht in bezug auf die Frage, warum diese Szene den Anfang macht. Was weiterhilft, ist statt der Patrologia latina oder graeca die Bibel.[236]

Der narrative Kontext der Bezugsstelle 1 Mos 14 müßte eigentlich jedes auf Typologie und Allegorie abgestellte Verständnis irritieren. Das Kapitel setzt mit einem Chronikenstil ein, der bis zu dieser Stelle völlig ohne Beispiel ist, aber von da an nur zu oft zu vernehmen ist: »Zu der Zeit führten Amraphael, der König von Sinear, Arioch, der König von Ellasar, Kedor-Laomor, der König von Elam, und Thideal, der König der Heiden, Krieg mit Bera, dem König von Sodom, mit Birsa, dem König von Gomorra, und Sineah, dem König von Adama, und Semeber, dem König von Zeboim, und dem König von Bela, das Zoar heißt.« Im Lauf dieser kriegerischen Auseinandersetzungen wird auch Lot, der in Sodom wohnt, mitsamt Hab und Gut entführt, was seinen Onkel Abraham auf den Plan ruft. Dieser eilt mit seiner kleinen Schar von 318 Knechten den Feinden nach und schlägt sie; er besiegt die Streitmacht von vier Königen, die vorher das Heer von fünf Königen nicht hatte aufhalten können. Kurz: Abraham ist der erste siegreiche Feldherr der biblischen Historie, und die ihm auf dem Mosaik beigesellte und oft belächelte »römische« Soldateska ist ein substantielles Indiz für eine Lesart der biblischen Vorlage, die am historischen und nicht am typologischen Gehalt orientiert ist. Es ist der Sieg des Abraham, der Melchisedek auf den Plan ruft: »Als Abraham von diesem Sieg über Kedor-Laomor zurückkehrte und mit ihm die verbündeten Könige [...], brachte Melchisedek, der König von Salem, ihm Brot und Wein hinaus. Er war nämlich ein Priester des allerhöchsten Gottes. Er segnete ihn mit den Worten › Gesegnet seist du, Abraham, vom allerhöchsten Gott, dem Schöpfer des Himmels und der Erde. Gelobt sei Gott, der Allerhöchste, der deine Feinde in deine Hände gegeben hat. ‹« Ich möchte jetzt nicht den Spieß herumdrehen und behaupten, diese Szene sei für den Anfang eines Zyklus wie geschaffen. Aber folgende Argumente einer erzähltheoretischen und einer religionsgeschichtlichen Sichtweise lassen sich für diese Wahl ins Feld führen. Abraham ist der Patriarch, mit dem Gott das Bündnis schließt, welches der gesamten Geschichte Israels einen bestimmten Anfang und ein großes Ziel setzt, welches sie strukturiert, sie mit Leben und Spannung erfüllt. Abraham betritt ohne Umstände die Szene der Genesis als Empfänger eines machtvollen Befehls und Segens Gottes, dessen Verheißungen im folgenden so lange wiederholt werden, bis sie sich erfüllt haben – was im Buch Josua geschieht, womit auch der Bilderzyklus von Santa Maria Maggiore sein Ende erreicht.[237] Der Befehl lautet: » Zieh weg aus deinem Land, von deiner Verwandtschaft und aus deinem Vaterhaus in das Land, das ich dir zeigen werde. Ich werde dich zu einem großen Volke machen, ich werde dich segnen, ich werde deinen Namen groß machen. Ein Segen sollst du sein! Ich werde segnen, die dich segnen; ich werde verfluchen, die dich verfluchen. Durch dich sollen alle Geschlechter der Erde Segen erlangen. ‹ Da zog Abraham weg, wie der Herr ihm gesagt hatte.« (1 Mos 12, 1-3) Die göttlichen Versprechungen haben einen doppelten Inhalt. Sie betreffen zum einen das dem Volk Gottes vorbestimmte, aber erst nach Prüfungen und Kämpfen erreichte Land Kanaan. Sie betreffen zum anderen die zweite große Obsession der hebräischen Bibel: die immer gefährdete Mehrung der Kinder Israels – zwei eng aufeinander bezogene Verheißungen, »denn die Nachkommen sind nicht sicher ohne ein festes Habitat, und das Versprechen auf Land ist sinnlos ohne Nachkommenschaft«[238]. Die »anderen«, die in Gottes Befehl als die Adressaten seines Fluchs oder Segens figurieren, sind notwendige, aber nachgeordnete Begleiter der Heilsgeschichte: im Konzept der Erzählforschung verkörpern sie die »Helfer« in Form der Verbündeten und die »Opponenten« in Form der Feinde, derer sich Israel so zahlreich erwehren muß. Beide stehen wie das auserwählte Volk selbst in der Gewalt des höchsten »Helfers« und Bündnispartners.

Den Anfang der Bilderreihe kann man nun so verstehen, daß durch ihn der gesamte folgende Geschichtsverlauf in diese Perspektive von Bündnis und Segen, Verheißung und Verfluchung gestellt wird – ein »Motivanfang« mit dem Begriff der Musikwissenschaft. Die Erzählforschung würde an dieser entscheidenden, programmierenden Stelle die Figur des »Kontrakts« angewandt sehen.[239] Der spätantike Illustrator, der Geschichte gerne zwischen Menschen aushandeln läßt, scheut sich, den gerade zitierten uranfänglichen Befehl Gottes zum Aufbruch, das berühmte »lekh lekha«, oder, was auch möglich gewesen wäre, den zeremoniellen Bündnisschluß zwischen Gott und Abraham (1 Mos 15, 7ff.) zu inszenieren. Er wählt statt dessen ein historisches und irdisches Analogon, bzw. formt es nach seinen Bedürfnissen um. Für römische Augen muß das Geschehen des ersten Bildfeldes so ausgesehen haben: Ein Untergebener leistet dem Sieger Tribut und verpflichtet sich damit.[240] Das Buch Genesis berichtet etwas anderes: Melchisedek segnet Abraham und preist den »höchsten Gott«, der Abrahams Feinde ausgeliefert hat. »Darauf gab ihm Abraham den Zehnten von allem.«[241] Im Mosaik ist das Geben einseitig, und es ist die himmlische Partei, die diesen stellvertretenden Bund auf Erden sanktioniert. So erfolgt Gottes Versprechen nicht im abstrakten Raum, sondern erweist sich gleich am geschichtlichen Fall: im erfolgreichen Bestehen einer militärischen Mission, die dem Schutz von Land und Familie gleichermaßen galt, in der Sendung eines Königs und Priesters, der Tribut und Segen bringt, einer Gestalt, die übrigens noch voraussetzungsloser als Abraham der Heilsgeschichte beitritt und damit für diesen markanten Neueinsatz wie prädestiniert ist. »Dieser Melchisedek aber war ein König von Salem, ohne Vater, ohne Mutter, ohne Geschlecht«, heißt es im Brief an die Hebräer (7, 1), der in diesem Zusammenhang noch einmal die Bedeutung der Bundesverpflichtung theologisch akzentuiert, die alle gebunden hat: Gott an sich selbst (»der bei keinem Größeren zu schwören hatte«), Abraham an Gott, Melchisedek an Abraham und alle »Nachfolger« an diese großen Vorbilder, »die durch Glauben und Geduld die Verheißungen ererbten« (7, 12). Nach dieser Eröffnungsfigur übernehmen die Bildfelder L 2 und L 3 (Abb. 33, Taf. 9) die Thematisierung der beiden großen Inhalte der göttlichen Zusagen. In der zweiten Szene des Zyklus werden Abraham und Sarah im Hain Mamre von den drei Männern aufgesucht. Auch dieser Vorgang ist von der Literatur bis zur Unkenntlichkeit theologisch überfremdet worden. Thema in historischer Perspektive ist die überraschende Eröffnung an das alte Patriarchenpaar, daß

*Abb. 33 Rom, Santa Maria Maggiore, Langhaus-Mosaik mit Trennung von Abraham und Lot (L 3)*

Sarah noch einen Nachkommen zur Welt bringen wird. Denn von der Art ist der *plot* des Buches Genesis, daß Gottes Heilsplan scheinbar immer wieder in Frage gestellt wird – von widrigen Umständen, vom Frevel der Auserwählten, vom Eingreifen feindlicher Mächte, Sarah, Rebekka und Rahel, die drei weiblichen Protagonisten dieses Buches und dieses Zyklus, sind unfruchtbar; ihr Leib muß von Gott geöffnet werden, so daß jede Geburt eines Nachfolgers »den Status eines Wunders erhält, vorausgesehen und bewirkt nur von Gott. Nur er kann Kontinuität ermöglichen und garantieren.«[242] So wird aus dem Buch der Patriarchen eine Bildergeschichte der Patriarchen und Matriarchen. Nicht zu übersehen sind die Entscheidungen einer Bildredaktion, welche den weiblichen Anteil am Fortbestehen der auserwählten, aber auch vielfach geprüften Nachkommen Abrahams in den Vordergrund rückt und welche Szenen der Brautwahl, der ehelichen Verbindung, des Familienlebens den Vorzug gibt. »Alle Frauen der drei Patriarchen sind – selbst in dem heute stark reduzierten Bestand an Mosaiken – abgebildet: Sarah, Rebekka, Rahel und Lea. Mindestens 12 der 21 Bildfelder zeigen oder zeigten Szenen aus dem Leben Jakobs und Rahels; Rahel ist in den erhaltenen 9 Feldern der Jakob-Vita sechsmal dargestellt.«[243] Zurücktreten müssen dagegen Bildinhalte, die einer theologischen Lesart viel eher entsprochen hätten: an Jakobs Kampf mit dem Engel oder an die Vision der Himmelsleiter wäre zu denken. Drohende Unfruchtbarkeit, die erste Komplikation der Mehrungsverheißung, wird von einer zweiten, ebenso schwerwiegenden begleitet, die das Überleben der Erstgeborenen bzw. ihren Status zum Thema macht: die Geschichten von Isaak (sein Opfer war sicher auf einem der zerstörten Bildfelder L 4-6 dargestellt), von Jakob und Esau (L 7) sowie Benjamin (L 19) gehören in diese Rubrik. Auf die Philoxenie des zweiten Feldes (Taf. 9) folgt die in der biblischen Chronologie vorausgehende Trennung von Abraham und Lot, die für ihre angewachsenen Familien und Herden neue Territorien suchen müssen (Abb. 33). Der Illustrator hat den Vorgang als effektive Folge der bereits geschilderten Ereignisse begriffen, denn Abraham wird hier schon von seinem Nachfolger Isaak begleitet. In diesem Bild geht es um den Landaspekt der göttlichen Verheißung, der auf der linken Seite verständlicherweise in dem primären thematischen Rahmen des Fruchtbarkeitsversprechens behandelt wird, während er auf der gegenüberliegenden Wand zum Hauptthema aufrückt. Der Segen, der trotz wiederholter Gefährdungen auf Abraham und seinen Nachkommen ruht, macht sich eben auch in ihrem Reichtum und ihrer wachsenden Stärke geltend – der »Streit um den Lebensraum« (Westermann) ist die Folge: Abraham und Lot müssen ihre Herden und Weidegründe teilen (L 3), Jakobs Listen erwerben ihm von Laban die große Herde der gefleckten Tiere (L 12, 13), die er auch nicht an Esau verliert (L 15), Jakob und

seine Söhne sind mächtig genug, um den Sichemiten ihren Willen aufzu-
zwingen (L 17, 18) bzw. sie brutal zu vernichten (vermutlicher Gegenstand
des verlorenen Bildfeldes 19). Letzteres Vorkommnis ist auch eine Konsequenz der israelitischen »Familienpolitik«: Zur Bestrafung der Sichemiten
war es gekommen, weil der Sohn des Landesfürsten der Hewiter eine Tochter Jakobs »entehrt« hatte – die Qualitäten auserwählt und fruchtbar verbinden sich beim Volk Gottes zu exklusiven und furchtbaren Heiratsregeln.

*Abb. 34 Rom, Santa Maria Maggiore, Langhaus-Mosaik mit der Vermählung des Moses und
der Sephora und der Berufung des Moses (R 3)*

Wer diese zum Teil »unkanonischen« Bildgegenstände nicht identifizieren konnte, wurde durch eine Art Subthema (im wörtlichen Sinne) auf den Gesamtzusammenhang dieser Bilderreihe aufmerksam gemacht. Wir müssen uns immer vor Augen halten, wie diese kleinen Mosaikfelder von ca. 180 x 210 cm Größe gewirkt haben müssen (Abb. 32). Wenn man nicht wie Paul Veyne in ihrer Unsichtbarkeit ihre Bestimmung erkennt, muß man, wie Richard Brilliant das für die Reliefs der Trajanssäule, eine ähnlich schwer zugängliche Bilderzählung, getan hat, nach »visuellen Clous« Ausschau halten, welche durch ihre strategische Wiederholung Kontinuität und Lesbarkeit stiften.[244] In unserem Fall wird der Inhalt und das Eintreten der göttlichen Verheißungen in den beruhigenden Unterton oder das Accompagnato des Bukolischen übersetzt.[245] Hirten und ihre Tiere in der Landschaft, das bukolische Subthema, wird an passender und prominenter Stelle im 3. Mosaikfeld mit der Trennung von Lot und Abraham eingeführt (Abb. 33) und bleibt auch in Szenen präsent, denen man Architekturkulissen beigegeben hat. So wird nicht das Volk Israel in seiner Eigenart als Volk der Nomaden und Hirten charakterisiert, so wird auch ein fortlaufender Kommentar im Medium des Topischen beigegeben. Auf der gegenüberliegenden Wand wird dieses Motiv nur einmal wiederholt, bezeichnenderweise unter dem einzigen familiengeschichtlichen Moment dieser ganz anders ausgerichteten Folge: unter dem Bild der Hochzeit von Moses und Sephora. Dort erfolgt die Berufung des Moses, als er die Tiere seines Schwiegervaters weidet (R 3a; Abb. 34).

»Familiengeschichten«: Ein Minizyklus im Zyklus

So steht die Bilderfolge der linken Langhauswand im Zeichen dessen, was Deckers treffend »das Wachsen des Volkes Israel« genannt hat.[246] Gottes Verheißungen an Abraham erfüllen sich in ihren Aspekten Fruchtbarkeit und Reichtum. Nun soll nicht der Eindruck entstehen, die Erzähler dieses Hexateuchs in Bildern würden eine Globalstrukturierung ihres Zyklus vornehmen, welche dem einzelnen Feld nur den Stellenwert einer Perle in einer sorgfältig komponierten Kette läßt.

Das Erzählprogramm ist das Primäre; es trägt schon deswegen die Hauptlast der narrativen Argumentation, weil im monumentalen Zyklus Selektion das Gebot des Mediums ist, anders als in den frühen Buchillustrationen der Bibel. Zur Redaktion und Epitomisierung verpflichtet, bleibt den Erzählern gar nichts anderes übrig, als an der repräsentativen Einzelszene oder an kleinen Zyklen im Zyklus den christlichen Heilssinn zu veranschaulichen. Ich beginne meine Beispielsreihe mit einer Betrachtung des neunten Mosaiks der linken Bilderreihe (Taf. 12), weil es einen solchen Minizyklus eröffnet und eine Melde- und Begegnungshandlung in Szene setzt, die es mit den Illustrationen auf fol. 1 r der Itala vergleichbar macht.[247] Den Textbezug findet man in 1 Mos 29, in der Geschichte von Jakobs Aufenthalt bei seinem Onkel Laban. Jakob wird von seinem Vater Isaak dorthin gesandt, um ihn vor zwei Gefahren zu schützen: vor der Rache seines Bruders Esau und vor der Option, eine Hetiterin zur Frau nehmen zu müssen, denn Jakob ist auf Brautschau – eine Situation ganz im Sinne des narrativen Programms bzw. Subprogramms der Bilderreihe an der linken Wand: Wieder geht es um den Fortbestand des Hauses Israel (das freilich erst mit diesem nächsten Patriarchen seinen Namen erhält) und um die Gefährdung dieses Fortbestands durch den internen Streit zwischen Nachkommen und Verwandten bzw. durch die Schwierigkeiten der Brautwahl. Isaaks Aufbruchsbefehl an seinen Sohn erneuert das Initialprogramm des Zyklus: »Hol dir von dort eine Frau, eine von den Töchtern Labans, des Bruders deiner Mutter! Gott der Allmächtige wird dich segnen, er wird dich fruchtbar machen und vermehren: Zu einer Schar von Völkern wirst du werden. Er wird dir und mit dir auch deinen Nachkommen den Segen Abrahams verleihen, damit du das Land in Besitz nimmst, in dem du als Fremder lebst, das aber Gott Abraham gegeben hat.« (1 Mos 28, 2-4)

Unser Bild schildert nur die Eingangsszene dieser Erzählung, die erst zwei Felder weiter zur Heirat zwischen Jakob und Rahel führt – der gesamte Jakob-Zyklus hat acht Bilder. Es ist eine aufhaltsame Geschichte, die berichtet wird; so verdient sie auch eine Einleitung, die in drei Stationen nicht sehr viel mehr erzählt, als daß die Hirtin Rahel, vom Felde und von ihrer Herde kommend, ihrem Vater Laban die Ankunft Jakobs meldet (oberes Register), Laban seinem Gast entgegeneilt, ihn umarmt und ihn in sein Haus führt (unteres Register). Das Bildfeld als ganzes illustriert also in wörtlicher Übersetzung gerade zwei Bibelverse: »Da eilte sie schnell weg und erzählte alles ihrem Vater. Als Laban von Jakob, dem Sohn seiner Schwester, hörte, lief er ihm entgegen, umarmte ihn, küßte ihn und führte ihn in sein Haus.« (1 Mos 12-13)

Was heißt illustriert? Wie im Fall der Itala beobachten wir, daß die Bilderzähler ihre Vorlage nicht nur Wort für Wort realisieren, sondern auch ihre Mittel so einsetzen, daß der narrative Gehalt des Ereignisses sichtbar und für das Erzählganze nutzbar gemacht wird – was sich von dem Textbruchstück nun wirklich nicht behaupten läßt. Im oberen Streifen gibt es zwei Handlungskreise und zwei Akteure, die zwischen diesen Zonen vermitteln. Wir erkennen sofort, daß die Essentials angesprochen sind: links das Haus, rechts das Land bzw. der Reichtum, den das Land trägt, die Schafe und ihre Hüter bzw. Hüterin. Das große Thema Besitz, Reichtum, Fruchtbarkeit wird nicht in das beruhigende Accompagnato visueller Subtexte abgeschoben, hier wird es direkt verhandelt. Den beiden lokalen Werten Haus und Land sind die Hauptpersonen zugeordnet, nicht passiv wie Attribute, sondern als zwei Handlungsträger, deren Bewegung aufeinander zu gleichsam einen gemeinsamen Sinn aus ihrer räumlichen Zuordnung herstellt: Laban, der Patriarch, erscheint passenderweise im Türrahmen seines Hauses und ist dabei, Rahel entgegenzueilen, die, vom Felde kommend, ihm die Botschaft von Jakobs Ankunft überbringen will. Beide Personen streben von ihrem jeweiligen Ausgangspunkt weg, sind aber noch mit diesem verbunden, Rahel weniger stark als Laban, denn sie hat den längeren Weg zurückzulegen. Zwischen Vater und Tochter bleibt eine unausgefüllte Stelle: sie ist der Platz für das Phantasma, für das durch die Kommunikation Bedeutete. Es gehört zu den Eigenheiten der Erzählweise dieser Mosaiken, daß der Inhalt der zahlreichen Dialoge und Kommunikation immer erst in den folgenden Bildfeldern erklärt wird, es sei denn, die Zeichen oder die Gestalt Gottes halten die Deutung von oben herab, suprasegmental sozusagen, bereit – ich verweise wieder auf das Eingangsbild mit Abraham und Melchisedek.[248] Im Fall des neunten Bildfeldes müssen wir uns in das untere Register begeben, um genau unter der Lücke ihren Inhalt in einer Bildformel ausgedrückt zu finden, die in der Tat wie ein Kürzel, wie eine Vokabel für Begegnung, Zusammentreffen, Vereinigung wirkt. Hier umarmen sich Laban und Jakob; dieses geschieht im Freien, im Niemandsland, das weder als Haus noch als Feld gekennzeichnet ist, das aber schon im Einzugsbereich der nächsten Aktion steht. Der untere Bildstreifen beginnt nämlich mit einer statuarischen Frauengestalt, die eine gleichermaßen rahmende wie bildeinleitende Funktion hat. Ihre Deutung ist umstritten; viele Interpreten entscheiden sich an dieser Stelle für Lea, die ältere Schwester Rahels.[249]

Die Tracht dieser Figur und ihre Zuordnung zu Laban scheinen mir dafür zu sprechen, daß es sich um dieselbe Person handelt, die auch oben neben dem Patriarchen erscheint, um seine Frau. Diese wird zwar in der Genesis nicht erwähnt, aber wir haben ja schon festgehalten, daß die Sequenz der linken Langhauswand die Familiengeschichte des Hauses Israel thematisiert, unter entsprechend angemessener Beteiligung des matriarchalischen Elements. Und da es im folgenden um eine Brautwahl und eine Vermählung geht, schien es dem Erzähler wohl nur passend, den Übergang von der einen Generation zur nächsten als Choreographie zweier Paare zu inszenieren. Das obere Register gehört den Eltern und ihrer unverheirateten Tochter; die linke Hälfte des unteren Bildstreifens führt die Eltern und den unverheirateten Verwandten, den prospektiven Schwiegersohn zusammen, und in der letzten Erzählstation wird aus den Dreiergruppen die angestrebte Viererkonstellation aus älterem und jüngerem Paar, eine Vorwegnahme des Ziels sowohl dieses Teilgeschehens als auch der Gesamterzählung. Um diese Aussage auch positionell abzusichern, hat der Erzähler zwei Umstellungen vorgenommen. Die eine betrifft den Protagoni*sten*, der im unteren Streifen gewissermaßen auf dem Fuße kehrtmacht, um seine Bestimmung zu tauschen. Sein Orientierungswechsel von links nach rechts soll seinen Übergang vom jüngeren Verwandten (Orientierung auf den Patriarchen) zu einem Heiratskandidaten (Orientierung auf Rahel) anzeigen. Die andere Umstellung betrifft die Protagoni*stin*. Rahel erscheint das zweite Mal unten rechts vor der Öffnung des Hauses, als personales Ziel der herannahenden Gruppe aus Vater, Mutter und Jakob. Sie steht dort in Vertretung ihrer Mutter, die oben an dieser Stelle zu sehen ist und die im unteren Bildstreifen als Kontrastfigur zu ihrer Tochter am linken äußeren Rand postiert ist. Diese Anordnung, die durch den Haltungskontrast von Statik (Mutter) und Dynamik (Tochter) unterstützt wird, soll als vorausdeutender Kommentar gelesen werden: Bevor noch die langwierige Anwartschaft des Jakob anfängt, »läuft alles darauf hinaus«, daß Rahel die Erwählte, die Mutter des Hauses Israel sein wird. Ein weiterer Versuch also, am Material der kleinen Heilsvollendungen die »Evidenz und Ausdruckskraft« (evidentiam expressionemque)[250] zu erreichen, die sich für Augustinus aus der Klammer von Verheißung und Erfüllung ergibt.

Das übernächste Feld (L 11; Taf. 13) bringt dann die tatsächliche Erfüllung von Jakobs Wünschen; seine Komposition bestätigt unsere Lesart von L 9. Im oberen Register wiederholt Jakob in umgekehrter Richtung das Szenarium des Eingangsbildes: Diesmal ist er es, der von links und vom Feld und den Schafen kommend auf Labans Haus zutritt, vor dem sich außer dem Patriarchen dessen Frau und Rahel versammelt haben. Mit expressiver Geste fordert er den Lohn seiner langen Hirtendienste ein: Rahel. Darauf lädt Laban im unteren Streifen zur Hochzeitsfeier, und es findet die Vermählung des Paares statt. Die Bildprophezie der Schlußszene von L 9 hat sich damit erfüllt: In diesem Bild der Vereinigung treten zum ersten Mal die Brautleute zusammen auf und berühren einander. Und jetzt hinterfängt zum ersten Mal das »Haus« den Protagonisten, der vorher immer vor freiem Hintergrund, »unbehaust« auftrat.

Das zwischen diesen Feldern liegende Bild (L 10; Abb. 35) ist im unteren Teil zerstört. Das obere Register gibt zu erkennen, warum zwischen dem hoffnungsvollen, so gut wie schon kompletten Ende von L 9 und der schlußendlichen Verbindung von Rahel und Jakob in L 11 ein Aufschub eingetreten ist, ein Aufschub, der in biblischen Zeitmaßen 14 Jahre dauert. Die Bildredaktoren haben die erklärende Szene als Krisis inszeniert, als Ent-

*Abb. 35 Rom, Santa Maria Maggiore, Langhaus-Mosaik mit der Verabredung zwischen Laban und Jakob (L 10)*

scheidung und Reflexion über die Israel vorgehaltenen Heilsgaben. Die Mehrungsverheißung, haben wir gesagt, hat zwei Inhalte: die Sicherung der Nachkommenschaft und den Reichtum an Land und Herden. Das erste Heilsgut ist das Hauptthema der Erzählung vom Aufenthalt Jakobs bei Laban; das zweite erscheint bisher integriert: Wenn Rahel und Jakob jeweils von ihren Herden kommend auf das »Haus« zueilen, ist klar ausgedrückt, was Ausgangspunkt und was Ziel ist. Im Mittelbild L 10 wird dann die Gleichstellung der Werte bildgerecht thematisiert. Die Komposition besteht aus drei parataktisch aufgestellten Größen: im Zentrum Laban und die Frauen seiner Familie, rechts von der Mitte drei junge Männer mit Jakob an ihrer Spitze, links von der Mitte eine Herde mit ihrem Hirten. Um die narrative Transaktion zu verstehen, die hier vor sich geht, muß man die Positionswerte und die Gestik der Akteure in Beziehung setzen. Wie im ganzen Minizyklus sind es nur drei Figuren, deren Körpersprache zählt: Laban, Jakob und Rahel. Jakob geht am weitesten aus sich heraus, er adressiert die Mittelgruppe mit ausgestrecktem Arm und mit einer Schrittbewegung – letztere signalisiert, daß der Anstoß zu dieser Episode von ihm »ausgeht«, denn so ist dieses Motiv auch auf den beiden anderen Bildfeldern eingesetzt. Jakobs expressive Armbewegung, die vor neutralem Hintergrund erfolgt, wird von der Mittelgruppe auf zweifache Weise beantwortet. Sie findet ihre

Entsprechung in der Geste Labans, der diesen Impuls wiederholt und weiterleitet, auf das Hüten der Herde verweisend. Laban handelt damit gewissermaßen über den Kopf der vor ihm stehenden und deutlich kleineren Rahel hinweg, die mit dem ausgestreckten linken Arm Jakobs Bewegung entgegenkommt. Gleichwohl ist diese annehmende Geste im Vergleich zur ab- oder weiterweisenden Reaktion des Vaters mehrfach zurückgestuft und relativiert. Zunächst einmal erfolgt sie vor der Figurengruppe, also vor undeutlicherem Grund, dann ist es noch nicht der »richtige« Arm, der ausgestreckt wird – die wahre Vereinigung durch die »dextrarum junctio« findet erst im letzten Bildfeld statt –, und schließlich bleibt Rahels Gesamthaltung gespalten, denn mit dem Kopf wendet sie sich nicht Jakob zu, sondern zur Seite des neben ihr stehenden Vaters. Laban disponiert in dieser Situation über die Werte und damit über die Geschichte, daran läßt seine Positionierung gar keinen Zweifel. Der Patriarch ist bei seiner Familie, und von allen Beteiligten hält er die kürzeste Entfernung zur Herde, was übersetzt heißt: Er verfügt über die beiden Wertobjekte, die der Herausforderer, der jüngere Mann nicht hat. Diesen, den Brautwerber, der nur ein Ziel verfolgt, das »nahe« der Tochter des Patriarchen, verweist er darauf, daß es in dieser Geschichte zwei reale Heilsgüter gibt: den Besitz der Herden und den Besitz der Frau, und er bringt diese Werte in eine Reihenfolge, d. h. er macht Geschichte: erst die Herden, dann die Frau.

Ist diese Lesart akzeptiert, dann können wir uns vorstellen, daß das untere Register den gehorsam die Herden hütenden Jakob zeigt. Dies würde freilich implizieren, daß die Bilderzählung die zweite Komplikation der Textvorlage ausgelassen hat. Laban hat ja zwei Töchter und erreicht gegen die Abmachung und durch einen Trick, daß Jakob nach sieben Dienstjahren zuerst die ältere Lea und dann nach weiteren sieben Jahren Rahel angetraut wird. Wie diese doppelte Anwartschaft und die erste Verheiratung wider Willen in dem einen zerstörten Bildfeld untergebracht worden sind, kann man sich nur schwer vorstellen. Wahrscheinlicher ist im Sinn der bislang verfolgten Deutung, daß der Erzähler die Lea betreffende Episode ausgelassen hat, weil sie kein neues Strukturelement beisteuerte. Die als Komplikation an sich, aber auch durch ihren Inhalt wichtige Abmachung zwischen Laban und Jakob ist einmal wirkungsvoll in Szene gesetzt, und damit waren in einem Minizyklus von drei Mosaiken und acht Einzelszenen so gut wie alle relevanten Aspekte des Themas Familie angesprochen und in Erzählungen verwandelt: Ehe, Nachkommen, Verwandtschaft, Brautwerbung, Vertrag, Verheiratung, Familienbesitz und familiäre Arbeitsteilung.

Anders als in der Itala streben die Erzähler des Mosaikzyklus Thematisierung nicht durch antizipierende Verteilung von Attributen an; sie bevorzugen das modusgerechte Mittel der »kommentierenden Anordnung«. Wie in der Itala geht das nicht ohne Bild- bzw. registerübergreifendes Komponieren: eine elementare flächenbezogene Syntax, welche die Seite und das Bildfeld als ganzes aktiviert, ist die Voraussetzung dafür, daß Erzählen um des fortlaufenden Erzählens und um des Erzählgehaltes willen ganz wesentlich von der Realisierung von Positions- und Richtungssinnen lebt. Diese Feststellung widerspricht jener älteren Auffassung, die einseitig besagt, daß im Langhaus »nicht Elemente einer fortlaufenden Handlung«, sondern »isolierte biblische Situationen« gestaltet werden, »daß nicht eine materielle Verbindung auf der Grundlage der Zeit, sondern eine geistige, gedankliche Verbindung die Einzelheiten der Darstellung in ihrem Verhältnis zueinander ordnet und ihnen Einheit gibt«[251]. Ich kann hier nur wiederholen, was ich schon zur Itala gesagt habe: *Beide* Momente bestimmen das spezifische Profil christlicher Bilderzählung: Ereignismoment *und* Ergebnismoment, Gestaltung der Zeit *und* feste Perspektivierung auf ein Geschichtsziel hin. Das gilt für das Einzelbild wie für den Zyklus als ganzen.

Die Gewinnung des verheißenen Landes: »Alles traf ein«

Ich komme zu der gegenüberliegenden Serie mit den Helden Moses und Josua, die einen gänzlich anderen Charakter hat. An die Stelle der Familiengeschichte ist das Epos eines Volkes im Exil und auf dem Weg ins gelobte Land getreten. Statt Auseinandersetzungen zwischen Verwandten und Nachbarn kommt es zu militärischen Konflikten zwischen Völkern: »Von den 18 erhaltenen Bildfeldern zeigen 10 kriegerische Ereignisse. [...] *Der Sieg*, den die Anführer des nun zahlreichen Volkes mit Hilfe Jahwes über seine Feinde erringen, die es am Einzug in das gelobte Land hindern wollen – das ist das Hauptthema dieser rechten Bilderreihe.«[252] (Abb. 36) Anders gesagt und an den doppelten Inhalt des göttlichen Bündnisversprechens erinnernd: War das narrative Programm des ersten Kursus mit der Entfaltung des Themas Zeit, sprich Kontinuität, Geschlechterfolge, Fruchtbarkeit, Volkwerdung beschäftigt, so gehört der zweite Abschnitt vorrangig der Dimension des Raumes, der Gewinnung des verheißenen Landes, die am Ende wohl gebührend ins Bild gesetzt worden ist. Zwar sind die beiden abschließenden Bildfelder zerstört, aber wir können mit Sicherheit annehmen, daß ihre Themen aus den Schlußkapiteln des Buches Josua genommen wurden. Gegenstand des letzten erhaltenen Mosaiks (R 19) ist der Triumph, den Josua mit Hilfe Gottes gegen die fünf Könige der Amoriter erfochten hat (Josua 10, 16 ff.). Danach kommt es nur noch zu einer Kampfhandlung,

*Abb. 36 Rom, Santa Maria Maggiore, Langhaus-Mosaik mit der Schlacht bei Raphidim (R 10)*

in der vier namentlich genannte Könige an der Spitze eines »Kriegsvolks so zahlreich wie Sand am Meer« gegen die Israeliten antreten und geschlagen werden. Ich vermute, daß dieses Sujet im vorletzten Bild behandelt worden ist, denn es bildet ein sinnvolles Gegenstück zu jener ersten aller für die Israeliten siegreichen Schlachten, die Abraham gegen vier Könige bestritten hatte. Der Rest des Buches Josua ist Rückblick, Ausklang und vor allem Geographie: Was die Geschlechterlisten für die von der anderen Wand abgedeckten Bücher des Pentateuch waren, das ist am Ende von Josua die detaillierte Aufzählung der den einzelnen Stämmen und Stammesteilen zugewiesenen Ländereien. Alles spricht dafür, daß der Zyklus mit Szenen der

Gebietsverteilung einerseits (ähnlich der Trennung Abrahams von Lot) und mit Josuas Abschiedsrede und Tod andererseits endete. Er bindet zum Schluß das Volk neu an Gott, denn dieser hat seine anfänglichen Versprechungen wahr gemacht: »So gab der Herr den Israeliten das ganze Land in die Hand, wie er es ihren Vätern eidlich zugesagt hatte. Sie nahmen es in Besitz und siedelten sich dort an. Der Herr verschaffte ihnen ringsum Ruhe, wie er es ihren Vätern geschworen hatte. Keiner von ihren Feinden konnte sich ihnen gegenüber behaupten. Der Herr gab sie alle in ihre Gewalt. Keine von den guten Verheißungen, die der Herr dem Hause Israel gegeben hatte, blieb unerfüllt. Alles traf ein.« (Josua 21, 43-45)

Bemerkenswert ist die Konsequenz, mit der die Bilderzähler ihre Redaktion des biblischen Berichts vornehmen. Da ist zunächst hervorzuheben der souveräne Umgang mit der Einteilung der ersten Bücher der hebräischen Bibel. Der Zyklus setzt mit der Vätergeschichte in 1 Mos 12 ein und endet mit Josuas erfolgreicher Landnahme. Er bildet also, dem ursprünglichen Umfang dieses Literaturwerks vielleicht entsprechend, einen *Hexa-* und nicht einen Pentateuch, sein Programm ist nicht an Büchern, sondern am Geschichtsentwurf und an der biblischen Grundfigur von Verheißung und Erfüllung orientiert. Weiterhin und jetzt die Ausfüllung dieser Textredaktion betreffend: Stünde die Konzeption dieses Zyklus unter theologischen oder sakramentalen Vorzeichen, wie oft angenommen wird, dann wäre das Programm niemals an jenen einschlägigen Szenen vorbeigegangen, welche die *mysteria fidei* des Neuen Bundes vorbereiten, welche das Interesse an den Heilsmitteln über das Nachvollziehen der Heilsgeschichte setzen: Es fehlen z. B. das Mannawunder, das Goldene Kalb und die Eherne Schlange, die Prototypen einer am Neuen Testament ausgerichteten Lesart des Alten. Es muß allen Interpretationen, die eine zweite Ebene hinter dem *sensus historicus* annehmen, zu denken geben, was in einem anderen Zusammenhang zum Thema Vergleichbarkeit dieser Mosaikbilder mit den Illustrationen des Vergilius Vaticanus vor kurzem konstatiert wurde: »Gerade die im Bildschmuck des VV dominierende Sakralkategorie spielt nach Ausweis des erhaltenen Bestandes auf den Mosaiken in SMM keine Rolle: Auf die Wiedergabe von Ritualakten wie Opferszenen wurde offenbar weitgehend verzichtet.«[253]

Aber genauso wie scheinbar unverzichtbare Höhepunkte und theologisch besonders gewichtige Stationen werden ganze Bücher übersprungen. So fehlen die Sequenzen von 2 Mos 18 bis 4 Mos 13 und von 4 Mos 14 bis 5 Mos 34, welche die Übergabe der Gesetzestafeln, die Vorschriften und die äußerlichen Instrumente des Jahwekultes beinhalten. Der Zyklus unterschlägt diese in ekklesiologischer und sakramentaler Hinsicht so bedeutsamen Passagen zur Gänze, um mit dem Tod des Moses und der Fortsetzung seines

Auftrags durch Josua weiterzumachen, also unbeirrt das narrative Programm verfolgend, das Gott mit den Worten an Josua erneuert: »Du wirst Israel in dieses Land bringen, das ich ihnen eidlich zugesagt habe. Ich will mit dir sein.« Die Energien dieser Rhetorik der Erfüllung treiben den ganzen Zyklus vorwärts; von Theologie darf hier nur sprechen, wer, der Bibel folgend, den Heilssinn in der Geschichte findet, wer den Zyklus längs liest und nicht quer, auf den typologischen Einzelertrag hoffend.

## Bibelepik in Bildern

Eine solche Interpretation wäre längst etabliert, wenn die kunsthistorische Forschung das Parallelunternehmen der spätantiken Literatur, die christliche Bibelepik zum Vergleich herangezogen hätte. Dann wäre früh klargeworden, daß die Verpflichtung auf die wörtliche (Nach)Erzählung eine höchst anspruchsvolle und schulbildende Dichtungsart ebenso beschäftigte wie die narrativen Zyklen der altchristlichen Epoche. Der häufig geäußerte Verdacht, man habe nur den Bildern als einer »Bibel der Laien« das niedrige Vermittlungsniveau der wörtlichen Umsetzung zugewiesen, ist danach unhaltbar.[254] Für die im 4. Jahrhundert entstandene Bibelpoesie gilt nach Reinhard Herzogs bahnbrechender Untersuchung, daß sie mit dem Anspruch geschrieben ist, »die Bibel selbst vorzulegen«, und daß »die Deformierung [der biblischen Vorlagen] [...] nicht als Kommentar, sondern als Erzählung«[255] geschieht. Die allegorisierende Exegese, die im Westen ja überhaupt erst mit Hilarius von Poitiers, also nach 350, Fuß faßt, hat in den lateinischen Bibeldichtungen der hier interessierenden Epoche keinen Abnehmer gefunden; diese kannten das »Ausweichen in sekundäre Ebenen« nicht. Als Prudentius, der als Lyriker bekanntlich ein großer Allegoriker war, in den Jahren um 400 seine 48 Tituli auf einen typologischen Bilderzyklus schrieb, hielt er sich an den historischen Gehalt seiner Vorlage, von der die Forschung annimmt, daß sie nach Art des Zyklus von Santa Maria Maggiore disponiert war: 24 Szenen des Alten Testaments ebenso vielen aus dem Neuen gegenübergestellt, ohne Einzelabstimmung, ein weiteres Monument der En-bloc-Typologie.[256] Nur in neun Fällen und ganz unsystematisch wechselt der Dichter auf ein anderes Niveau als das wörtliche, so vor allem, wenn Zahlen sich zur Ausdeutung anbieten. Die Darstellung des Jordan-Durchgangs und des Mals aus 12 Steinen (Josua 3, 14 ff., vgl. Mosaik R 13 in Santa Maria Maggiore) kommentiert sein Titulus folgendermaßen: »Zur Quelle fließt mit zurückströmendem Wasser der Jordan, während er dem

Volk Gottes trockenen Boden zum Betreten läßt; Zeugen sind zweimal sechs Steine, die die Väter am Fluß selbst aufgerichtet haben als Symbol der Jünger.«[257] In den restlichen 39 Epigrammen bleibt Beschriftung Beschreibung – bei schon demonstrativ wirkender Umgehung exegetischer Möglichkeiten. Zum Bild des Manna-Regens dichtete Prudentius: »Von Engelsbrot sind weiß die Zelte der Väter. Sicherer Beweis für dieses Geschehen: es bewahrt ein goldener Krug seit damals das aufgesparte Manna: den Undankbaren kommt eine zweite Wolke, und die Fleischhungrigen sättigt eine Schar von Wachteln.«[258]

Der weitgehende Verzicht auf Exegese heißt nun nicht, daß keine Umformung der Vorlage stattfindet. Romanisierung, Entjudaisierung, Christianisierung[259] – diese drei ineinander greifenden Verfahren der Aneignung, die wir schon aus den Buchillustrationen kennen, sind auch hier am Werk, im literarischen genauso wie im bildlichen Übersetzungsmedium. Die Sprache, der Formenapparat, die Realien sind die römischen. Das Unverständnis und das Tendenziöse einer anderen Kulturepoche arbeiten bei der Rezeption und Umfärbung eines uralten Textes nur schwer trennbar Hand in Hand: Wenn in der Itala auf fol. 2 r ein römisches Trankopfer an die Stelle des jüdischen Brandopfers tritt, dann verwandeln sich auf den Mosaiken die Nomadenzelte der Israeliten in »tabernacula«, in feste Gebilde mit ziegelgedeckten Giebelhäuschen, wie sie als römische Soldatenbaracken in Gebrauch waren[260] – die Philologie und die christliche Archäologie haben einen reichhaltigen Katalog solcher Romanismen und Christianismen zusammengestellt. Herzog ist einen Schritt weitergegangen und hat unter dem Stichwort »Applanierung« das »Abstreifen der historischen Kontingenz« als »Enthistorisierung« verstanden und diese wiederum als das Signum einer größeren Umformungstendenz gelesen, die für ihn das Eigentliche der christlichen Dichtung ausmacht; er spricht von der »erbauliche[n] Durchdringung der Handlung« des Alten wie des Neuen Testamentes. Applanierung oder Abschattung hat dann die Funktion, die Vorlagen zum Hintergrund reliefhaft vorgetriebener Andachtsobjekte zu reduzieren.[261]

Was die Bibelrezeption der Langhausmosaiken anbelangt, sehe ich das anders, in einem zweifachen Verständnis anders. Die konsequente *interpretatio Romana* und die Einziehung eines christlichen Geschichtshorizontes müssen wir nicht nur als Übersetzungshilfe, sondern im gegebenen Fall auch als Aufforderung zur Applikation, zur Aktualisierung des historischen Materials begreifen. Ich zitiere noch einmal Deckers: »Im Israel der Mosaiken ist nicht mehr das semitische Nomadenvolk gemeint. Hier feiert das römische Volk einen Sieg, der siegverleihende Jahwe ist zum römischen Gott geworden, das ›auserwählte Volk‹ ist jetzt das Volk von Rom.«[262] Diese Sichtweise kann sich auf die Predigten Papst Leos d. Gr. berufen, der zur Zeit ihrer Entstehung dem Stifter der Mosaiken als Sekretär diente: »Abraham wurde der Stammvater aller Völker, und in seinem Samen wurde der Welt der verheißene Segen zuteil. Nicht nur jene haben als Israeliten zu gelten, die es mit Fleisch und Blut sind, sondern alle an Kindes Statt Angenommenen gelangen in den Besitz des für die Kinder des Glaubens bestimmten Erbteils.«[263] Dieses neue und erweiterte »Volk Gottes« aber, so apostrophiert es die Widmung am Triumphbogen, die »plebs per saecula« und ihre weltlichen und geistlichen Lenker sind dringend auf einen »neuen Bund« im Himmel wie auf Erden angewiesen – die Daten kennt man: 395 brechen die Westgoten unter Alarich in Italien ein; 410 plündern sie Rom; 430, kurz bevor die Mosaizisten in Santa Maria Maggiore die Arbeit aufnehmen, stirbt Augustinus in Hippo während der Belagerung seiner Stadt durch die Wandalen, die wenig später die Herrschaft in Nordafrika an sich reißen. Das »glissement«, von dem Françoise Monfrin[264] in ihrer an Deckers angelehnten Interpretation des Zyklus spricht, das Gleiten von den Geschichten aus biblischer Zeit zu den Realitäten Roms im 5. Jahrhundert, es findet an vielen Stellen statt. Möglichkeiten der Anwendung gibt es überall, schon im ersten Bild: Abrahams Feinde sind die »Heiden«, hier prototypisch die Könige Persiens und Babylons, die die Völker des Jordantals mit Krieg überziehen. Sie sind Ergebnis des Völkerchaos, des neuen Durcheinander und Gegeneinander der Völker nach der Sintflut und dem Bau des Turms von Babel ...

Geschichtssummarien: »Denk an die Tage der Vergangenheit!«

Weitergehend würde ich gegen die These einer Enthistorisierung die Behauptung setzen wollen, daß konsequente *interpretatio christiana* bzw. *Romana* in Zusammenarbeit mit »Hintergrundsreduktion« möglicherweise das genaue Gegenteil von Enthistorisierung erreichen, nämlich eine Historisierung des Materials, welche die großen Perspektiven und Geschichtsbewegungen anschaubar macht. Dabei werden nicht nur Lokal- und Zeitkolorit des Quellentextes gestrichen, sondern auch sein äußerst aufhaltsames Referat radikal auf bestimmte Stadien und Themen des Geschichtsprozesses reduziert. Schon die Redaktoren des Pentateuch haben sich selbst immer wieder gezwungen, Kurzversionen der Gesamterzählung einzuschalten – das sind die berühmten und in ihrem Alter umstrittenen Summarien[265], von denen ich 5 Mos 26, 5-10 zitiere: »Mein Stammvater war ein umherirrender Aramäer. Er zog mit wenigen Leuten nach Ägypten als Fremdling und wurde dann zu einem großen, starken und zahlreichen Volk. Die Ägypter aber mißhandelten und bedrückten uns und legten uns harte Arbeit auf. Da riefen wir zu Jahwe, dem Gott unserer Väter. Jahwe erhörte uns und sah unser Elend und unsere Mühsal und Bedrückung. Da führte er uns heraus aus Ägypten mit seiner starken Hand und dem hocherhobenen Arm unter großen Schrecknissen, aber unter Zeichen und Wundern. Er brachte uns an diesen Ort. Er gab uns dieses Land, ein Land, das von Milch und Honig fließt.« Man vergleiche damit, wie eine entsprechende Epitome des Alten Testaments aus christlicher Sicht noch stärker das Motivierte der Heilsgeschichte betonen kann: »Durch Glauben gehorchte Abraham dem Ruf, in ein Land zu ziehen, das er zum Erbe haben sollte, und er zog aus, ohne zu wissen, wohin der Weg ging. Durch Glauben siedelte er in das Land der Verheißung, in ein völlig unbekanntes Land über und lebte mit Isaak und Jakob, den Miterben der Verheißung, in Wanderzelten. [...] Im Glauben empfing auch Sara die Kraft, trotz ihres Alters Mutter zu werden, weil sie den für treu erachtete, der ihr die Verheißung gegeben hatte. Darum stammen von dem einen, der seine Zeugungskraft bereits verloren hatte, viele Nachkommen ab [...].« (Hebräer 11, 8 ff.; ein insgesamt 40 Verse umfassender Überblick über die Heilsgeschichte, soweit sie im Alten Testament erzählt wird.)[266]

An einer Stelle nimmt der Zyklus »wörtlich« Bezug auf die hier anvisierte Gattung der Geschichtsabrisse und zwar im Feld R 12 a (Taf. 10), welches Moses in einer Art Adlocutio-Situation zeigt: Er steht erhöht über einer Gruppe von Israeliten und präsentiert ihnen einen Codex. Der szenische Kontext – es ist dies die letzte Episode vor dem Tod des Moses – verweist uns auf das 31. Kapitel des Buches Deuteronomium, das von einer abschließenden Theophanie und vom »Testament« des Gottesmannes handelt, welches besser als das »Lied des Moses« bekannt ist.[267] In einer Art Spiegelszene geht dieses Leben zu Ende: Noch einmal spricht Gott zu seinem Knecht vom Bund und seinen Verheißungen, aber auch vom kommenden Abfall des Volkes Israel und seiner Bestrafung. Und wieder diktiert Gott eine »Urkunde der Weisung«, damit Moses diese zur Warnung und Erinnerung den Ältesten vortrage. Die Verkündigung dieses »Gesetzes« und »Testamentes« ist das Thema des Mosaikfeldes. Es dient auch als Ersatz für die im Zyklus nicht ohne Bedacht ausgesparte Szene der ersten und eigentlichen Gesetzesübergabe, welche mit der Vorstellung von der Gesetzesfreiheit des Christen kollidiert. Denn mit einigem Recht kann man die Redaktion des Mosaikzyklus eine Paulinische nennen: Wie der Lehrer der Heidenkirche macht sie einen Bogen um das »Gesetz«, welches durch Christus seine Autorität eingebüßt hat, und profiliert statt dessen die »Glaubensgerechtigkeit« der Patriarchen und der Führer Israels. Das »Lied des Moses«, das in dem dort vorgewiesenen Codex Gestalt angenommen hat, enthält ein Gotteslob und entwickelt ausführliche prophetische Schilderungen der Frevel Israels und der Strafen Gottes. Zwischen diese Abschnitte ist eine Rekapitulation von Gottes Wirken für Israel eingeschaltet, welche dem in der Wüste darbenden Volk ein geradezu von bukolischen Phantasien strotzendes Bild entwirft. Das ist das Material, aus dem die Hirtenszenen der anderen Seite gemacht sind. Ich zitiere nur wenige Auszüge: »Denk an die Tage der Vergangenheit, lerne aus den Jahren der Geschichte! Frag deinen Vater, er wird es dir erzählen, frag die Alten, sie werden es dir sagen. [...] Der Herr nahm sich sein Volk als Anteil, Jakob wurde sein Erbland. Er fand ihn in der Steppe, in der Wüste, wo wildes Getier heult. Er hüllte ihn ein, gab auf ihn acht und hütete ihn wie seinen Augenstern. [...] Er führte ihn auf die Berge des Landes, er nährte ihn mit den Früchten des Feldes, er stillte ihn mit Wein aus den Felsen, mit Öl aus Felsspalten. Mit Butter von Kühen, Milch von Schafen und Ziegen, dazu kam Fett von Lämmern, von Widdern aus Baschan und von Ziegenböcken, dazu Feinmehl aus Weizen.« (5 Mos 32, 7 ff.)

Ein Geschichtskompendium in zwei Teilen also und mit etwas anderen Akzenten hat die Langhausdekoration von Santa Maria Maggiore zusammengestellt. Schon die redaktionelle Entscheidung des Mosaikprogramms für den *Hexa*teuch verrät die sinngemäße Lesart der Vorlage.[268] Alles andere haben wir bereits angesprochen: den programmierenden Auftakt, die Umstellungen, die Selektion, die Zweiteilung, die Thematisierung, die Positionierung, zusammengefaßt: das Sich-Einlassen auf einen Geschichtsbericht, der nicht nur Vorlauf und Vorbereitung sein soll, sondern sein eigenes Recht und seine eigene Schlüssigkeit hat. Diese Stärkung – und vor dem Hintergrund einer ganz anders motivierten Bibelexegese muß man sagen: diese Rettung – des historischen Sinns hat in weiterer Hinsicht den Effekt, daß so und nur so eine anschauliche Differenz zum zweiten Teil des Programms entsteht und damit ein konstruktiver Beitrag zu einer großen Verweisungsstruktur geleistet wird.

Die Triumphbogenmosaiken: »Geschichte, ... entrückt in die ewige Geltungssphäre des Glaubens«

Daß am Triumphbogen die andere Hälfte der Narration in das Schwerefeld eines thematischen Interesses gerät, ergibt sich schon aus der topologischen Zugehörigkeit dieses Bauteils zum Sanktuariumsbezirk: »Apsis und Triumphbogen bilden zusammen ein Ganzes.«[269] In Santa Maria Maggiore

wird diese Beziehung dadurch dingfest gemacht, daß die Bildsprache über-
gangslos in den Modus des Zeichens wechselt. (Abb. 37-39) Es gehören
zusammen die Dekoration der Fußpunkte mit den Stadtabbreviaturen von
Jerusalem und Bethlehem samt Schafen vor den Toren und im Bogenschei-
tel, über der Stiftungsinschrift des Papstes Sixtus (Xystus Episcopus Plebi
Dei), der leere Thron der Apokalypse mit dem Zeichen der Zeichen, der
*crux gemmata*, akklamiert von den Aposteln Petrus und Paulus sowie den
kranztragenden apokalyptischen Tieren. Was die vielfach hervorgehobene
Komposition im Lichtbogen anbelangt, so kann man sich wohl kaum eine
stärkere Verdichtung von Zeichen vorstellen. Außer den schon erwähnten
Elementen Thron und Kreuz bündelt dieser Fokus an weiteren Symbolen:
das goldene, juwelenverzierte Diadem, den Fußschemel und auf ihm liegend
die Rolle mit den sieben Siegeln – Zeichen, die auf *noch* Unsichtbares hinweisen. Der leere Thron und das mit sieben Siegeln verschlossene »Buch«,
das Triumphkreuz und die Krone thematisieren den Zeitensprung, der zwischen der ringsum ausgebreiteten *historia divina* und der endzeitlichen
»Herrlichkeit« zu denken ist. Vergangenheit, so aktuell oder überzeitlich sie
auch aufgefaßt wird, hier wird sie konfrontiert mit den Repräsentanten
einer Seinsweise der schieren Potentialität, des reinen *esse in futuro* – letzteres eine Formulierung von Peirce, der für seine Zuordnung des Zeichen-
typus Symbol zum Futur keinen schöneren Beleg hätte finden können. Aus
diesem Material der Transzendentalia hat man in frühchristlicher Zeit ganze
Apsisprogramme bestritten; warum unsere Mosaiken all das in komprimierter Form schon am Triumphbogen vorwegnehmen, ist schwer zu
sagen. Einige Forscher haben die interessante These vorgetragen, die
Throndarstellung nehme den Platz der fehlenden Geburtsdarstellung ein,
die zweite Parusie würde also die erste mitvertreten.[270] Auf jeden Fall wurde so eine Art »thematisches Visier« geschaffen, das die Wahrnehmung der
dahinter, als Apsisdekoration erscheinenden repräsentativen Szene vorbereitete und justierte. Und wir werden darauf hingewiesen, daß für die
Geschichtserzählung nun andere Gesetze als die eigenen gelten. Bevor ich
zu diesem Thema übergehe, ist es wichtig, auch des verlorenen Ausstat-
tungsteils, der Mosaiken der inneren Westwand, zu gedenken.[271] Diese
Position, die später aus einem anderen Grundverständnis heraus mit Darstellungen des Jüngsten Gerichtes besetzt wird, ist in der frühen Zeit der
Kirchendekoration eher als eine Art zweiter Apsis oder Triumphbogen verstanden worden, wodurch der Effekt entsteht, daß die Szenenfolgen der
Langhauswände an beiden Enden mit repräsentativen Kompositionen konfrontiert werden. Dem Titulus zufolge war an der inneren Fassade eine Darstellung der thronenden Maria mit dem Kinde und Kränze darbringender
Märtyrer zu sehen – ein Thema wie geschaffen für eine Apsis, was auch

*Abb. 37 Rom, Santa Maria Maggiore, Triumphbogen-Mosaik, linke Hälfte mit Verkündung an Maria und Joseph, Anbetung der Magier, Bethlehemitischer Kindermord, Jerusalem*

einige Forscher veranlaßt hat, die Inschrift auf das andere Ende des Ausstattungsprogramms zu beziehen, wofür aber wenig spricht.

Auf dem Triumphbogen haben nur sechs Haupt- und zwei Nebenszenen Platz gefunden.[272] Im obersten und prominentesten Register geht links eine Verkündigung vonstatten, wie man sie sich zeremonieller und großartiger nicht denken kann; rechts erfolgt eine ebenso figurenreiche Darbringung im Tempel. (Taf. 11; Abb. 37-38) Beide Szenen werden um eine Nebenaktion bereichert, die jeweils Joseph und einen der vielen Engel zusammenführen. Links wird der Nährvater über die Umstände der bevorstehenden Geburt durch Maria aufgeklärt; rechts empfängt er den Befehl, nach Ägypten zu fliehen. Die Szenen dieses Registers verbindet der Ge-

*Abb. 38  Rom, Santa Maria Maggiore, Triumphbogen-Mosaik, rechte Hälfte mit Darbringung und Traum des Joseph, der hl. Familie in Ägypten, Herodes und die Magier, Bethlehem*

danke, daß in ihnen der Gottessohn verkündet und von den Vertretern des Judentums anerkannt wird, links von Maria und Joseph, rechts von Simeon und Anna. In der Zone darunter sind zwei Huldigungsszenen dargestellt: links nähern sich die drei Könige dem inmitten seines Hofstaates thronenden Christuskind; rechts wird die Heilige Familie und ihr englisches Gefolge ebenso ehrerbietig in Ägypten von Aphrodisius, dem Herzog von Sotinen, empfangen. Hier wird also zweimal Christus »als Sohn Gottes und König der Juden von den Vertretern des Heidentums anerkannt«[273]. Und im untersten und schmalsten Register stehen sich gegenüber der Befehl zum bethlehemitischen Kindermord (links) und die Könige bei Herodes. Das gemeinsame Thema ist diesmal die Feindschaft und die Ohnmacht der ungläubigen Juden angesichts des neuen Königs und Messias.

Im Gegensatz zu den festgerahmten Bildfeldern des Langhauszyklus, bei denen ein- und zweistreifige Dispositionen alternieren, wird der Triumphbogen in durchlaufenden Registern ohne Szenentrennung bebildert. Eine chronologische oder gar kontinuierliche Szenenfolge kann so nicht entstehen. Wer sich am frühesten Ereignis, an der Verkündigung oben links, orientiert, wird beim Weiterlesen nach unten enttäuscht: die Anbetung der Könige kommt vor dem Besuch der Magier bei Herodes, und der wieder kommt erst nach dem Kindermord und der Flucht nach Ägypten etc. »Die Reihenfolge ist nicht recht klar, aber so viel ist klar, daß die Verteilung der Einzelszenen [...] ihrem Zeitverhältnis absichtlich zuwiderläuft. Der innere Gleichklang verwischt die Verschiedenheit der einzelnen Schauplätze und versetzt gewissermaßen die Begebenheiten gedanklich in eine und dieselbe Gegend; desgleichen macht die schwankende und häufig verkehrte Abfolge sie zeitlos beziehungsweise gleichzeitig. Diese Erzählungsweise verzichtet überhaupt auf verstandesmäßige Nachprüfbarkeit und auf das Einmalig-Individuelle der historischen Tatsache. Über allem verwickelten Beziehungsreichtum des Zyklischen steht die Wirklichkeit der Glaubenssätze; es ist Geschichte, aber entrückt in die ewige Geltungssphäre des Glaubens.«[274] Bettini kommt zu dieser treffenden Charakterisierung, ohne anzutönen, was die Interpreten, angefangen bei Francesco Bianchini im frühen 18. Jahrhundert, gemeinhin beschäftigt hält: die Diskussion der Frage nämlich, ob man die Mosaiken der Triumphbogenwand als ein visuelles Manifest über den zentralen Lehrsatz des gerade vergangenen Konzils von Ephesus (431) auffassen müsse, der den Status Mariens als *Theotokos* oder *Dei Genitrix*, als Gottesgebärerin festlegte, als menschliche Mutter eines menschlich/göttlichen Sohnes.[275] Was hieße, daß in den erzählenden Bildern nicht nur der zu erwartende Tribut an die Titularheilige entrichtet, sondern daß hier, wie Bianchini schreibt, die »Novi Testamenti oracula dogmatum«[276] eröffnet würden.

Ich möchte aus meiner Perspektive nur einen Gedanken beisteuern, der den Modusaspekt betrifft. Wenn das Programm eine konziliare Lehrwahrheit illustriert, dann bedient es sich weder des Mediums Schrift noch des Mediums Bildzeichen. Beide figurieren zwar prominent am Triumphbogen, aber sie fördern das Anliegen des Ephesinum nicht einen Schritt weiter. Die spätere Ikonographie zum Thema Konzil und Dogma beruht dagegen ganz auf diesen beiden Äußerungsformen – ich verweise darauf, daß die Glaubensbekenntnisse, die ihre Formeln wesentlich aus konziliaren Beschlüssen schöpfen, in der lateinischen und griechischen Kirchensprache »Symbolum Apostolicum« genannt werden. In der Geburtskirche von Bethlehem waren

z. B. auf beiden Seiten des Langhauses Mosaiken eingelassen, welche die Entscheidungen von sieben Provinzialsynoden und sieben ökumenischen Konzilien festhielten. Der in Griechisch gegebene Text der Hauptformeln war jeweils in den Rahmen eines abbreviierten Kirchengebäudes eingetragen, einer im Querschnitt dreischiffigen Anlage, in deren Mitte interessanterweise ein Altar mit der Heiligen Schrift stand.[277] Wenn also die Absicht des päpstlichen Auftraggebers dahin ging, einem Dogma zur Anschauung zu verhelfen, dann bediente er sich nicht der Schrift, nicht der Symbole, sondern des »argumentum historiae«. Was voraussetzt, um diese Formulierung Bianchinis weiterzudenken, daß die Grundlagen für ein argumentierendes Erzählen geschaffen waren, daß so etwas wie eine Rhetorik und Moduslehre der Bilderzählung zur Verfügung stand, vergleichbar dem Versuch des Augustinus, der in »De doctrina christiana« die Lehre der drei Stilhöhen für die Zwecke der christlichen Didaxe umgeschrieben hatte. Allerdings darf man den Unterschied beider Ansätze nicht unterschlagen: Während der Kirchenvater zum ersten Mal die Wahl der Stilart von den Stoffen löst und von den Wirkungsabsichten des Autors abhängig macht, bleibt die Stilwahl der Bilderzähler, wie jetzt schon abzusehen, stoffgebunden. Primär war die Entscheidung, den linearen Zusammenhang aufzugeben und einen anderen »Beziehungssinn« zwischen ausgewählten Erzähleinheiten zu stiften. Zu diesem Zweck mußte die Disposition der Bilder mit der Struktur des Bildträgers abgestimmmt und aussagefähig gemacht werden. Das ist wohl die Voraussetzung für jegliches Argumentieren in Bildern, das den Sinneffekt des Nebeneinander als Nacheinander überschreiten will.

Der horizontale Aufbau der Wand nach Registern wurde zur Ausformulierung thematischer Einheiten genutzt – die Sujets der drei Streifen gehören, wie gezeigt, sinngemäß zusammen. In vertikaler Hinsicht macht sich die Symmetrie der Triumphbogenwand in der Parallelisierung der beidseitigen Positionen geltend – die Entwerfer waren sichtbar bemüht, zu den inhaltlich abgestimmten Sujets auch Analogien in Konfiguration und Szenenaufbau zu finden. Für beide Zwecke gelang ihnen dies nur, indem sie auf apokryphe Texte zurückgriffen und für die kanonisch verbürgte Anbetung der Könige ein Gegenstück in der Legende vom fürstlichen Empfang der Familie in Ägypten fanden. Ein Bildprogramm, das sicher selten, wenn nicht einzigartig ist, bedenkt man den offiziellen, vom Papst quasi mit seinem Imprimatur versehenen Charakter dieser Mosaiken und stellt man sich weiterhin vor, daß apokryphe Handlungsmomente die Erzählung hier einmal nicht ausschmücken und flüssig gestalten, sondern ein Dogma, zumindest ein thematisches Statement bekräftigen helfen.

Der Parallelismus, der vor allem für die beiden oberen Register gilt, kommt deswegen so überraschend, weil er einzig und allein der Korrelation von Erzähleinheiten aus der Zeit *sub gratia* dient. Das hier angewandte Verfahren der sorgfältigen Einzelabstimmung von Szenen zu Situations- und Formreimen ist schließlich als das klassisch typologische bekannt und dient normalerweise der Relationierung der Typen und Antitypen beider Testamente. Was wir hier dagegen beobachten, gehört zu einem Kapitel der Geschichte des Erzählens, von dem ich annahm, daß es erst viel später aufgeschlagen würde – im frühen 13. Jahrhundert –, und das ich Binnentypologie genannt habe.[278] Gemeint ist damit ein Verfahren, das zwei Stränge ein und derselben Geschichte aufeinander abstimmt. Während aber die klassische Applikation der Binnentypologie kontrastive Bildpaare zusammenführt, etwa Erzähleinheiten nach gut und böse unterscheidend, geht es in diesem frühen Fall um Facettierung und inhaltliche Ergänzung: Wenn im obersten Register Maria und Joseph links und Simeon und Anna rechts die Gottessohnschaft Christi anerkennen, dann sind in diesen zwei Männern und zwei Frauen »jedes Alter und beiderlei Geschlecht« repräsentiert, wie Ambrosius im Lukas-Kommentar ausführt.[279]

Binnentypologie heißt übertragen, daß ein derart in sich angereicherter und verspannter Geschichtsbericht des Neuen Testaments auch ohne den *consensus* (Bianchini) des Alten auskommen kann, oder anders gesagt, daß er wie dieser seinen eigenen Modus der Erfüllung hat. Ich schließe hier an das zur Itala Gesagte und die Lugowski entlehnte Begrifflichkeit an. Am Anfang der Itala-Illustrationen zu 1 Sam 10 und am Anfang beider Erzählkomplexe in Santa Maria Maggiore (wenn es denn am Triumphbogen einen Anfang gibt) steht jeweils eine Verheißung. Im Fall der Verkündigung an Maria lautet sie mit den Worten Gabriels: »Du wirst guter Hoffnung werden und einen Sohn gebären. Ihn selbst sollst du Jesus nennen. Er wird ein Großer sein und ein Sohn des Höchsten genannt werden. Ja, Gott der Herr wird ihm den Thron seines Vaters David geben. Er wird für alle Ewigkeit König sein über das Haus Jakobs, und seine Königsherrschaft wird kein Ende haben.« (Luk 1, 31 ff.) Die Erfüllung dieser Zusagen geschieht anders als im Langhaus, wo Gottes Heilsplan viel Zeit braucht, nicht sukzessiv, sondern unmittelbar. Der Überbringer der Botschaft und des Segens, der Erzengel Gabriel, fällt an Größe und szenischem Gewicht deutlich zurück hinter seine vier Kollegen, die Gardeengel, die Maria aufwarten und in gestischem Kontakt zu ihr stehen, während der Engel der Verkündigung so gut wie unbemerkt von oben heranschwebt. Die Gardeengel tauchen überall dort auf, wo auch Christus vorhanden ist; sie zeigen also schon für dieses, nach menschlichen Begriffen pränatale Stadium der Geschichte an, daß der verkündete König, als dessen Wache und Attribut sie fungieren, bereits anwesend, bereits inkarniert ist, daß das markante Futur der menschlichen Sprache, derer sich der Engel bedient, dieses »Du wirst – Er wird« in der

Wirklichkeit der *mysteria fidei* ein Präsens ist, vom zeitlosen Sein spricht. Insofern kann man auch verstehen, daß auf die Geburtsszene, die sich im übrigen durch kein Gegenstück paaren ließe, so demonstrativ verzichtet wurde.

Die Gardeengel sind nur die auffälligsten Verkörperungen jener Tendenz, die wir mit Lugowski »Orientierung am Ergebnismoment« oder »resultathaften Stil« genannt haben. Sie läßt natürlich auch die Protagonisten der Erzählung nicht aus. Die Maria der Verkündigungsszene hält als wenig überzeugenden szenischen Überrest die Spindel der Tempeljungfrau, erscheint aber schon in der Tracht der *vir clarissima*, der Senatorin im Triumphalgewand mit Diadem und Perlenhalsband, als der Engel ihr erst die Botschaft überbringt. Der ihr verheißene und in den genannten Attributen bereits präsente Sohn braucht keine Zeit, um aufzuwachsen: Er ist schon ein kleiner König, wenn die Magier ihn aufsuchen und ihm die drei Gaben überbringen, welche die frühchristliche Bibeldichtung als an die drei Naturen seiner Existenz gerichtet denkt: »Thus, aurum, mirrham, regique, hominique Deoque/Dona ferunt« heißt es bei Iuvencus merkvershaft.[280] Mit diesen Erscheinungsweisen »thematischer Überfremdung« ist für die Interpreten, die das Entwicklungsgesetz der christlichen Kunst auf einen »transzendenten Ausdrucksstil« festlegen, das Telos erreicht. Im Sinne der Enthistorisierungsthese schreibt etwa Friedrich Mehmel zu einem Vergleichsfall, zu Paulinus von Nola und seiner Paraphrase der Verkündigungen an Zacharias und an Maria: »Sie sind herausgehoben wie aus dem lebendigen Geschehen so aus der Menschlichkeit und werden uns gezeigt als Gestalten in einer festen geistigen Situation: Maria zuerst im *pudor virginis*, dann im Glauben, Zacharias als verdienstvoller Diener Gottes, dann in Unglauben und Zweifel − hier besonders [...] sieht man, wie in dieser Welt augenblickliche, einmalige Handlungen keinen Platz haben, vielmehr zu zeitloser bildhafter Haltung verabsolutiert werden und die Menschen nichts als durch sie charakterisierte › Gestalten ‹, Träger einer solchen Haltung sind.«[281]

Langhaus- und Triumphbogenmosaiken: »res gestae« und »documentum«

Gegen diese Auffassung ist nur ein Einwand, allerdings ein entscheidender, zugelassen: Die Triumphbogenmosaiken sind Teil eines größeren Argumentationszusammenhanges. Auch ihre binnentypologische Verklammerung darf nicht davon ablenken, daß sie ein beträchtliches Mehr an Sinn und Spezifik erst dadurch erreichen, daß sie ihre Gemeinsamkeiten und Differenzen mit den anderen Bildkomplexen aktivieren. Zu den Gemeinsamkeiten zuerst. Die Stadtabbreviaturen an den Fußpunkten des Bogens, die zwei Apostel und die jeweils zwei Evangelistensymbole zu beiden Seiten des apokalyptischen Throns, dieses paarweise, symmetrische Disponieren macht die symbolisch-thematische Aussageform zur Partnerin der narrativ-thematischen am Triumphbogen. Die Ähnlichkeit fungiert ja an sich, wie schon im zweiten Kapitel dargelegt, als das Erkennungsmerkmal und das regulierende Prinzip der thematischen Ordnung. Doch auch im historischen Modus des Langhauses gelingt eine entfernt vergleichbare Konzeption. Hier wird ein sehr viel umfangreicheres Material zu zwei Geschichtssträngen ausformuliert, die sich als Auslegungen der beiden zentralen Inhalte des Bundesschlusses zwischen Gott und dem auserwählten Volk interpretieren lassen. Es kommt zwar nicht zu irgendeiner Art von syntaktischer Korrespondenz oder Differenz der beiden Bilderreihen, aber die oppositionelle Struktur des Baukörpers wird durch eine saubere Zweiteilung und inhaltliche Programmierung des historischen Kursus aufgegriffen. So kann man sagen, daß alle drei Aussagemodi, die erzählende und die argumentierende Historie nicht anders als der thematische Modus mit seinen Repräsentanten und Zeichen mehr oder minder stark systematisch konzipiert sind.

Soweit die Gemeinsamkeiten. Der Gegensatz zwischen den Symbolen und den beiden Typen von Narration ist so evident, daß er nicht weiter ausgeführt werden muß. Was hingegen die erzählenden Komplexe anbelangt, so fallen zwei Unterschiede zuerst ins Auge: die verschiedene Größe der Akteure und die ganz andere Art der Erzählungsform. Ein Erzählen in ungerahmten Bildstreifen, die sehr weit ausgezogen werden, ist wirkungsvoll gegen ein Erzählen gesetzt, das in hochrechteckigen, kompakten Feldern vor sich geht, die alternierend als Vollbilder und als zweistreifige Kompositionen eingerichtet sind. Dieser Wechsel ist an sich bedeutsam, denn er läßt sich nicht auf die quantitativen Erfordernisse der berichteten Vorgänge zurückführen. An sich betrachtet, besagt er: Geschichte als Kursus ist eine teilbare und formbare Materie, sie kann verdichtet oder zu kleinen Sukzessionen aufgelöst werden. Dann müssen sich nicht nur die Bildfelder, sondern auch ihre Protagonisten teilen, wie es der berühmte Einsatz kontinuierenden Erzählens in Bildfeld L 2 mit sich bringt, wo Abrahams siamesische Doppelgestalt nach links Sarah Anweisungen bezüglich der Speisen erteilt und nach rechts dieselben seinen Gästen serviert. (Taf. 9) Ein divisiver Zugriff auf eine Hauptfigur, wie er am Triumphbogen ganz undenkbar wäre.

Mit Bedacht haben die Erzähler dafür gesorgt, daß wir zwischen den zwei Geschehensarten des Aktes und der Aktion differenzieren. Auf dem Triumphbogen geht es statiös und feierlich zu: Handlung verwandelt sich in »Haltung« (Mehmel), in »feierliche Auftritte«, in »Szenen mit statischer Tendenz«; wir erkennen hier die Merkmale wieder, die Hölscher an der staatlichen Repräsentationskunst und ihrem »zeremoniellem Ereignisbegriff« festgestellt hatte. Die bevorzugte Ansicht der Protagonisten ist die frontale, von der Riegl sagte, daß sie »die Figuren in ihrer objektiven Wesenheit« fixiert; Überschneidungen, Diagonalen werden vermieden; die rhetorische Qualität *gravitas* gibt den Ton an. Ich will nicht unterschlagen, daß sich in den Langhauszyklen ähnliche Tendenzen manifestieren, z. B. in den zahlreichen Szenen des Triumphes. Aber was hier dennoch an vorwärtstreibenden und antagonistischen Energien aktivierbar bleibt, erkennt man sogleich an der ersten Komposition, an diesem wahrhaft szenischen Auftritt von Abraham und Melchisedek, obwohl sie als Begegnungsszene demselben Typus angehört, den wir in sieben von acht Fällen auf dem Triumphbogen verwirklicht finden, und obwohl sie noch den großfigurigen Stil des Triumphbogens fortsetzt, so als würde eine Schreibhand sich nicht gleich auf einen Formatwechsel umstellen können. Tatsächlich geht es aber hierbei, wie wir gesehen haben, um eine programmatische Einleitung, also um Geschichtsbilder unter hohem thematischem Druck. Von dem, was danach kommt, vom »lebhafteren Erzählstil« des Langhauszyklus schreibt Deckers: »Vor einem Landschaftshintergrund, dessen Illusionismus von einem organisch eingefügten Goldstreifen kaum beeinträchtigt wird, spielt ein buntes, figurenreiches Geschehen, das – ganz anders als am Triumphbogen – in heftigen Gesten und drastischem Detail beredt vorgetragen wird.«[282] Für den Unterschied von Triumphbogen und Langhaus hatte Bianchini das Begriffspaar »documentum« und »res gestae« geprägt; Grabar sprach von »parts of a demonstration« und »simple narratives«; am schönsten hat ihn Bettini formuliert: »Geschichte, aber entrückt in die ewige Geltungssphäre des Glaubens« versus Geschichte, die »das Einmalig-Individuelle der historischen Tatsache« sinnfällig machen will.[283] Das Entscheidende ereignet sich auf der Ebene der Relationierung; dort finden die Modifikationen statt – Modifikationen wörtlich genommen, denn unter den Zwang zur komplementären Aussage gestellt, gelingt es der Kunst nach Konstantin, die *Modi* zu spezifischen Leistungen anzutreiben, sie als Kontrastmodi gegeneinanderzusetzen und aus ihnen Bildsynthesen als Beziehungsstrukturen zu organisieren. Am Bilderschmuck des Konstantinsbogens haben wir zu zeigen versucht, was die pagane Kunst in dieser Hinsicht der christlichen lehren konnte. Der Qualitätsunterschied hat zwei Parameter: höhere Evidenz und größere Reichweite.

Die Tendenz zum Verweisungskontext, die so viele Versatzstücke der paganen Tradition einformt, bringt etwas letztlich sehr Unklassisches her-

*Abb. 39 Rom, Santa Maria Maggiore, Triumphbogen-Mosaik, Scheitel des Triumphbogens mit Thron, Petrus und Paulus und den vier Wesen*

vor, ein Mixtum compositum, das durch Kumulation *und* Abstimmung überzeugen will. Prudentius, der größte christliche Dichter der Zeit um 400 und ein Meister der kontrastierenden Gattungen, hat in dieser Hinsicht ein deutliches Zeichen gesetzt, als er am Anfang des 5. Jahrhunderts seine Werke zu einer »poetischen Großkomposition« zusammenstellte, »in der christliche Gegenstücke zu nahezu allen klassischen Dichtungsgattungen gefunden werden können«[284]. »Prudentius gibt ein christliches mythologisches Epos, christliche Lehrepen, christliche Lyrik, Hymnen und Epikinien, eine christliche Elegie und ein christliches Epigramm, einen christlichen Mimus und sogar eine christliche Tragödie. Der wesentliche künstlerische Unterschied zwischen diesen Gedichten und ihren gattungsmäßigen heidnischen Vorgängern ist nicht nur die neue christliche Sinngebung, sondern auch ihre Koordinierung zu einer größeren künstlerischen Einheit, ihre Subordinierung unter eine geschlossene literarische Struktur.«[285] Um die Strukturbezüge dieses »Supergedichts« zu verdeutlichen, setzt der Dichter ganz verschiedene Mittel ein. Er sorgt dafür, daß die Praefationes sowohl thematische Perspektiven auf die ihnen folgenden Bücher eröffnen, als auch horizontale Verbindungen untereinander herstellen, daß die Gattungsdistinktionen in lehrbuchhafter Strenge ausgearbeitet werden, daß eine durchaus einsichtig bleibende Zahlenkomposition den internen Aufbau der Bücher genauso wie die Gesamtarchitektur des Korpus reguliert. An der Bildsumme von Santa Maria Maggiore sind wir (mit Ausnahme der numerologischen Konstruktionen) auf ähnliche Sachverhalte gestoßen. Was aber als gemeinsame Voraussetzung diese beiden zeitnahen christlichen »Universalgedichte« erst ermöglicht, ist die Instrumentalisierung zweier neuer Trägermedien, denn so wie eine gattungsbewußte Bildargumentation mit der Objektform und dem positionalen Sinn der basilikalen Raumteile zusammenarbeitet, so ist eine komplexe Gesamtstruktur, wie die von Prudentius errichtete, »die im Überblick von der Praefatio bis zum Epilog zu rezipieren war«, wohl nur im Medium Buch denkbar.[286] Um mit einer beredten Kleinigkeit zu schließen: Ich nehme es als eine Bestätigung des Gesagten, daß Prudentius nur eines seiner Werke nicht in dieses Gesamtgebäude einkomponiert hat: die unter den Titeln »Dittochaeon« oder »Tituli historiarum« überlieferten 48 Vierzeiler oder Inschriften zu jeweils 24 Bildern aus dem Alten und dem Neuen Testament. Er hat sie wohl deshalb nicht aufgenommen, weil sie bereits »verbaut« waren: Sie hatten ihren Ort in einem anderen Ordnungssystem, dem architektonischen, und ihren inneren Zusammenhalt in einer anderen Denkform, der typologischen, gefunden.

# 6. Kapitel
## Chresis und Diakrisis: Über christliche Diptychen

> Die Gebote lehren uns, die indifferenten Dinge vernünftig
> zu gebrauchen: der vernünftige Gebrauch (chresis) der
> indifferenten Dinge reinigt die Verfassung der Seele; der
> reine Seelenzustand erzeugt die Fähigkeit zur Unterschei-
> dung (diakrisis); die Unterscheidungsfähigkeit erzeugt die
> Freiheit von Leidenschaften, aus der die vollkommene
> Liebe geboren wird.
>
> Maximus Confessor

In Rom, in Konstantinopel und in anderen Hauptstädten des Imperium
Romanum verschenkte der Jahreskonsul zum Amsantritt am 1. Januar
Klapptäfelchen aus Elfenbein an andere hohe Amtsinhaber, an Verwandte
und Freunde. (Abb. 40) Diese sogenannten Konsulardiptychen kommen erst
in nachkonstantinischer Zeit auf – das früheste datierte stammt aus dem
Jahr 406 – und finden ihr Ende mit der Abschaffung des Amtes, die im
Westen 534, im Osten 541 erfolgt[287]. Die Gabe der Konsuln hatte zwei Sei-
ten, eine nützliche und eine symbolische. Die vertieften, mit Wachs gefüllten
Innenseiten funktionierten als Schreibtafeln, die reliefierten Außenseiten als
eine Art Visitenkarte in bildlicher Form. Der Zeichenwert dürfte den
Gebrauchswert überwogen haben, er dürfte sorgfältig entworfen und aufmerksam registriert worden sein. Da ist zum einen die Botschaft: Der Konsul sagt etwas über sich und über sein Amt aus. Da ist zum anderen die
»Verpackung« der Botschaft: Ein glücklicher Zufall hat uns sieben Diptychen (bzw. Fragmente von solchen) ein und desselben Konsuls erhalten, die
drei verschieden aufwendigen Typen angehören und uns anzeigen, »daß diese Ehrengeschenke offenbar nach dem Rang der Empfänger in ihrem
Schmuck abgestuft waren«[288].

Das Ganze ist ein Spiel und kommt als solches nicht ohne Regeln aus, in
diesem Fall müßte man sogar sagen: nicht ohne ein Übermaß an Regeln und
Formalien. Denn der Konsul ist ja selber einer, der etwas vorspielt, ein
»grand ornamental«, wie die Engländer sagen, der bar jeglicher Macht und
Aufgabe nur noch die Werte eines »virtuellen Rom« verkörpert; ein leben-
des, aber hohles Zeichen für die republikanische Vergangenheit, die Digni-
tät der patrizischen Klasse, den römischen Ursprung jeglicher Regierungs-
gewalt. So hat alles, was er an »seinem Tag«, am 1. Januar tut, symbolischen
und rituellen Charakter: der Umzug, der ihn durch die Stadt führt, die feier-

*Abb. 40 Paris, Bibliothèque Nationale, Diptychon des Konsuls Anastasius (517)*

liche Inthronisierung, bei der traditionsreiche Insignien zum Tragen kommen, die Zirkusspiele, die er finanziert und eröffnet. Und eben die Verteilung eines Zeremonialgeschenkes, das von den genannten Vorgängen und Ehrenzeichen in bildlicher Form spricht.

Was für die öffentlichen Akte das Protokoll, das ist für die Diptychen ein Repertoire feststehender, aber in sich variabler Bildformulare, die der neue Konsul aufgreift und fortsetzt, variiert und ersetzt. Jede Reaktion ist in einer solchen kontinuierlichen Serie bedeutsam, die ängstliche oder prinzipientreue Imitatio ebenso wie die subtile, vielleicht versteckte Botschaften beabsichtigende Abweichung oder der beherzte Austausch von Formeln und Schemata. Was aber könnte einem solchen »jeu de differences« besser dienen als ein Medium, das zwei Ansichten, zwei Teile und zwei Funktionen hat, das also schon in seiner Objektform als ein elementar-differentielles System angelegt ist? Auf der einen Seite Schriftzeichen, auf der anderen Seite Bildzeichen, auf dem einen Relief Aussagen, die das andere wiederholt oder abwandelt. Ein System, das also in seiner inneren »spekulativen« Struktur wiederholt, wovon das Objekt als solches spricht, wenn es verschenkt wird: Derjenige, der für eine kurze Zeit ausgezeichnet ist vor anderen, läßt diesen anderen eine kleine Botschaft in Tafelform zukommen, die über und in Differenzen spricht.

## Ein christliches Bildmanifest: Das Carrand-Diptychon

Kirchliche Sekundärverwendung hat zahlreiche Konsulardiptychen über die Zeiten gerettet, denn die christlichen Benutzer schätzten beide Seiten, die Innenflächen zum Anlegen von Listen, die Bildreliefs, wenn sie nicht mehr oder minder tiefgreifend umgestaltet und christianisiert wurden, als kompakte Repertorien antiken Formengutes. Eine ganz andere Frage ist, wie die christliche Kunst originär auf eine Gattung reagiert hat, die in großer Zahl kursierte – Delbrueck: »es waren wahrscheinlich Hunderttausende«[289] – und mit hohem Anspruch die Elemente eines retrospektiven Rom-Programms in immer neuen Varianten kombinierte. Wir haben mit den Mailänder Relieftafeln (Taf. 3-4) schon ein Beispiel – oder sagen wir: das Beispiel für einen ideenreichen und konsequenten Umgang der christlichen Elfenbeinschnitzerei mit Material und Medium betrachtet. Wenn sich diese Arbeit auch nicht am Format und am Themenrepertoire der Konsulardiptychen, sondern an der aufwendigeren Gattung der Kaiserdiptychen orientiert, so hat sie doch die Möglichkeiten des hier wie dort gegebenen Dualismus für eine christliche Argumentationsstruktur auf überlegene Weise realisiert. Darüber hinaus existiert quasi flottierend eine Reihe christlicher Reliefs, die erst einmal in die Funktions- und Formgeschichte der engeren Gattung der Konsulardiptychen zurückgestellt werden müssen. Ein Beitrag von Kathleen Shelton hat in dieser Hinsicht neue Perspektiven eröffnet und als erster zeigen können, daß die christliche Reaktion auf dieses Medium sich nicht auf die spätere Wiederbenutzung beschränkte, sondern von seiner Bildform zur »Chresis«, zum »rechten Gebrauch« und zur Anverwandlung der paganen Vorlagen herausgefordert wurde.[290] Ihr Gegenstand ist das nach einem früheren Besitzer genannte Carrand-Diptychon (Abb. 41) des Bargello in Florenz, eine Arbeit der Zeit um 400, die auf den ersten Blick außer dem Format mit der Gattung der Konsular-Diptychen nichts gemein hat: weil sie ohne deren auf Zeremonie und Repräsentation abgestellten Aussagemodus auskommt und weil sie eine durch und durch christliche Thematik hat. Was die beiden Flügel inhaltlich zusammenhält, ihr »Beziehungssinn«, ist erst vor wenigen Jahren befriedigend erläutert worden – nach beinahe zwei Jahrhunderten des Rätselns. Das mittlere Register der linken Seite bezieht sich auf einen Vorfall aus dem Leben des Paulus, wie er in der Apostelgeschichte (28, 1-10) bezeugt ist. Der Apostel, schiffbrüchig an den Gestaden Maltas gelandet, sammelt Holz für ein wärmendes Feuer und wird dabei von einer giftigen Schlange gebissen. Doch bleibt er zum Erstaunen der Umstehenden unversehrt; vom Inselpräfekten empfangen, gibt der derart Ausgezeichnete in einer typischen Umkehrfigur solcher Wunderberichte die Kraft gleichsam zurück und heilt dessen Vater und andere Kranke. Diese unglücklichen Gestalten – ein an Auszehrung Leidender und ein Mann mit einem lahmen Arm – werden im unteren Register vorgeführt, während Paulus in der mittleren Etage links steht, über dem Feuer und die Schlange vom Arm abschüttelnd. Die Gestalt neben ihm repräsentiert in frontaler Stellung, den Arm zur Anerkennung der Wundertaten erhoben und mit den Insignien eines römischen Magistrats ausgestattet, den *princeps insulae* mit Namen Publius, der von zwei Mitgliedern seiner germanischen Leibwache begleitet wird. Im obersten Register erfolgt die Hinführung auf die Hauptperson der Erzählung. Vieles spricht dafür, daß kein bestimmter Vorgang der Apostelgeschichte gemeint ist, sondern Paulus ganz allgemein als Lehrer und Weiser im Kreis von Schülern vorgestellt wird.

Das Element, das die Szenen beider Flügel miteinander verbindet, ist die Schlange, die links und rechts auftaucht: einmal friedlich und nicht auf dem Bauch kriechend, wie ihr nach dem Sündenfall anbefohlen, sondern einen großen Bogen schlagend, das andere Mal falsch und wild, sich fest in der Hand des Apostels verbeißend, aber dennoch keinen Schaden anrichtend. Denn so wie Adam im Paradies inmitten der wilden Tiere und unbehelligt von ihnen lebte, so war auch Paulus gegen den Biß der Otter immun; Tugend, Glaube und Gnade schützen den Menschen – so die typologische Exegese der Väter, wie sie u. a. von Basilius, Ambrosius, Johannes Chryso-

*Abb. 41 Florenz, Bargello, Carrand-Diptychon mit Paulus auf Malta und Adam im Paradies*

stomos und Augustinus vertreten wird. Ich zitiere zur Veranschaulichung
Theodoret von Cyrus: »Diejenigen, die in der Tugend aufgewachsen sind,
fürchten nicht die Angriffe wilder Tiere, so wie die Tiere vor Adam standen
und ihre Unterwerfung bekundeten, bevor er sündigte. [...] In gleicher
Weise sprang die Viper, die ihre Zähne in die Hand des Apostels geschlagen
hatte, wieder von ihm ab und warf sich selbst ins Feuer, als sie die Weichheit
und Schwäche der Sünde an ihm nicht feststellen konnte.«[291] Kathleen
Shelton, der wir neben Ellen Konowitz und Henry Maguire diesen Auf-
schluß verdanken, ist der Ansicht, daß das Programm des Diptychons den
typologischen Gehalt noch weiter ausbaut, als es die Exegeten taten. Daß
rechts die Szene dargestellt ist, da Adam den Tieren ihren Namen gibt und

sich durch Sprache als ihr Herr kundtut, »findet seine neutestamentliche Parallele im obersten Register, in einem Paulus, der als Philosoph verstanden wird und Schüler hat, die seinem Wort folgen«. »Der Mensch wird hier in verschiedenen Sphären und Epochen seiner Autorität gefeiert. Einem Adam, der sich über die natürliche Welt erhebt, wird ein Paulus gegenübergestellt, der die Barbaren durch seine Wunder erstaunt, der seine Autorität vor einem heidnischen Magistrat unter Beweis stellt und den christlichen Glauben seinen Philosophenkollegen predigt. Themen von Sprache und Macht, sowohl auf die weltliche, als auch auf die göttliche Sphäre bezogen, werden hier angeschlagen, die in der patristischen Quelle zu Adam untergeordnet sind und zu Paulus fehlen, die aber für das spätantike Diptychon unverzichtbar sind, sein wahres Idiom darstellen.«[292] Auf diese »höheren« Gemeinsamkeiten werde ich zurückkommen, wende mich aber zunächst der Frage nach Funktion und Intention der Tafeln zu.

Die eigentliche Sensation von Sheltons neuer Interpretation des Carrand-Diptychons bestand nicht in der Ermittlung der typologischen Klammer, sondern darin, daß sie das Werk in den Gattungszusammenhang der römischen Beamten-Diptychen einordnen konnte. In der nicht nur formal im Zentrum der linken Tafel stehenden Gestalt erkennt sie den Auftraggeber des Diptychons wieder, jenen unbekannten Würdenträger, dem es gefiel, sich zum Anlaß seines Amtsantritts ein christliches Programm zusammenstellen zu lassen und in die Rolle eines Vorgängers aus christlicher Zeit zu schlüpfen, und zwar des einzigen Beamten in gehobener Position, den das Neue Testament und später die Exegeten als das Exempel eines den Christen wohlgesinnten Heiden kennen und feiern. Shelton ist so vorsichtig, den Besteller der Elfenbeine nicht einen Konsul, sondern einen »Christian holder of civil office« zu nennen. Die Inhaber anderer Ämter haben tatsächlich ebenfalls Diptychen verschenkt, obwohl dieses Vorrecht per Gesetz nur den Konsuln zustand – sie mußten sich dafür eine Genehmigung holen. Aber ihre Täfelchen konnten keine eigene Typologie gegen die starke Serie der Konsulardiptychen durchsetzen, und sie haben wohl auch nur selten von diesem Privileg Gebrauch gemacht – obwohl die Zahl der Verwaltungsbeamten so unvergleichlich höher war als die der Jahreskonsuln, sind nur wenige nichtkonsularische Beamtendiptychen erhalten. Shelton wird wohl gezögert haben, einen Konsul als Auftraggeber anzunehmen, weil ein Hauptmerkmal und mit ihm eine Hauptfunktion der offiziellen Gattung fehlt, und das ist die Beschriftung mit Namen und Titel(n) des Amtsinhabers. Dabei geht es um sehr viel mehr als um ein Etikett; es geht um die Hauptwürde, das einzige Vorrecht des Konsuls. Er gab dem neuen Jahr seinen Namen, sein Name funktionierte wie ein Siegel; Gesetze waren nur gültig, wenn sie im Namen des jeweiligen Jahreskonsuls datiert wurden.

Dieses Privileg gibt uns einen guten Grund für die Annahme an die Hand, daß es sich bei dem Auftraggeber doch um einen Konsul gehandelt haben könnte. Ich möchte es mir hier nicht so leicht machen und darauf verweisen, daß wir sehr wohl anonyme Konsulardiptychen kennen. Eher wäre mit der These zu operieren, daß es sich um eine verdeckte Botschaft, ein *portrait historié*, eine Art politisch-theologisches Bilderrätsel handelt. Ein solches richtete sich an eine ganz bestimmte und sicher eng begrenzte Klientel, die zwischen den Bildern zu lesen verstand. Und eine solche chiffrierte Botschaft wird nicht die einzige Form der Verlautbarung gewesen sein. Wie gesagt, die Konsuln ließen verschiedene Versionen ihres Zeremonialgeschenks anfertigen, abgestuft nach Rang und vielleicht auch nach Überzeugung der Empfänger.

Teil und Träger der sehr speziellen Botschaft ist der Dialog, den das Carrand-Diptychon mit den anderen Konsulardiptychen führt, seine »Chresis«: der umsichtige Gebrauch, den ein christliches Bildmanifest von paganen Mustern macht, indem es die Vorprägungen sich anverwandelt oder erkennbar verwirft. Anders als Shelton, welche, wie bereits zitiert, die »official allusions« im Bereich Autorität, Macht, Sprache findet, scheint mir ein besonders augenfälliger und intensiver »Austausch« über ein anderes symbolisches Feld und Bildmotiv geführt zu werden; ich meine die Kombination von Menschen- und Tierszenen.

Der Konsul fängt das Jahr und das Amt an, indem er Zirkusspiele eröffnet – das ist die anschauliche Grundfigur, auf die sich schon früh, vielleicht von Anfang an, die Gattung eingestellt hat. Selbst in den einfachsten Ausgaben, die das Brustbild des Konsuls im Medaillon präsentieren und außer seinem Namen sonst nichts, bleibt der Gedanke erhalten, indem ihm die Mappa in die erhobene Hand gegeben wird, jenes Tuch, das er in die Arena warf, um die Spiele zu starten. Im 5. Jahrhundert hat man in den elaborierten Versionen auf eine einigermaßen wahrheitsgetreue Proportionierung der Bildelemente Konsul und Spiele geachtet, so zu sehen auf dem ebenfalls ins frühe 5. Jahrhundert zu datierenden Flügel eines Diptychons in Liverpool (Abb. 42), das im oberen Drittel das Tribunal zeigt, in dem drei Würdenträger Platz genommen haben – vielleicht der Jahreskonsul mit der Mappa rechts und seine Vorgänger oder andere Mitglieder der Familie, die ebenfalls diesen Rang innehatten[293]. Darunter dann die Arena mit *venatores* und fünf Hirschen. Ein anderes Bildformular, das mit datierten Belegen im 6. Jahrhundert zu fassen ist, vermutlich aber schon länger im Gebrauch war, kehrt die Proportionen um: hier gehören zwei Drittel dem frontal erstarrten und von seinen Ehrenzeichen geradezu eingeschnürten Bild des Konsuls, während in der unteren Zone und miniaturhaft verkleinert das nach wie vor lebendig erfaßte Treiben in der Arena seinen Platz hat. (Abb. 40)

*Abb. 42*
*Liverpool, Merseyside*
*County Museums,*
*Konsular-Diptychon mit*
*Hirschjagd*

Das Carrand-Diptychon reagiert auf diese Ikonographie in zweifacher Weise: In inhaltlicher, indem es die aus christlicher Sicht abzulehnenden Spiele und hier besonders das institutionalisierte Abschlachten von Tieren mit seinem genauen Gegensatz, mit dem Bild des paradiesischen Friedens zwischen Mensch und Tier kontert. In formaler Hinsicht, indem es die Mensch-Tier-Szenen aus ihrer untergeordneten Position herauslöst und ihnen ein selbständiges Bildfeld einräumt. Denkbar, ja sogar wahrscheinlich ist, daß die so radikal anmutende Umsetzung der Tierszenen auf den anderen Flügel bereits mit einem Typus der Konsulardiptychen rechnet, den wir nur noch rekonstruieren können. In dieser Anordnung wäre der Konsul und seine Entourage auf der einen Seite und die Tierhatz als autonomes Bildrelief auf der anderen zu stehen gekommen. Es sind solche ganzformatigen Zirkusbilder auf Diptychonflügeln erhalten, die eine sehr viel direktere Anregung für das Relief mit Adam und den Tieren gewesen sein können (Abb. 43)[294]; es gibt aber vor allem eine mittelalterliche »Nachbesserung« eines Diptychons mit Standardprogramm, die uns ahnen läßt, daß der christliche Gegenentwurf des Carrand-Diptychons nicht so vereinzelt dastand, wie es den Anschein hat. Im 9. Jahrhundert hat man die Innenseite, also die Schreibfläche der Areobindus-Tafel des Louvre mit einer Darstellung des Paradieses überschnitzt, die eindeutig ein spätantikes Vorbild verrät.[295] (Abb. 44) Zwei Schlüsse läßt diese Bearbeitung zu: Es waren außer dem Carrand-Diptychon weitere Paradiesesbilder im Umlauf, und sie waren Bestandteil eines Diptychon-Programmes mit möglicherweise polemischer Intention. Die Interpreten des 9. Jahrhunderts haben sich jedenfalls diesen Reim auf die Wahl ausgerechnet dieses Themas für frühe christliche Diptychen machen können, als sie die heidnische Version des Verhältnisses von Mensch und Tier mit einem christlichen Idealbild konterten.

Bei diesen Transpositionen blieb eine Größe fast unverrückt: der Beamte, der *princeps insulae* in der Mitte des linken Flügels, der dort nach wie vor frontal gezeigt wird und weiterhin seinen rechten Arm heben darf – wenn auch ohne Mappa. Um ihn herum hat sich allerdings alles verändert, und sein Gestus hat, dem neuen Kontext entsprechend, eine völlig neue Bedeutung angenommen: Mit ihm erkennt er nun die Macht eines Anderen an. Wenn wir noch einen Moment bei ihm verweilen, der, des rituellen Formelkrams wohl überdrüssig, den repräsentativen Modus des paganen Bildformulars in gut christlichem Sinn in Erzählungen auflösen ließ und mit Erzählungen argumentierte: Was ihn im Zentrum des komplexen Bezugssystems der linken Seite hält, ist nicht nur sein Status als Urheber und Sender dieser Botschaft; man darf wohl annehmen, daß er auch im typologischen Verweisungszusammenhang vorgesehen ist. Adam fungiert auf der anderen Tafel nicht als exklusive Präfiguration des Paulus – in der erwähnten doppelten

*Abb. 43 St. Petersburg, Eremitage, Konsular-Diptychon (?) mit Löwenhetze*

*Abb. 44*
*Paris, Louvre, Rückseite des*
*Areobindus-Diptychons, im*
*9. Jahrhundert mit Paradies-*
*szenen überschnitzt*

Beziehung hin auf Unverletzbarkeit und Wortgewalt. Der erste Mensch ist ja der Typus des Menschen schlechthin und damit auch des »Konsuls« – es kommt eben ganz darauf an, in welcher Situation und mit welchen Attributen er gezeigt wird. Adam, der den Tieren ihren Namen gibt, vor aller Geschichte, ist er nicht vergleichbar dem Konsul, der außer ephemeren Handlungen auf diese eine Funktion quasi reduziert ist: daß er das Jahr mit Tierspielen eröffnet und dem Jahr einem Namen gibt?

Ich weiß, daß die Vorstellung eines Konsulardiptychons mit nicht nur christlicher Thematik, sondern auch christlicher Spitze, mit einem antipaganen Argument gegen Konsulardiptychen, gegen das konsulare Zeremoniell auf Widerstand stoßen wird. Nicht zuletzt deswegen, weil natürlich auch der christliche Konsul nicht umhin konnte, das Protokoll inklusive Abhaltung von Spielen peinlich genau zu erfüllen (die Tierhatz im Zirkus wurde erst 499 verboten). Stellte er sich mit seinem Diptychon-Programm eine Entschuldigung in Bildform aus? Man muß aber auch sehen – und damit komme ich zu den Eingangsbemerkungen zurück –, daß die Gattung, der Anlaß, das soziale und geschichtliche Umfeld symbolische Schaukämpfe stark begünstigten. Einmal abgesehen von der institutionellen Fiktion des Konsulats und aller es rahmenden Paraphernalia: im Windschatten der Macht, fernab vom kaiserlichen Hof hat die politische Klasse Roms im 4. und frühen 5. Jahrhundert ein ebenso retrospektives wie kombinatorisch anspruchsvolles Programm einer *regeneratio Romae* in vielen Medien inszeniert.[296] Auf höchster kultureller Ebene kämpften diese Kreise um die Wiedergewinnung der geistigen Führung für die *Roma aeterna*, indem sie z. B. in ihren Emendationen, Kommentaren, Umschreibungen in Codex-Form und Prachtausgaben die Klassiker zu einer Art Gegenkanon der heiligen Schriften des Christentums aufbauten. Andere Maßnahmen richteten sich auf den öffentlichen Raum und eine Besetzung traditioneller Positionen des Nationalrömischen, die vor allem die alte Identität von Staat und Religion betrafen: die Wiederaufstellung des Viktoria-Altars in der Kurie, das Niederreißen von Gebäuden auf altem Tempelgrund, die Rückkehr blutiger Tieropfer, die Reinszenierung orientalischer Mysterienkulte, die Restauration der Weissagekunst, das sind nur einige der Symbolakte, welche Rom unter Nicomachus Flavianus d. Ä., dem bedeutendsten Politiker der heidnischen Reaktion, in den letzten Jahren des 4. Jahrhunderts erlebte.

Und immer wieder und für lange Zeit noch sind es die Zirkusspiele, »in denen die Gebildeten ebenso wie die Volksmassen das Hauptventil für ihren zunehmenden Glauben an und ihre Verehrung für die *Roma aeterna* fanden. Zu keiner Zeit hatte die Passion des Volkes für die Spiele, für diesen Inbegriff der Magnifizenz und der Attraktivität Roms, heftiger gebrannt als von der zweiten Hälfte des 4. Jahrhunderts an bis zum Ende der antiken Welt.

Was sich da im Zentrum eines christlich gewordenen Imperiums ereignete, wurde in seinem Kontext und Inhalt als unabänderlich pagan hingenommen.«[297] Die Spiele waren es, welche der Senatspartei den Vorwand zur Pflege heidnischen Brauchtums gaben, welche durch lange Vorbereitungen und immensen Aufwand alles andere verdrängten. Man kann das Szenarium aufmachen, das einen gemeinsamen Untergang von Romanitas und Christianitas im Stadion ausmalt – das Christentum der Massenbelustigung erliegend, Rom von einfallenden Barbaren ausgelöscht. Folgendes schreibt der Stadtpräfekt Symmachus an den Kaiser – und es geht nicht um die Einholung Christi, sondern um den Beitrag des Kaisers zu den bevorstehenden *ludi*: »Als das Volk aus meiner Voranzeige erfuhr, daß die Geschenke der väterlichen Fürsten da sind, stieß es durch alle Stadttore vor, sich in die Ferne ergießend, in der Überzeugung, daß derjenige unter ihnen, der Eure guten Dinge als erster erblickt, glücklicher sei als die anderen. Also während man sonst das von den Herrschern Dargebotene zu erwarten pflegt, hat man es jetzt herbeigeholt. Ich übergehe den Tag, an welchem den fürstlichen Elefanten der strahlende Aufzug von dichten Scharen edler Pferde voraneilte; lieber möchte ich das Getöse des Circus in der *vallis Murcia* anführen, wie auch die Verteilung der Viergespanne [in die einzelnen Wettrennen] [...].«[298]

Der Symmachus-Kreis ist die bekannteste Manifestation einer weitverbreiteten und tiefer gehenden Zeitströmung des römischen Fundamentalismus. Es wäre überhaupt zu überlegen, ob die alles in allem erstaunliche Erfindung und Konventionalisierung der Gattung Konsulardiptychon in christlichen Zeiten nicht ursprünglich der heidnischen Reaktion und ihrer Trägerin, der römischen Senatsaristokratie, zuzuschreiben ist. Diese konnte nur so lange aushalten, ja reüssieren, als sie ihren Zusammenhang als privilegierte Klasse bewahrte, durch freundschaftliche, kollegiale und familiäre Beziehungen nach innen, durch eine Pflege der Kontakte nach außen, zum Kaiser, zum Hof, zur Beamtenschaft der verschiedenen Provinzen. Wir haben die Briefe des Symmachus an diese beiden Empfängergruppen: wenn man sie auf Neuigkeiten, Bekenntnisse, Stellungnahmen hin liest, wird man sie enttäuschend finden. Richtig versteht sie nur, wer ihre »phatische« Funktion würdigt und das auf sie gemünzte Urteil »Visitenkarten« nicht abwertend, sondern funktional begreift; diese Episteln hatten die Aufgabe, Kontakt zu halten und zu pflegen, in aller Form zu pflegen; sie waren die täglichen, perfekt stilisierten Opfergaben einer »Religio amicitiae«: »In its performance, this *amicitia* called for the careful observation of established rules of courtesy, the preservation of all due social rankings, and an attitude of earnest devotion.«[299]

In genau diesen Kontext gehört das Ehrengeschenk der Diptychen. Symmachus, der Praefectus urbis des Jahren 384 und der Jahreskonsul für 391, hat natürlich auch von diesem Medium Gebrauch gemacht. In seinen Briefen lesen wir, daß er Diptychen im Jahr 393/94 an die Freunde verschenkt hat. Für den Westkaiser Eugenius reservierte er damals ein in Gold gefaßtes Diptychon.[300] Wie er diesen Imperator, der als Lehrer der Rhetorik ein gebildeter Mann war und der als Christ der heidnischen Reaktion in Rom bedeutende Zugeständnisse machen mußte, in Bildform adressierte, wüßten wir zu gerne. Die erhaltenen Diptychen, die dem Symmachus-Kreis zugeschrieben werden, bestätigen durch ihr paganes Bildprogramm und ihren forcierten Klassizismus, daß diese kleinen Elfenbeintafeln zum Austausch von Argumenten im Kulturkampf des späten 4. Jahrhunderts taugten.[301] Als hypothetische Erfindung der Rompartei stünden sie in einem analogen und ergänzendem Verhältnis zu den Kotorniaten, jenen Medaillen oder *pseudo-monetae*, die im gleichen Zeitraum ebenfalls als Neujahrsgeschenke oder als Erinnerungsmarken etwa an Spiele und nach Alföldi als »ein Propagandamittel der stadtrömischen heidnischen Aristokratie in ihrem Kampfe gegen das christliche Kaisertum«[302] eingesetzt wurden. Nachdem die öffentliche Prägung solcher Goldstücke, welche den Kaiserkult im Bild ägyptischer Götter prolongierten, 379 verboten worden war, setzte die Senatspartei die Ausgabe dieser ideologischen Währung auf eigene Kosten fort. Die Frage ist dann: Warum sollten solche Unterpfänder des *pagan revival* und ihre »sorgfältige Verkleidung« (Alföldi) unbeantwortet von einer ebenso feinsinnig die Anspielungsebenen beherrschenden christlichen Notablen-Partei bleiben – gerade wenn es um diese zentrale Thematik und Obsession der Epoche, die Spiele ging? *Civitas romana* und *Civitas christiana* drehen und wenden den gleichen Zeichenvorrat: Wir haben gesehen, wie am Triumphbogen von Santa Maria Maggiore Maria in der Gewandung der Senatorin auftritt; Prudentius hat die Vision, daß die »himmlische«, also ewige Roma sich einen »Konsul auf ewig« (perennem consulem) erwählt; das ist der im edelsteingeschmückten Prunkgewand des höchsten Beamten auftretende Laurentius, welcher der letzten Christenverfolgung zum Opfer gefallen war.[303]

Geschichtsgestalten: Die beiden Hälften des Carrand-Diptychons

Wie auch immer – wir wollen abschließend den kompositionsgeschichtlichen Rang dieses Werks würdigen und in Verlängerung der Untersuchungen zu Santa Maria Maggiore zeigen, wie christliche Kunst mit Geschichts-
bildern eine argumentative Struktur aufbauen kann. Die Disposition und
die Proportionierung der Gestalten fällt auf beiden Täfelchen grundver-
schieden aus. Ich glaube nicht, daß dies auf Kosten verschiedener Vorlagen
geht; meines Erachtens ist hier der Kontrast zweier Geschichtszustände
Form geworden. Adam, bedeutend größer als die Gestalten auf der anderen
Hälfte und in seinem Feld das einzige Menschenwesen, ruht nackt und halb
aufgerichtet in der oberen Zone. Er ist nicht aufrecht stehend gegeben, was
die einfachste Art und Weise gewesen wäre, ihn vor seiner Umgebung auszuzeichnen – und die von der christlichen Anthropologie gebotene: »Da
es in Gottes Absicht lag«, schreibt Lactanz in »De opificio Dei«, »von allen
Lebewesen den Menschen allein für seine himmlische Bestimmung zu
schaffen, die übrigen aber sämtlich für die Erde, so schuf er den Menschen
aufrecht und stellte ihn auf zwei Füße, nämlich damit er dorthin schaue,
woher er stammt; die Tiere jedoch schuf er mit dem Blick zur Erde, damit
diese, da sie keine Unsterblichkeit zu erwarten haben, nur den niederen
Trieben zu folgen hätten.«[304] Für das Programm des Carrand-Diptychons
bleiben diese theologischen Spekulationen ohne Belang. Adam lagert vielmehr entspannt in seiner Umgebung und auf der Erde, aus der er gemacht
ist und von der er seinen Namen hat. Dazu paßt der Gestus des linken
Armes, der einen Früchte tragenden Baum heranzieht, womit nicht einer
der berühmten Bäume des Paradieses gemeint ist, der Baum des Lebens
bzw. der Baum der Erkenntnis des Guten und Bösen. Adams Baum gehört
in die Klasse der »anonymen« Bäume, »die reizend und wohl anzusehen
waren und wohlschmeckende Früchte trugen« (Mos 2, 9). Gott hat sie dem
Menschen als Nahrungsquelle bestimmt: »Ich übergebe euch alle Pflanzen
auf der ganzen Erde, die Samen tragen, und alle Bäume mit ihren Früchten.
Die sollen euch zur Nahrung dienen.« »Den Tieren aber auf Erden«, so geht
diese Passage weiter, »gebe ich alles Gras und Kraut zur Nahrung.« Dieses
Gebot schafft die materielle Voraussetzung für den Frieden, der im Paradies
herrscht: Der Mensch greift nicht das Tier, die Tiere greifen nicht einander
und nicht den Menschen an, um sich zu ernähren. Insofern weist dieser nie
gewürdigte Gestus von Adams linkem Arm auf die Wohleingerichtetheit
dieser vorgeschichtlichen Verhältnisse hin.

Gleichwohl ist Adam auch hervorgehoben. Seine Position im Bildfeld
und seine Größe weisen ihn als den Herren über die Tierwelt aus, die um

ihn herum und unter ihm in zahlreichen Arten, wilden und zahmen, vertreten ist. Dem entspricht die Bewegung der anderen Hand, die man zweifach verstehen kann: als gebieterischen Gestus der Unterwerfung, was 1 Mos 1, 28 entspräche: »Herrscht über die Fische im Meer und über die Vögel des Himmels und über alle die Wesen, die auf Erden sich regen!«, und als Indiz für Sprechen, was sich auf 1 Mos 2, 20 beziehen ließe: »Und der Mensch gab allem Vieh und allen Vögeln unter dem Himmel und allen wilden Tieren ihren Namen.« Tatsächlich reagieren die Tiere auf die Geste des Menschen: sie wenden sich ihm zu bzw. nach ihm um, sie heben gehorsam eine Vorderpfote, und wenn wir ihre offenen Mäuler wahrnehmen, können wir folgern, daß selbst Sprache nicht ein absolutes Privileg des Menschen darstellte. In einer Basilius zugeschriebenen Predigt über das Paradies heißt es: »Zusammen mit den Vögeln war da ein großes Schauspiel von Landtieren aller Arten und alle zahm, die aufeinander hörten und in einer leicht verständlichen Sprache sich unterhielten. Damals verursachte die Schlange keinen Schrecken, sondern war mild und zahm.«[305]

Beide Formen von Superiorität des Menschen, die schiere der Macht und die subtilere, die durch Unterscheidung und Namensgebung erworben wird, resultieren in diesem Fall nicht in Ordnung, sprich in einer Ordnung der Unterteilung und Unterordnung. Der Künstler ist sichtbar bestrebt, die bereits eingetretenen Differenzen vor der Folie eines ungeteilten Paradieses, einer Einheit von Mensch und kreatürlicher Schöpfung erscheinen zu lassen – und dies nicht nur um des angestrebten Gegensatzes zu der Nachbartafel willen. Die von ihm gewählte nichthierarchisierende Anordnung würden Kinderbuchillustratoren Wimmelbilder nennen, was gut zusammengeht mit dem Schöpfungsbericht von 1 Mos 1, der Gefallen daran findet, die von Gott erschaffenen Tiere »wimmeln« zu lassen, ihre große Menge und die Vielfalt ihrer Arten hervorzuheben. »Wimmeln« aber steht nicht im Modus der Ordnung, sondern im Modus der »Fülle« (pleroma) der Schöpfung. Das ist die Welt *vor* dem Sündenfall, reich ausdifferenziert, aber im Einklang mit sich selbst und Gott.

*Durch* den Sündenfall kommen andere Unterscheidungen, mehr Unterscheidungen und vor allem das Wissen des Menschen um die Unterschiede in die Welt. »Was der Welt von Eden fehlt, ist eine Betonung bestimmter Kategorien und Statuszuweisungen, die in der Realität, die darauf folgt, extrem wichtig werden.«[306] In der Aufzählung von Susan Niditch: »Eden's world lacks work roles, lacks procreative and sexual roles, lacks the hierarchical arrangements of social structure and even certain features of the hierarchy between animals and humans [...].«[307] Hinzufügen muß man eine äußerliche Differenz, die gleichwohl einen Gutteil der gerade genannten

Kategorien auf einem sichtbaren Nenner zusammenführt: Im Paradies lebt der Mensch nackt, im Zustand der Natur und ohne daß er davon weiß; nach dem Sündenfall, der den Menschen »klug macht« (1 Mos 3, 6) und ihm das Wissen um die Unterschiede zwischen nackt und bekleidet, Mann und Frau, Gut und Böse einbringt, bekleidet er sich – Kultur, die Realität außerhalb des Paradieses, beginnt als Verkleidung noch im Paradies. Bereits in den Kapiteln 3 und 4 der Genesis sind dann die restlichen Attribute der Zivilisation zusammen; entstanden ist »a world of status, social structure, differentiation, and strong role definitions«.[308]

Von diesen Differenzierungen spricht die Konzeption unserer zweiten Tafel. Die Verhältnisse haben sich verkehrt: Wenn auf der Paradiesseite ein Mensch auf viele Tiere kommt, so bleibt gegenüber nur ein Tier, eine Schlange übrig. Die Welt der Geschichte ist das Reservat von Menschen, genauer von Männern, von lauter Nachkommen des Adam, die nun nach verschiedenen Klassen, Funktionen und Zuständen ausdifferenziert auftreten und die in bestimmte Beziehungen verwickelt sind. Kleider und Attribute spielen eine gewichtige Rolle. Mit Sandalen und langem Mantel, mit Bart und kahlem Vorhaupt ist Paulus ganz nach dem Typus des antiken Philosophen gebildet. Ebenso einprägsam der Inselpräfekt: Tunika, Chlamys und die große Bogenfibel weisen ihn ebenso als den Inhaber eines hohen Amtes aus wie die Ernennungsurkunde, die er als Rolle in der Hand hält. Nach Haar- und Kleidertracht sind deutlich von diesen Protagonisten geschieden die germanische Leibwache des Präfekten und die Kranken. Ein weiteres entscheidendes Distinktionsmittel ist natürlich die andere Aufteilung der Tafel. Die Welt der Geschichte präsentiert sich als ein in drei Registern etabliertes Syntagma aus verschiedenen Ordnungsbezügen. Die untere und die mittlere Ebene bilden einen freilich nicht leicht zu rekonstruierenden Geschehenszusammenhang, und sie sind gleichzeitig hierarchisch differenziert nach Hoch und Niedrig, Gesund und Krank, Mächtig und Machtlos. Von dieser Einheit ist das oberste Register abgehoben. Es stellt in einem eher repräsentativen Format die Hauptgestalt in ihrer anderen, bekannteren Funktion als Weisen und Lehrer vor. Diese Sonderbehandlung wiegt den Umstand auf, daß die Tafel auch eine Mitte hat, die in diesem Fall nicht den christlichen Helden, sondern mit dem Inselpräfekten die Persona des Stifters auszeichnet. Der Paulus des obersten Registers befindet sich in einer Position, die zum Vergleich mit seinem Typus Adam auf der anderen Tafel einlädt. Wenn dieser auf dem Boden sitzt, hat jener in einem Sessel Platz genommen; wenn dieser in einen früchtetragenden Baum greift, hält jener eine Buchrolle; wenn dieser zu den Tieren spricht, richtet jener seine Rede an Schüler oder an Opponenten, auf jeden Fall an andere Schriftgelehrte – siehe ihre Attribute. In der Welt der Geschichte ist das Wort Schrift und

Institution geworden; wer das Gegenbild haben will, findet es im natürlichen, also ambivalenten Zeichen der vier Paradiesesflüsse, die am unteren Rand der rechten Tafel dem Garten Eden entströmen.

Die ältere Forschung war bisweilen versucht, aus der »opposition brutale« der beiden Flügel des Carrand-Diptychons ihre Nichtzusammengehörigkeit abzuleiten. Der neueren Forschung ist es gelungen, die programmatische Klammer in einem von den Kirchenvätern hergestellten Nexus typologischer Art wiederzufinden. Ich möchte beides zusammensehen, »opposition brutale« und Pendantbildung; mir kommt es auf den Nachweis an, daß dieses Diptychon nicht anders als die ungleich aufwendigere Dekoration von Santa Maria Maggiore und die Bildseiten des Codex von Rossano die Denkform Typologie nicht dem Panallegorismus der Väterexegese überläßt, sondern ihrer historischen Dimension verpflichtet bleibt und daß diese Kunstwerke mit ihren Mitteln – und das können durchaus ererbte sein – Geschichtstheologie anschaulich machen. Zum Katalog der Mittel gehören, wie wir gesehen haben, eine sorgfältige Ausarbeitung der Qualitäten und Potenzen des narrativen Modus, was einschließt, daß verschiedene Typen von Narration ausgebildet werden, gehört eine Verfügung über elementare Figuren der Argumentation wie Parallelismus, Opposition, Binnentypologie etc., gehört last not least ein genaues Eingehen auf die Topologie bzw. Objektform der Bildträger.

Geschichten und Schichten: Die vielteiligen Diptychen

Mit diesem letzten Akzent schlossen auch die Betrachtungen zu Santa Maria Maggiore, zur Itala und zum Codex von Rossano. Wiederum ist bemerkenswert, daß die christliche Kunst diese Option ergreift, daß ihre Elfenbeinschnitzer den Dualismus der Gattung Diptychon im Sinne eines paarweisen Disponierens und Argumentierens nutzen. Damit wird nicht behauptet, daß Pendantbildung eine Errungenschaft christlicher Kunst sei. Ich erinnere nur an einen Gegenstand des zweiten Kapitels, an die beiden Reliefs im Hauptdurchgang des Konstantinsbogens, die man aus einem trajanischen Ensemble herausgeschnitten und als »Kampf« und ›Triumph« einander gegenübergestellt hat. Karl Schefold, Richard Brilliant u. a. haben an den Ausstattungsprogrammen pompeianischer Häuser demonstrieren können, daß die Einzelfresken, die in kleinen Räumen zumeist zu dritt auftreten (eines an der Stirnwand, zwei einander gegenüber an den Längswänden) und die Szenen aus verschiedenen Sagen kombinieren, unter einem gemeinsamen Thema stehen. Nehmen wir das überzeugendste Beispiel, die Ausmalung des Thebenraumes im Haus der Vettier (Abb. 45) [309], dann finden wir drei Fälle von göttlichen Strafaktionen, die alle einen, wenn auch schwachen Bezug zu Theben haben: links der kleine Herkules, der mit den Schlangen kämpft, die Hera geschickt hat – so wollte diese den Sproß der illegitimen Verbindung von Zeus und Alkmene, der Frau des thebanischen Königs, vernichten; in der Mitte Pentheus, der junge König von Theben, der von den Mänaden unter Anführung seiner Mutter Agave zerstückelt wird – er hatte Dionysos eingesperrt und seinen Kult verboten, dem Agave vorstand; rechts Dirke, die auf den Bullen gebunden wird – so rächen die Söhne des Zeus und der Antiope die schlechte Behandlung ihrer Mutter, der ersten Frau des thebanischen Königs Lykos, durch dessen zweite Gemahlin. Das »System der Referenzen« (Brilliant) wird nicht nur durch den Ortsbezug und das Motiv der Strafe hergestellt; Brilliant nennt als weiteres Tertium die »domestic situations«, man könnte auch sagen: die »Familiengeschichten«, die an Themen wie: das illegitime Kind, der widerspenstige Sohn, die böse zweite Frau und Schwiegermutter durchgespielt werden. Vom Carrand-Diptychon herkommend fällt einem außerdem auf, daß als

*Abb. 45 Pompeii, Haus der Vettier, Theben-Raum, Umzeichnung nach M. L. Thompson und R. Brilliant*

Agenten des göttlichen Zorns Tiere bzw. wie Tiere sich aufführende Wesen fungieren. Kurz: Es konstituiert sich in dieser den Betrachter umfassenden Triptychon-Situation ein »hermeneutisches Feld«, eine Aufforderung an »the mind's eye«, in diesem Feld die *archetypischen* Korrelationen herauszufinden, so wie der Betrachter vor dem christlichen Diptychon gehalten ist, die *typischen* Beziehungen zu erkennen. Der Unterschied liegt auf der Hand: Die Form- und Situationsanalogien des Mythos haben keine geschichtstheologische Weihe; sie sind nicht Bestandteil eines Geschichtsprozesses und deswegen auch nicht systematisierbar. Verschärft gilt das für die Differenzen: Der Mythos liefert Varianten desselben; sein Analogisieren meint in letzter Konsequenz Identität. Dagegen muß die christliche Erzählung, gerade wenn sie der Möglichkeit beraubt ist, ihren Sinn im Medium der Sequentialität zu offenbaren, die Differenz der Fälle auf den systematisch hervorgetriebenen Unterschied zweier Geschichtsgestalten bringen.

Zurück zu den paganen Diptychen: Das erhaltene Kontingent läßt den Schluß zu, daß die überwiegende Zahl der Konsulardiptychen von den Möglichkeiten der Pendantbildung keinen Gebrauch machte, sondern zwei mehr oder minder identische Tafeln zusammenfügte. Die Variationen, die wir feststellen, betreffen verschiedene Zustände oder Arten der Neujahrsspiele; wir finden auch den Fall, daß der Konsul einmal mit Mappa und das andere Mal mit Szepter gezeigt wird. Hypothetisch bleibt die oben skizzierte Kombination von Konsul auf dem einen und Zirkusszene auf dem anderen Flügel. Damit würde ein formales Ungleichgewicht und Spannungsverhältnis wie beim Carrand-Diptychon, aber nicht eigentlich aus den ungleichen Seiten ein Gegensinn geschaffen. Diese Disposition verteilt nur die sonst zusammen dargestellten Inhalte auf die beiden Hälften nach Art der Münzen: der Avers präsentiert die Person, der Revers ihre Taten und Werke.

Das Bedürfnis nach Distinktion und Prestige, das dieses Medium der Beamtendiptychen hervorbringt, richtet sich also doch eher auf die Serie, auf die Unterschiede zwischen den abgestuft aufwendigen Versionen einer Jahresedition und auf die Unterschiede zwischen den Jahreseditionen. Die weiter entwickelten Varianten stehen in der Tradition der imperialen Repräsentationskunst, deren Formdenken eigentlich nur ein Motto kennt: mehr von demselben, ein Mehr an Hoheitszeichen, ein Mehr an attributiven Aussagen. Der Konsul auf seinem Löwen- oder Elefantenthron (Abb. 40), mithin das personifizierte städtische Regiment, wird von den Repräsentantinnen der Hauptstädte Rom und Konstantinopel bzw. von ihren Bildern im Medaillonformat in die Mitte genommen, darüber erscheinen dann der Kaiser und die Kaiserin in Medaillonportraits sowie das Zeichen oder die Imago Christi. Das bekannte pleonastische Verfahren bringt Hypostasen der Würde und der Macht zusammen, aufgefächert nach Rang, Aussageformen und Seinsmodus. Eine solche Ansammlung verlangt eigentlich nach einer neuen strukturellen Konzeption; sie hält sich jedoch, soweit es nur geht, an das äußerliche Hilfsmittel eines Situationszusammenhangs bzw. Architekturgerüsts – sehr schön zu sehen an den Diptychen, in denen die Bildschnitzer das hinzukommende Element der *imagines clipeatae* architektonisch anzubinden versuchen, indem sie die seitlichen Stützen und den Giebel des Tribunals zu Postamenten oder – eine andere Lösung – die Inschrifttafel zum Architrav und zum Tragebalken der Bilder und Zeichen erklären. Dieses Konglomerat muß man sich als die bedeutungsperspektivisch gesteigerte und positionell hervorgehobene Mitte der Zirkussituation vorstellen. Was darunter in miniaturhaftem Format angesetzt ist, das Publikum, das Rund der Arena, die *ludi*, das ist ja eigentlich die Umgebung des Tribunals, in dem der Konsul thront und die Spiele eröffnet. Insofern geht Friedrich Mehmel zu weit, wenn er schreibt: »Das Einzelne, Individuelle des Geschehens im Zirkus, der Anwesenheit der Zuschauer, des Konsuls mit seiner Begleitung bei *einer* Vorstellung ist hergeleitet aus etwas Höherem, lebt nur aus der › transzendenten ‹, über das Einzelne, Individuelle, Einmalige eines konkreten Geschehens hinausgehenden Bedeutung. Der Zusammenhang der Einzelheiten besteht in den gedanklichen Beziehungen dieser Bedeutung, keinesfalls in einer zeitlichen, handlungsmäßigen Verbindung.«[310] Darauf läuft die Entwicklung hinaus, auf das »Gedankenbild«, aber konsequent verwirklicht ist es hier noch nicht. In kompositionsgeschichtlicher Hinsicht müssen wir weiterhin darauf bestehen, daß dieser »Zusammenhang der Einzelheiten« seine Motivation von den sachlichen Vorgaben der Ursprungssituation herleitet.

Die christliche Antwort ist nicht das Attributions-, sondern das Beziehungsgefüge; ihr Medium ist die komposite Form, die eine deutlichere Feldergliederung oder sprechendere Abstände (ich denke an den Codex von Rossano) verlangt. Also werden die Inhalte auf zwei Seiten miteinander kontrastiert, und/oder es werden mehrteilige Synthesen aus klar abgegrenzten Bedeutungsfeldern und Kontrastmodi zusammengestellt. Die Mailänder Elfenbeine (Taf. 3-4) waren hierfür das vielbemühte Standardbeispiel; ihnen zur Seite stelle ich hier das ganz anders, aber nicht minder komplex aufgebaute fünfteilige Diptychon vom Anfang des 6. Jahrhunderts, zu dem eine vollständig erhaltene christologische Vorderseite in Ravenna und eine nur in Teilen überlieferte und auf mehrere Sammlungen verstreute Rückseite mit mariologischer Thematik gehört.[311] (Abb. 46) Auch für diese Gattung existiert ein Vorbild aus dem Bereich der staatlichen Repräsentationskunst: die Kaiserdiptychen, welche der Konsul am Tag seiner Amtseinführung dem Kaiser überreichen ließ.[312] Die Überlieferung dieser sehr viel selteneren Ehrengeschenke ist ungleich schlechter als die der Konsulardiptychen. Kein

Flügel ist komplett erhalten, und noch weniger wissen wir über das Verhältnis der beiden Tafeln zueinander. Übereinstimmend nimmt man an, daß die Vorder- und Rückseite je fünf Teile hatten, ein Mittelfeld mit begleitenden Seitenstücken und zwei Querstreifen oben und unten. Weiterhin ist die Forschung sich einig, daß repräsentative Inhalte zur Darstellung kamen, die zusammen das Thema des Triumphs intonieren: der Kaiser, reitend, thronend (?), die Urkunde an den Konsul verleihend, huldigende Gefolgsleute und besiegte Barbaren, die Engel, die den Siegeskranz mit dem Kreuzsymbol halten – dies ist das zu rekonstruierende Repertoire, aus dem entsprechend das Mittelstück, die seitlichen Teile und die Querstreifen oben und unten bestritten wurden. Das beste Anschauungsbeispiel ist die bekannte Barberini-Tafel des Louvre.[313] (Abb. 47) Wenn die jeweilige Rückseite nicht wieder nur Wiederholungen oder Varianten des Programms der vorderen Tafel lieferte, dann hatte dort im Rahmen ähnlicher Beigaben das Bild der Kaiserin seinen Platz.

In Programm und Anordnung differieren die Kaiserdiptychen nur geringfügig vom Typus der zuletzt betrachteten Konsulardiptychen. Wieder ist hinzuweisen auf die Tendenz, die ikonographischen Einheiten kompositionell und sachlogisch zu verbinden – über alle Unterschiede der Proportion und alle Grenzen der Bildfelder hinweg: die von einer Victoria angeführten Barbaren wenden sich nach oben, dem Kaiser zu, die Consules bewegen sich auf die Mitte hin, Bilder der Victoria dem Herrscher darbringend – nur der obere Streifen hat mehr Selbständigkeit. Ob man hierfür gleich wieder eine Vorlage der monumentalen Kunst rekonstruiert oder nicht, Schnitzler hat grundsätzlich sicher recht, wenn er sagt: »Das Kaiserdiptychon als Ganzes setzt eine in sich geschlossene Komposition voraus, die eine Handlung im Raume wiedergab.«[314]

Die christliche »Chresis« dieses Kompositionstypus ändert zuallererst die Quantitäten. Man kann die Differenzen in Zahlen und Formeln ausdrücken: Das komplexere Ensemble hat mehr Bildfelder (8:5) und mehr Formate (4:3), es hat eine zusätzliche Art der Unterteilung, die künstliche der Trennlinie neben den »natürlichen« Grenzen der einzelnen Tafeln, und es hat einen zweiten Darstellungsmodus, den narrativen neben dem repräsentativen. Die entscheidende Ausgangsgröße aber ist im Syntagma, wo das Prinzip Nachbarschaft gilt, die Zahl der äußeren und der inneren Anschlüsse, der Kontakte und der Konnexe. Die Zahl der Kontakte zwischen allen Bildfeldern erhöht sich von 16 auf 26. Dieser Steigerung der Berührungsflächen steht eine drastische Abnahme der inneren Anschlüsse entgegen. Von den fünf Feldern des Kaiserdiptychons sind drei auf die Mitte durch Bewegungsrichtung und Gestik bezogen; im christlichen Diptychon besteht kein einziger solcher Konnex.

Wenn also alle Elemente für sich existieren, aber die Zahl ihrer Kontakte, ihrer Anschlußmöglichkeiten sich deutlich erhöht, dann ist in einem ungleich höheren Maße die Konfiguration, der systematische Modus gefordert als das Mittel der Synthese und als Ausdrucksträger eigenen Rechts. Im Mailänder Diptychon ergab sich die Integration der Elemente aus einer Verschränkung der zwei Figuren Quinkunx/Fünfort und Kreuz, welche die Verhältnisse der Ferne und der Nähe und die Modi des Thematischen und des Narrativen auf eine besonders elegante Weise zusammenführten. Dem hier behandelten Fall liegt eine andere Aufbauform zugrunde. Gemeinsam ist aber, daß auch in ihr zwei Beziehungsstrukturen kooperieren: die Schichtung und die Klammer. Übereinander stehen die drei Welt- und Zeitzonen der christlichen Heilsordnung: die Welt des Elementaren im unteren Streifen (Meer, Land, Tier), des Heilsgeschichtlichen in der mittleren Zone und des Himmlischen im oberen Kompartiment; die Zeit der Vergangenheit (Jonas Meerwurf und Ruhe = Altes Testament), des Präsentischen von Christi Heilswirken und Regiment (die vier Wundertaten, Christus umgeben von Aposteln und Engeln = Neues Testament) und des Eschatologischen (die Engel mit dem Siegeskreuz). Diese Staffelung ist nur noch gedanklich, aber nicht mehr situativ oder bildlich-räumlich motiviert. Ein »Bild« im Sinne des »räumlichen Voreinander«, wie es Schnitzler als Archetypus der Kaiserdiptychen erschließen wollte, läßt sich nicht voraussetzen.

Soweit die eine Lesart, die auf die Schichten und die Inhalte schaut. Die andere, welche die Differenzen von Format und Modus berücksichtigt, erkennt Kopf- und Fußstück als Pendants, welche das vielteilige Gebilde, das dem Christusgeschehen gewidmet ist, rahmend in die Mitte nehmen. Unterschieden sind die beiden Längsfelder nach ihren Modi: Unten haben wir eine Erzählung in Kurzszenen, oben eine zeichenhafte Aussage. Der Mittelteil dazwischen ist nicht nur durch Position und Größe hervorgehoben, sondern erhält seinen spezifischen Rang erst dadurch, daß in ihm ein zweites Mal die Dispositionsweisen und Modi zur Geltung kommen, die das Ganze konstituieren: die Schichtung, indem das repräsentative Mittelrelief, das Christus zwischen zwei Aposteln zeigt, auf einer weiteren paradigmatischen Kurzszene mit den Jünglingen im Feuerofen aufbaut, die Klammer, indem der thematische Mittelteil von jeweils zwei szenischen Bildern mit Christi Wundertaten eingerahmt wird, der Moduswechsel, indem das repräsentative Mittelrelief von zweimal zwei narrativen Feldern begleitet wird.

Es bedurfte einer christlichen Dispositionskunst, um aus einem Gefüge mit attributivem und auszeichnendem Charakter einen Verweisungszusammenhang werden zu lassen, der als Struktur sinnvoll ist, oder richtiger: der mehr leistet, als die »natürlichen« Positionswerte (Oben, Unten, Mitte,

*Abb. 46 Ravenna, Museo Archeologico, Vielteiliges Diptychon mit alt- und neutestamentlichen Szenen*

Seite) einzusetzen, was ja schon den Schöpfern der Kaiserdiptychen gelungen war. Die Position der Mitte ist dann eben nicht nur durch eine Zusammenführung von Hoheitszeichen und von Richtungsbezügen markiert, sondern entsteht auch aus der Kombination und Interaktion von kompositorischen Ordnungen. Die Zusammenschau der Ordnungen bringt eine theologisch korrekte Paradoxie hervor: Christus ist die Mitte der Zeiten und Welten – Christus steht als Erhöhter über der Zeit und über der Welt. Das katalysatorische Moment, welches das übernommene Anordnungsschema

206

*Abb. 47 Paris, Louvre, Barberini-Diptychon*

transformiert und auf eine neue Weise aussagefähig macht, ist wie immer der historische Modus. Das Hinzukommen der narrativen Felder, die im Kaiserdiptychon fehlen, führt zur Moduskonkurrenz, führt zur systematischeren Einteilung und Verteilung der Bildelemente. Die Narration ist die notwendige Zutat einer Religion, die sich den Heilsbringer nur im Rahmen einer Heilsgeschichte vorstellen kann, einer Geschichte, die ihn vorbereitet (die Paradigmen), die er selbst gestaltet (die *opera*) und die er transzendiert (die Zeichen und die Selbstmitteilung seiner Basileia, seiner ewigen Königsherrschaft). Gleichwohl ist nicht ausgemacht, daß bei der so ermöglichten

*Abb. 48 Monza, Domschatz, Ampulle 3, Vorderseite mit Anbetung der Hirten und Magier*

Interaktion von thematischen und narrativen Feldern, von weltbildlicher und historischer Argumentation der Anteil der letzteren bewahrt bleibt. Das thematische Defizit ist häufig zuungunsten des »argumentum historiae« und zugunsten einer statischeren Anordnung, eines reineren Gedankenbildes beglichen worden, das im Schichtenmodell eine entsprechende, wenn auch

*Abb. 49 Monza, Domschatz, Ampulle 1, Vorderseite mit Anbetung der Hirten und Magier*

nicht unbedingt christlich sanktionierte Ausdrucksform fand. Wie dieses Modell Grundstrukturen der Welt thematisiert, kann man vergleichsweise an einem anderen sehr kreativen Medium der frühchristlichen Kunst studieren, an den Jerusalemer Ampullen des 6. Jahrhunderts.[315] Diese sind insofern mit den Diptychen vergleichbar, als sie ebenfalls zwei Seiten haben und diese mit sehr unterschiedlichen und häufig aufeinander abgestimmten Kompositionen besetzen.

Ein Beispiel: Die Ampullen Monza 1-3 haben auf der Vorderseite die thronende Maria mit dem Kind, das Ziel der Magier und der Hirten, die von den Seiten huldigend herantreten.[316] (Abb. 48-49) Die Vorgänge sind ins Repräsentative entrückt; der symmetrische Aufbau, die Frontalität der göttlichen Gestalten, der Anlaß erinnern an den zeremoniellen Erzählstil, der die Mosaiken am Triumphbogen von Santa Maria Maggiore bestimmt. Zu dieser Enthistorisierung trägt ganz entscheidend bei, daß zwei narrative Details durch Registerbildung abgetrennt und zu semantischen Zonen verselbständigt werden. Zu Füßen der Adorationsszene bilden die Tiere der Hirten die Basis, das Naturfundament, das nun in reiner Form präpariert erscheint, befreit von historischen Besetzungen, wie wir sie mit dem gleichen Positionssinn verbunden im »Barbarenfeld« der Kaiserdiptychen und in der biblischen Meerlandschaft der Tafel von Ravenna finden. Analog dazu wird auf der Ampulle 3 der über Maria und Christus erscheinende Stern, der Wegweiser der Anbetenden, zum Gegenstand einer eigenen Zone. Während auf den Ampullen 1 und 2 schwebende Engel die Engel auf den Stern hinweisen, ist dieses Motiv in der Version 3 nicht nur durch einen Schriftbalken abgesondert, sondern auch so umgeformt, »daß es dem im Zenit byzantinischer Triumphbögen häufigen Thema der Genienengel, die das Siegeszeichen XPi tragen, gleicht«[317]. Das Motiv trägt sich damit selbst, könnte man sagen. Wären nicht die Gesten der beiden ersten Hirten, so würde die Komposition dieser Ampulle in drei Kompartimente ohne jeglichen Konnex zerfallen; aber auch so wird der szenische zugunsten eines weltbildlichen Gehalts zurückgestuft: Eingestellt zwischen das Reich des Animalischen, Elementaren und Natürlichen und die Zeichen und Wesen des Himmlischen kann auch die *historia divina* nur noch von Seinsqualitäten zeugen: ein Selbsterweis Gottes nicht durch Taten, sondern durch Sein, nicht durch eine Gestaltung von Zeit, sondern durch eine Gestaltung der Anerkennung von Sein (der Menschnatur und des königlichen Rangs des göttlichen Kindes) – hier setzt sich mit ihrem bekannten attributiven Stil die imperiale Ikonographie durch. Wobei die Affinitäten zwischen den Registern unmißverständlich ausgedrückt werden und der systematischere Charakter der christlichen Dispositionskunst noch einmal deutlich zutage tritt: Während das Naturreich keine Ordnung kennt (vgl. die Paradies-Tafel des Carrand-Diptychons), sind analoge Ordnungsstrukturen für die beiden anderen Zonen zuständig, die sich damit als Versionen desselben zu erkennen geben.

Dreht man die Ampulle Monza 2 um, findet man das Herrlichkeitsbild des Averses gekontert von einem siebenteiligen »Zyklus« des Neuen Testamentes. (Abb. 50) Bemerkenswert ist, daß in diesem Fall auch die narrative

*Abb. 50 Monza, Domschatz, Ampulle 2, Rückseite mit Vita Christi*

Ordnung in eine Konfiguration gebracht wurde, die kosmologische Qualitäten hat. Die Rückseite setzt nämlich das Thema des Sterns fort, des Sterns
von Bethlehem, der Ereignis und Zeichen zugleich war. Sein Erscheinen
bewirkte, daß die Menschen zum Gottessohn im Moment seiner Epiphanie
fanden, und es zeigte an, daß Kosmos und Geschichte in diesem Moment
solidarisch geworden waren: Das Licht war in die Welt gekommen, und es
war natürlich vom Himmel gestiegen, *coelo demissus*. Die Komposition rückt

die Geburt, das vom Stern überstrahlte Geschehen, in das Zentrum der »Konstellation«. Dieses mittlere Feld wird von sechs szenischen Medaillons umgeben, deren Anordnung genau das Muster jener Sterne wiederholt, die zwischen den Szenen und dem Außenkreis vermitteln: das sind Sterne mit einer senkrecht und zwei diagonal stehenden Achsen, die Endpunkte und das Zentrum jeweils mit kleinen, halbrunden Buckeln besetzt: göttliche Geschichte *more cosmologico* disponiert und zugleich von der Signatur ihres Helden durchwirkt, denn I und X zusammengesehen ergeben eine Art Iesus-Christos-Monogramm.

## Die Erzählung in der Erzählung:
## Das Mailänder Elfenbein mit den Frauen am Grabe

Nach den vielteiligen und komplex strukturierten Elfenbeinen kehre ich zum Schluß zu den einfachen Tafeln und ihrer dialogischen Grundstruktur zurück. Daß das Carrand-Diptychon in seiner Beschränkung auf den narrativen Modus nicht allein stand, belegt zumindest ein anderes gleichzeitiges Relief, die in Mailand aufbewahrte Tafel mit den Frauen am Grabe (Abb. 51).[318] Die zwei Evangelistensymbole des verbliebenen Flügels verweisen auf ein verlorenes Pendant, das mit Sicherheit ebenfalls aus dem Neuen Testament erzählte. Das Gebäude des Heiligen Grabes, bestehend aus einem rechteckigen Unterbau und einem hohen Tambour, beherrscht formatfüllend das hohe, zweigeteilte Bildfeld. In der unteren Abteilung sehen wir die offene Grabestür und links und rechts davon den Engel und die Fragen des Ostermorgens, der Engel auf einem Stein sitzend und die Frauen anredend, welche in ergebener Haltung seine Botschaft annehmen. Auf dem Dach darüber knien zwei Wächter und schauen hinab. Auch ihre Haltung und Gestik malt Verwunderung und Ehrfurcht. Der Engel, die Frauen, die Wächter, rings um die offene Tür angeordnet, sie alle sollen das zentrale Faktum bezeugen: Das Grab ist leer, Christus ist auferstanden. Soweit die enggeführte Wiedergabe des Auferstehungsberichts nach Matthäus 28 und Markus 16.

Was darüber hinaus das Werk einem kompositionsgeschichtlichen Interesse nahebringt, sind die reliefierten Flügel der offenen Grabestür, welche die Grundform und den Darstellungsmodus ihres Trägermediums wiederholen. Diese Reliefs erzählen – jeweils flügelübergreifend – drei Wundertaten, von denen zwei sicher identifizierbar sind: oben sehen wir die Auferweckung des Lazarus (Joh 11), in der Mitte Christus und Zachäus (Lk 19),

*Abb. 51*
*Mailand, Castello*
*Sforzesco, Flügel*
*eines Diptychons*
*mit den Frauen*
*am Grabe*

unten vielleicht die Heilung des Blinden (Joh 9). Entscheidend ist hier nicht das Kunststück der Selbstspiegelung eines Mediums, sondern die Frage, welchen Beitrag die Eröffnung eines zweiten Erzählregisters im ersten zur Bildargumentation leistet.

Unter den drei Aspekten bzw. Funktionen Modus, Medien und Thematik läßt sich diese Erzählung in der Erzählung analysieren. Zunächst einmal erweitert die Nutzung der Türflügel den Darstellungsradius eines maßstäblich und materiell begrenzten Mediums; sie spricht davon, daß es sehr viel mehr zu *erzählen* gibt, daß die Kunst, die diesem einen Leben gilt, eine Kunst der vielen und vielfältigen Bilder ist. Es ist ja schon merkwürdig, wie die Disposition des ersten Registers derjenigen des zweiten darin entgegenkommt, daß sie das Bild einer Gesamtszene in zwei Kompartimente aufteilt und die Trennung zugleich wieder zurücknimmt, indem die Mittelleiste des Kymations auch als Abschlußgesims des Grabgebäudes fungiert. In der anderen Richtung gilt das gleiche für die Erzählung auf den Türflügeln. Auch hier zerfällt das Bild jeder Episode in zwei Abschnitte. So äußert sich der multiple Grundcharakter der christlichen Kunst und die Selbstreflexion dieses besonderen Mediums schon darin, daß sich jede Teilszene als teilbar erweist. Die Türflügel reflektieren wie gesagt ja auch die Objektform des Diptychons mit seinen beiden ebenso eigenständigen wie zusammengehörigen Seiten. Die Wunderszenen verteilen sich nicht nur auf beide Flügel, sondern sind auch so komponiert, daß Christus zuerst oben links, dann in der Mitte rechts und wiederum unten links erscheint, was bei der Bildlektüre eine Zickzackbewegung ergibt, die die beiden Türhälften quasi zusammennäht.

Schließlich ist da die thematische Dimension des Wunderberichts, die beide Register gemeinsam und aufeinander bezogen bearbeiten. Vergleicht man die gestischen Stereotypen, die den Verkehr zwischen Christus und den Empfängern seiner Gnade bestimmen, mit den identisch ausfallenden Reaktionen des Engels und der Frauen, so begreift man, daß hier wirklich so etwas wie eine »Binnentypologie« intendiert ist, d. h., das Verhältnis der Analogie und Steigerung, das zwischen Heilsereignissen des Alten und des Neuen Testaments bestehen kann, wird hier auf Vorgänge, die dem Christusgeschehen allein angehören, übertragen. Was der Engel den Frauen mitzuteilen hat, ist dasjenige Wunder, das alle anderen Wunder, auch die von Christus selbst bewirkten und in den Reliefs vergegenwärtigten, übersteigt: »Er ist von den Toten auferstanden.« (Mt 28, 7) Anstelle dieser Worte erscheint zwischen ihrem Verkünder und ihren Empfängerinnen die Osterbotschaft in zeichenhafter Form gleich zweimal: als offene Tür und als »Präfiguration«. Das erste Zeichen nennen wir nach Charles Sanders Peirce gewöhnlich ein indexikalisches Zeichen. Es zeugt von der Einwirkung des

Bezeichneten: der Auferstandene hat das Grab geöffnet, die von den Wächtern versiegelte Tür gesprengt. Die Reliefs, die zweite Form der zeichenhaften Umsetzung der frohen Botschaft, würden dagegen der Klasse der ikonischen Zeichen nach Peirce entsprechen – hier besteht ein doppeltes Analogie-Verhältnis in bezug auf die Komposition und auf den gemeinsamen Inhalt. Die Wundertaten des Herrn, der Leben schenkt oder Leben wieder ganz macht, präludieren im kleinen Maßstab und zum Bild im Bild zurückgestuft dem soteriologischen Zentralgeschehen, dem Wunder der Selbstbefreiung aus den Banden des Todes.

Die auffällige Parallelisierung des Aktionsmodus auf beiden Ebenen lenkt die Aufmerksamkeit nicht nur auf diesen inneren Tatbestand eines typologischen Reims, sie artikuliert auch eine Grundfigur der Christologie: Als Konsequenz eines Lebens, das Verkündigung war, und einer Verkündigung, die Leben war, kann die Tatoffenbarung (Wunder) und die Wortoffenbarung (Osterbotschaft) analog gefaßt werden. Analog heißt aber nicht identisch: Im Wechsel der Ebenen wird die Trennlinie veranschaulicht, die zwischen dem »historischen Jesus« (die Reliefs) und dem »verkündigten Christus« (das Relief), zwischen Geschichtsbericht und Glaubenszeugnis verläuft. Ich beziehe mich mit diesen Begriffen auf eine Debatte der protestantischen Theologie, die in der Nachfolge Rudolf Bultmanns mit großer Heftigkeit geführt worden ist. Die Bultmann-Schule nahm einen Bruch zwischen dem Verkündiger und dem Verkündigten, zwischen der Selbstoffenbarung Jesu und der Heilsbotschaft der Urgemeinde an. Es bedarf keiner umständlichen Erklärungen, daß die Kirche des 5. Jahrhunderts auf der gegenteiligen Annahme einer Identität von »Evangelium Christi« und »Evangelium von Christus« bestand. Aber sie war natürlich gehalten, diese Kontinuität an der entscheidenden Stelle glaubhaft zu machen: an den Osterereignissen, die ja die faktische Unterbrechung der Heilslinie und ihr Wiederanknüpfen im Wunder der Auferstehung bedeuteten.

Der Vorgang der Auferstehung wird nicht erzählt, weder von den Evangelien noch von dem Elfenbein. Beide Berichte setzen auf die indexikalischen Zeichen als den Indizien einer stattgefundenen Handlung und auf die Mittler bzw. Augenzeugen und ihre berufene und unzweifelhafte Deutung der Zeichen und Erscheinungen: »Erst auf Grund der von den Zeugen mitgeteilten Deutung: › er ist leiblich auferstanden ‹, › er ist erschienen ‹, wurden diese Ereignisse zur Offenbarung von dem angebrochenen Äon.«[319] Bei alledem kann die Kunst gut mithalten: Die Garanten Zeichen und Augenzeugenschaft entsprechen ganz und gar ihren Möglichkeiten. Es gelingt ihr auch, wie wir gesehen haben, die Leerstelle des gesprochenen Wortes »beredt« zu füllen, und nicht nur das: Sie überhöht die Darstellung der frohen Botschaft des Engels durch ihre größere und allgemeingültige Ausgabe, durch die »Wesen« oder Symboltiere der Evangelisten, die über der Szene erscheinen und die Zusammengehörigkeit der Diptychonflügel, der christlichen Verkündigung schlechthin sanktionieren, aber auch durch ihre Gesten in den so komplett besetzten Chor der Zeugen einstimmen: Er umfaßt die Objektwelt, die himmlischen Wesen, die Frauen und die Männer, die Helfer und die Widersacher des Herrn, die Christen und die Heiden und eben die Repräsentanten des Logos, des Wortes der Verkündigung.

Aber Kontinuität wird in unserem Relief nicht nur durch Identifizierung und autoritative Bezeugung hergestellt. Das überraschende und die Möglichkeiten der Schrift übersteigende Surplus an Beglaubigung entsteht durch die Reliefs im Relief, durch die der Abwesende und Erhöhte seine Fortexistenz selbst anzeigen kann. Diese zweite Form der Kontinuitätsbezeugung basiert auf den altbekannten Konzepten der Heils*geschichte* und der Klammer von Verheißung und Erfüllung. »Er ist auferstanden, wie er gesagt hat«, bedeutet der Engel den Frauen. Der »historische Jesus«, den das Alte Testament verkündet hat, ist in den Evangelien einer, der sich selbst verkündet und dabei die Mittel nicht ausschlägt, die bis zu ihm hin die Heilslinie auslegten und vorantrieben. Oscar Cullmann: »Jesus schafft das Heil in seinen Werken, und er schafft es, indem er den Sinn seiner Werke in ihrer Ausstrahlung auf alle Lehre verkündet.«[320] In zugespitztem und wörtlichem Sinne gilt das für die Werke der Heilungswunder in ihrem Bezug auf das Wunder, welches das Heil schlechthin bringt und die Lehre neu fundiert.

Die Wunder vor den Osterereignissen fungieren in der Tat als Zeichen, als Vorzeichen. Sie offenbaren das Heil, aber sie bewirken es noch nicht, da sie oft zufälliger Natur sind und eine nur punktuelle Wirkung haben. Gewöhnlich nimmt man an, daß sie die Lehre vom »Reich Gottes« unterstützen und illustrieren, also einen Vorgeschmack von jenem eschatologischen Zustand geben, in dem Gottes Macht absolut gilt. In diesem Sinne läßt Lukas den wundertätigen Christus sprechen: »Wenn ich aber die Dämonen durch den Finger Gottes austreibe, dann ist doch das Reich Gottes schon zu euch gekommen.« (11, 20) Die Betrachtung des Reliefs lehrt, daß eine engere Führung der Relation Zeichen und Bezeichnetes möglich ist. In ihr werden die Geschehnisse eines Lebens, *des* Lebens zusammengebracht, in ihr geht es um die Kontinuität des Messias vor und nach seinem Tod.

Die Reliefs der Tür sprechen in Aktion und Reaktion von der »Kraft Gottes« (so Paulus im 1. Korinther-Brief) in der Geschichte. Christus kündet durch sie an, daß er selbst und in eigener Sache die Bande des Todes brechen kann: »Wie sollte derjenige«, fragt Leo d. Gr. in seinen Osterpredigten, »der dafür bekannt war, daß er Wunder bewirken, die Dämonen vertreiben, die

Leprosen heilen, die Toten auferwecken konnte, wie sollte dieser nicht sich selbst aus dem Grabe erheben können?«[321] So ist die Heilsgeschichte auf Erfüllung hin angelegt, so kann sie die Kluft des Todes überspringen, so ergibt sich der christliche Sinn als Beziehungssinn, nicht als Hintersinn. Evidenz, »historische Evidenz«, wie Auerbach sagt, ist das Prinzip, das die christliche Kunst orientiert, auch und gerade angesichts der Wundermacht ihres Gottes.

Auswendig – Inwendig: Gesetz und Gnade auf dem Berliner Diptychon mit Moses und Thomas

Bis solche Techniken der Selbstthematisierung, solches Anzetteln eines inneren Dialogs wiederkehren, vergeht ein Jahrtausend (s. das Schlußkapitel). Was dazwischen nicht vernachlässigt wird, ist das schon in früher Zeit erschlossene Potential des äußeren Dialogs zwischen den Tafeln. Es kommt da durchaus zu Steigerungen – ich denke z.B. an die großartigen Reliefs des späten 10. Jahrhunderts in Berlin mit einer ungewöhnlichen typologischen Kombination aus Moses, der die Gesetzestafeln empfängt, und Thomas, der seine Hand in die Seitenwunde Christi legt.[322] (Taf. 16) Wir brauchen nicht zu warten, bis auch hier jemand eine theologische Inspiration namhaft machen kann. Das Vorbild des Carrand-Diptychons hat gezeigt, daß angewandte Typologie im Bunde mit Medienreflexion solche exegetischen Anregungen weit übertreffen kann. Die Leitbegriffe sind ohnehin klar; es geht um die Gegenüberstellung von Gesetz und Gnade und um die entscheidende Differenz zwischen den beiden Perioden des Heils. »Denn das Gesetz ist durch Moses gegeben, die Gnade aber und die Wahrheit sind durch Jesus Christus gekommen.« (Joh 1, 17) Unmittelbar nachzuvollziehen ist der Zwang zur wörtlich verstandenen Engführung des Themas. Was für die zuletzt besprochenen spätantiken Werke galt, die Kombination von Schilderung und Argumentation, von einer gewissen Weitläufigkeit und einer kontrastierenden Stringenz, das hat jetzt keinen Stellenwert mehr. Die Zeiten und Gnadenstände sind Geschichts*gestalten* im elementaren Sinne geworden – die Kunstgeschichte spricht ja seit Jantzen von »Gebärdefiguren«, wenn es um dieses eigentümliche Erzählen am Körper in ottonischer Kunst geht: Moses und Thomas, zweimal der Mensch im Kontakt mit seinem Gott, beide Male nach oben gestreckt, wie in einen Schacht gestellt, sich zum höheren Prinzip emporwindend. Soweit herrscht Übereinstimmung. Den Unterschied macht Gott. Auf der einen Seite kommt der *deus* *occultus* nur in zeichenhafter Form, als nimbierte Hand vor und händigt eine zeichenförmige Botschaft aus: zwei Gesetzestafeln. Auf der anderen Seite erscheint der *deus revelatus* leibhaftig und eröffnet seinen Leib noch einmal vor dem Menschen. Die *nova lex*, die *lex caritatis* wird Form dadurch, daß der inkarnierte Gott eine geradezu symbiotische Beziehung zum Menschen hat. Eng aneinandergeschmiegt streben die beiden empor, und nur die Höhe eines untergeschobenen Podestes bewirkt, daß Christus den ungläubigen Jünger überragt, dies aber einzig und allein, um sich über ihn zu beugen, ihn zu umfangen und seiner Bewegung nach oben ein Ziel zu bieten. Von dieser Einheit spricht auch die halbrund abschließende Nische, welche die Gruppe aufnimmt. So interpretiert diese Seite in visuellen Begriffen das »*Unter*-der-Gnade-Sein«, von dem Paulus im Römer-Brief (6, 14) spricht. Beim »Unter-dem-Gesetz-Sein« gilt die konventionelle Trennung und Verteilung der Größen nach Oben und Unten, und hier wird die Theophanie auch gleich gerahmt von den offiziellen, aber äußerlichen Zeichen des Kultus. Das abbreviierte Gebäude aus Säulen und Giebel steht sicher für den Tempel, der später die Gesetzestafeln aufnahm. Statt seiner, statt des architektonischen Rahmens figuriert Christus, der davon sprach, einen neuen Tempel in drei Tagen aufrichten zu wollen: »Er aber redete vom Tempel seines Leibes.« (Joh 2, 19)

Sensibilisiert durch die Betrachtung der Mailänder Tafel mit ihrem *mise en abyme* aus reliefierten Flügeln auf reliefierten Flügeln entgeht einem nicht, daß auch in diesem Diptychon zwei Tafeln vorkommen. Die christlichen Exegeten des Alten Testaments haben die Zweizahl der Gesetzestafeln immer als Voranzeige einer doppelten Verkündigung in zwei Büchern gedeutet, aber das kann hier nicht gemeint sein. Wirksam wird eher der Gedanke einer Gegenüberstellung von Gesetz, »das auswendig in den Stein geschrieben«, und Glauben, »der innerlich ins Herz geschrieben wird«[323]. Hrabanus Maurus, den ich hier zitiere, bezieht sich auf das Wort des Paulus im 2. Korintherbrief (3,3), wo der Apostel vom »Geist des lebendigen Gottes« spricht, »der nicht auf steinerne Tafeln [tabulae lapideae], sondern in fleischerne Tafeln des Herzens [tabulae cordis carnis] hineinschreibt«. Damit ist nicht nur die interne Thematik der Gegenüberstellung der Heilsgaranten Gesetz bzw. Leib, sondern auch die Metaebene der Medienreflexion angesprochen. Die Vergleichsstelle trägt diesen Gedanken, denn am Anfang des 2. Korintherbriefs geht es um die Autorität des Schreibens und um Briefe: um Empfehlungsschreiben, welche die Widersacher des Paulus in Korinth vorgezeigt haben, und um den »Lobbrief«, den der Apostel sich selbst ausstellen kann. Dieser Brief sind die Korinther, seine Gemeinde: »Unser Empfehlungsbrief seid ihr, eingeschrieben in unsere [nach anderer Lesart: eure] Herzen und für alle Menschen lesbar. Jawohl, ihr seid ein Brief, von uns ausgefertigt, nicht mit Tinte geschrieben, sondern durch den Geist des lebendigen Gottes, der nicht auf steinerne Tafeln, sondern in fleischerne Tafeln des Herzens hineinschreibt.« Das Denken in unversöhnlichen Antinomien (lex vs. caritas) schlägt bei Paulus immer wieder in überraschende Identitätsbehauptungen (Brief = Adressat) um – das macht seine Argumentation spannend, aber auch anstrengend. Wenn der Christ also ein Brief ist, dann ist Christus erst recht ein Brief, in dessen zum Herzen führender Wunde Thomas liest, auf daß er Christ werde bzw. bleibe. Die Inschrift zitiert nach Joh 20, 27 die *viva vox* des Herrn: »Lege Deinen Finger hierher und sei nicht« – das fehlende »ungläubig« dürfte mit Bedacht ausgelassen sein. Die Erfüllung des Befehls, dieses Lesen macht gläubig.

Die Innenseiten von Diptychen – ich verweise zurück auf den Anfang – dienten als Tafeln zum Schreiben. Und wenn sie dazu nicht (mehr) benutzt wurden, nahmen sie als Schmuck von Buchdeckeln die Schrift in ihre Mitte. Wer sich für die Zierseite eines solchen Gerätes dieses exquisite Programm ausgedacht hat, will vielleicht die Schreibseite und sein Tun in dessen Schwerefeld stellen. Wiederum ist auf die Möglichkeit aufmerksam zu machen, daß pagan-antike Anregungen aufgegriffen werden. Wenn Beamten Diptychen verschenkten, dann ist nach allen anderen Motiven, die wir hier angesprochen haben, auch noch dasjenige zu bedenken, daß ihre Position etwas mit Schrift und Schreiben zu tun hatte. Durch eine in Diptychon-Gestalt ausgegebene Urkunde, die sogenannten Codicilli, werden sie in ihr Amt eingesetzt – so zeigen es die Kaiserdiptychen; im Amt produzieren sie selbst Urkunden und Schriftstücke – so sehen wir es auf einem der wenigen nichtkonsularischen Diptychen, das der Stadtvicar Rufius Probianus um 400 verschenkt hat. (Abb. 52) Er selbst beschreibt eine Rolle, während zwei Amtsdiener eifrig sein Diktat in ihre Poliptychen aufnehmen.[324] Solche Selbstthematisierung geht im Fall des Berliner Diptychons den indirekten Weg einer Verständigung mit Hilfe von historischen Exempla, was nach allem Gesagten doch wohl die *via recta*, der Königsweg der christlichen Kunst ist. Das »liber vitae«, als welches dieses Diptychon im Meßgebrauch war, enthielt die Namen der Toten oder der Lebenden, derer in der Messe gedacht werden sollte. Die Formeln, die im Gebet »Post nomina« oder »Super dipticia«, also nach Verlesung der Namen von den Diptychen, gesprochen wurden, sind eindeutig – zwei Zitate aus dem gallischen und mozarabischen Liturgiegebiet mögen genügen: »Übertrage diese Namen, welche durch Deine Leviten und Sänger in der Messe vorgetragen wurden, auf die Seite des Himmels. Schreibe sie in das Buch der Lebenden mit Deinem Finger, durch welchen uns das Gesetz aufgezeichnet ist.«[325] »Die Namen derjenigen, die im Vortrag genannt wurden und für die Du als Heiland der Welt im Fleische erschienen bist, mögest Du für die Ewigkeit aufschreiben.«[326]

*Abb. 52 Berlin, Staatsbibliothek, Handschriftenabteilung, Probianus-Diptychon*

Nicht ganz auszuschließen ist, daß durch die Antithese der Bildtafeln und ihre paulinische Pointe alles (dazwischen) Geschriebene nicht gerade entwertet, aber doch als Sekundärmedium, als menschliches Hilfsmittel von begrenzter Ausdruckskraft gekennzeichnet werden sollte – so wie ja auch die Namenslisten in den gerade angeführten Zitaten nur als Vorform des von Gott geführten Haupt- und Lebensbuches galten. Ein medienkritisches Argument, die Möglichkeit einer Selbstthematisierung als Selbstkritik deutet sich so an – zur Unterstützung dieses Gedankens bemühe ich Johannes Chrysostomos und seine Homilien zu Matthäus: »Eigentlich sollten wir nicht auf die Hilfe der hl. Schrift angewiesen sein, vielmehr ein so reines

Leben führen, daß die Gnade des hl. Geistes in unseren Seelen die Stelle der hl. Schriften verträte und sich in unsere Herzen wie die Tinte auf den Büchern einschreiben könnte. Weil wir diese Gnade aber ausgeschlagen haben, wollen wir das Geschriebene, das ein zweitrangiges Vehikel ist, mit Freuden benützen.«[327]

Wie man es dreht und wendet, unbestreitbar läßt sich zur christlichen Chresis und Diakrisis der Diptychen dieses sagen: Man hat das Medium nach allen Seiten gedreht und gewendet und alle seine Aspekte zu Gesicht gebracht. Der Dialog zwischen den paganen und den christlichen Gegenstücken, der Dialog zwischen den zwei Bildtafeln, der innere Dialog zwischen den Bildebenen, der Dialog zwischen den beiden Seiten und damit impliziert: der Dialog zwischen Schrift und Bild – es ist keine Möglichkeit ausgelassen worden. Der systematischen Form der visuellen Argumentation entspricht die systematische Überprüfung der Qualitäten eines Mediums.

# 7. Kapitel

## »Die Fülle des Sinnes«:
## Die Bildertür von Santa Sabina in Rom

> Die Fülle des Sinnes ist Sache einer zeitlichen Erfüllung.
> Karl Löwith

Mit der Analyse dieses letzten Kapitels bleibe ich in der Zeit, in der die Mosaiken von Santa Maria Maggiore, die Miniaturen der Itala, die Elfenbeine in Mailand und Florenz entstanden sind, und ich schließe an das zu den Diptychen Gesagte an, was die Aspekte Technik, Objektform und typologisches Disponieren anbelangt. Es geht um die Reliefs der Holztür der Basilika von Santa Sabina in Rom, welche von einem reichen illyrischen Priester gestiftet und von demselben Papst Sixtus geweiht wurde, der sich mit dem Bilderzyklus von Santa Maria Maggiore ein Denkmal gesetzt hat.[328] (Abb. 53)

Die Rekonstruktion des Gesamtprogramms dieser Tür fällt nicht schwer, wenn man sich einmal in die Strukturprinzipien der christlichen Kunst eingesehen hat. Außerdem sind immerhin zwei Drittel der Füllungstafeln und das Grundgerüst des Bildträgers sicher überliefert – Rekonstruktionen haben schon aus sehr viel weniger sehr viel mehr gemacht.[329] Gesichert ist in seiner Struktur, nicht in seiner Materialität das hölzerne Rahmengestell, das in sieben Zeilen 28 Bildfelder unterbringt, wobei vier Reihen aus je vier klein- und querformatigen Tafeln mit drei Reihen aus je vier groß- und hochformatigen Tafeln alternieren. Gesichert sind ferner, was die Bildgegenstände angeht, eine alttestamentliche Darstellung und neun neutestamentliche Felder bei den kleinen Tafeln; in einer schriftlichen Überlieferung ist festgehalten, daß eine weitere kleinformatige Tafel mit dem Meerwurf des Jona existiert hat.[330] Im Fall der großen Felder haben wir noch vier Reliefs mit Themen aus dem Alten und zwei mit Themen aus dem Neuen Testament. Der Gedanke an eine typologische Durchstrukturierung liegt also von vornherein nahe; das Vorhandensein zweier theologisch wie formal überzeugender Bildpaare unter den großen Tafeln macht die Suche danach zwingend.

Daß die bisherigen Rekonstruktionsversuche nicht befriedigen konnten, hat zwei Gründe. Zum einen hat man den besonderen Status der zwei noch nicht erwähnten großen Tafeln entweder verkannt oder aus ihrer plausiblen

| | 1 | 2 | 3 | 4 |
|---|---|---|---|---|
| VII | Frauen am Grab [VII, 2] | Erscheinung Christi vor den Frauen [V, 2] | Erscheinung Christi vor den Jüngern [V, 1] | Christus mit Petrus und Paulus [VII, 4] |
| VI | Akklamation (?) [IV, 2] | | | Parusie [VI, 4] |
| V | Die Verleugnungsansage [V, 3] | Christus vor Kaiphas [III, 4] | Christus vor Pilatus und Kreuztragung [III, 1] | Kreuzigung [VII, 1] |
| IV | (Geburtsszenen) | (Taufe Christi) | Wunder Christi [VI, 1] | Himmelfahrt Christi [VI, 3] |
| III | | Magierhuldigung (?) [VII, 3] | | |
| II | Berufung des Moses [IV, 1] | Durchzug durch das Rote Meer [IV, 3] | Wunder Moses [VI, 2] | Himmelfahrt des Elia [IV, 4] |
| I | (Meerwurf des Jonas) (?) | (Ausspeiung des Jonas) (?) | Die Entraffung des Habakuk (?) [V, 4] | (Daniel in der Löwengrube) (?) |

*Abb. 54 Rom, Santa Sabina, Gesamtansicht der Bildertür*

*Abb. 53 Rom, Santa Sabina, Schematische Rekonstruktion der Bildertür. (?) = Position des Reliefs innerhalb der Zeile nicht sicher. (...) = Relief nicht erhalten, aber aus Quellen oder aus dem Zusammenhang relativ sicher erschließbar. [VI, 1] = Position des Reliefs heute*

Deutung keine Folgen für die Disposition des Ganzen abgeleitet. Angesprochen sind die sogenannten »enigmatic panels«, die kurz als »Akklamation« und »Parusie« apostrophiert werden sollen. (Abb. 62-63) Es sind dies repräsentative Darstellungen, deren Rückbindung in den historischen Kontext der Erzählungen des Alten oder Neuen Testamentes nicht gelungen ist.[331] Sie beziehen sich auf das Heilsgeschehen, das nach und aus der Heilsgeschichte kommt und das je nach Perspektive historisch, präsentisch wie futurisch bestimmt ist: als Antitypus, sprich als Erfüllung dessen, »was sich im Fleisch ereignet hat« (Origines), als Zeitraum der etablierten Kirche und der zeitlosen Gegenwart des Herrn sowie als Projektion des Endes der Zeiten und des »Wiederkommens des Menschensohnes in seiner königlichen Macht« (Mk 16, 18). Kantorowicz hat in einem berühmten Aufsatz die Parusie-Tafel auf den zum Schluß genannten Zeithorizont bezogen: Die letztgültige Ordnung der Welt wird sichtbar gemacht in dem bekannten zweizonigen Schema aus himmlischer und irdischer Sphäre, aus dem Pantokrator, der zugleich der »Kommende« ist, und den wichtigsten Vertretern der Kirche Christi auf Erden, Maria-Ecclesia, Petrus und Paulus, die das vom Himmel stürzende Kreuz, das Vorzeichen des *secundus adventus*, begrüßen. Der Versuch desselben Autors, die andere Bildtafel als Illustration einer Passage aus dem Propheten Malachi zu deuten, hat dagegen weniger Beifall gefunden. Hier stehen heute im wesentlichen zwei Möglichkeiten zur Diskussion: Entweder man entscheidet sich für einen engeren ekklesiologischen Bezug und erkennt in diesem Relief die Akklamation und Präsentation eines hohen Würdenträgers vor seiner Stadt/Kirche – Brigitte Jeremias schlägt vor, an die Inauguration eines Bischofs (des Bischofs dieser Kirche?) zu denken[332] – , oder man optiert wie zuletzt Peter Maser für eine weitere Aussage über die eschatologischen Qualitäten Christi. Den elaborierten Spekulationen des Hebräerbriefes folgend gibt er zu erwägen, ob hier nicht Christus in seiner Eigenschaft als der »ewige Hohepriester« adressiert wird – was in letzter Hinsicht auch eine ekklesiologische Perspektive ergibt.[333]

Zu welcher Einzelinterpretation man auch gelangt, die Funktion dieser Tafeln im Gesamtaufbau der Tür weicht nicht von derjenigen ab, die vergleichbare Darstellungen im Ausstattungssystem der großen Basiliken haben. So wie der historische Zyklus der Langhäuser durch die paradigmatischen Komplexe der Apsiden oder Triumphbogendarstellungen komplementiert wird, so finden im Falle der Feldertür die Erzählungen aus Altem und Neuem Testament ihre thematische und zeitliche Ergänzung und Erfüllung in diesen Schaubildern der repräsentativen Art. Die erste Forderung lautet also, daß den »enigmatic panels«, die wir jetzt »thematic panels« nennen sollten, eine eigene Position im Gesamtaufbau eingeräumt wird. Das zweistellige Modell der Konkordanz aus Altem und Neuem Testament müßte dementsprechend erweitert werden, was zunächst einmal bedeutet, daß die traditionelle Fixierung auf eine »dittochaeische« Grundanordnung, sprich: ein Argumentieren mit zwei Seiten oder zwei Hälften wie bei den christlichen Diptychen aufzugeben wäre. Damit ist die Frage des Verhältnisses von Bildprogramm und formaler Disposition angesprochen.

## Der doppelte Kursus: Eine Rekonstruktion des Türprogramms

Die Tür hat zwei Flügel, was zunächst natürlich den Gedanken an eine Zweiteilung des Programms sofort wieder anbietet. Auffällig ist jedoch, daß diese Flügel nicht als feste Einheiten aufgefaßt sind, sondern in sich in zwei mit Scharnieren verbundene Hälften zerfallen. Bei einer solchen Falttür muß man ebenso stark wie die Zweiteilung den Aufbau des Ganzen aus vier vertikalen Einheiten realisieren. Betont wird deren Zusammenhang durch das plastische Rahmenornament, diesen sehr prominenten Rundstab aus Weinranken, der die vier vertikalen Teilabschnitte einfaßt und unterteilt. Zu berücksichtigen sind weiterhin die zwei deutlich unterschiedenen Formate der Bildfelder und ihre Kombination zu alternierenden Reihen. Den Effekt dieser rhythmischen Zusammenstellung unterschätzt man leicht. Es bewirkt das Alternieren der Formate, daß auch der horizontale Aufbau als Strukturmoment wahrgenommen wird. Ein Übereinander von gleichgroßen Füllungstafeln würde das Ausdruckspotential der Zeile gegen den prägnanten Vertikalismus der gerahmten Kompartimente nur schwer zur Geltung bringen. So aber kommt es zu einem bestimmten Kontrast auf der Ebene des Syntagmatischen, zum Gegeneinander von Achse und Zeile, und dieser Kontrast setzt sich fort in der Differenz der Elemente, die mehr besagt als Größenunterschied, nämlich Verschiedenheit der Richtungssinne. Was wiederum ein eminent wirksames Strukturmoment ist, denn es deutet auf die Verknüpfungsmöglichkeiten hin: die horizontalen und die vertikalen.

Das ist der zweite Punkt, an dem meine Rekonstruktion ansetzt: an einem Dualismus, der nicht einfach durch die Objektform vorgegeben ist (nach der Art: zwei Türflügel = zwei Testamente), sondern erst im Zusammenwirken von Gestell und Füllung entsteht. Die Annahme geht dahin, daß mit den beiden Formaten und Richtungen ein doppeltes Bildprogramm formuliert wird – bestehend aus zwei Erzählungen oder besser zwei Weisen, Geschichte in christlicher Absicht zu disponieren. Die eine Ordnung realisiert das Lineare und Konsekutive ihrer Vorlage – Heilsgeschichte als Syntagma. Ihr Material sind die Felder im Querformat, die horizontale Sequenzen bilden. Die andere Ordnung tut das gleiche und artikuliert *zusätzlich* das Vertikale und Relationale der Vorlage – Heilsgeschichte als Syntagma und Paradigma. Ihr Material sind die Felder im Hochformat, die in zwei Richtungen gelesen werden: Sie stehen untereinander in axialen Bezügen und reihen sich nebeneinander zu narrativen Folgen. Von ihnen gibt es nicht so viele wie von den querformatigen. Als das Ergebnis einer sorgfältigen Selektion und Abstimmung sind sie kostbarer, beziehungsreicher.

Wenn wir die Entraffung des Habakuk um den dazugehörigen Daniel in der Löwengrube und den schriftlich bezeugten Meerwurf des Jona um dessen ebenso notwendige Ausspeiung ergänzen, hätten wir die Positionen der untersten Zeile mit zwei Paradigmen des Heils besetzt, die auch der neutestamentlichen Ordnung der kleinen Felder die Weihe der Vorbereitung durch das Alte Testament verleihen, ohne daß dieser Gedanke strukturelle Konsequenzen hätte, also wie in der anderen Ordnung nach übergreifenden Bezügen und Einzelabstimmungen verlangte. Altes und Neues Testament stehen im Verhältnis der Abfolge, nicht der Figur. Der Begriff En-bloc-Typologie paßt hier besonders gut: dem Kursus des Neuen Testaments wird wie ein Sockel diese Basiszeile untergeschoben. Das Pauschale der Anordnung und besonders die Wahl der Themen können einen auf den Gedanken bringen, es würde der Aufbau dieser Tür so etwas wie zweieinhalb Jahrhunderte Kunstgeschichte rekapitulieren. Die Rettungsszenen des Daniel und Jona gehören zu den ältesten und beliebtesten Motiven der christlichen Kunst in jener frühen Phase, da sie sich nur in isolierten Erkennungszeichen, in Chiffren des Heils artikulierte. Alles was in der Folgezeit, grob gesprochen in den hundert Jahren vor Entstehung der Bildertür, zum Träger christlichen Kunstwollens avancierte, das Zyklische und das Relationale, der doppelte Kursus und die ausgearbeiteten Typologien, der Moduswechsel und das komplementäre Gefüge, all das strukturiert die kompositorische Ordnung der Tür über dieser ersten Zeile. Die Tür von Santa Sabina steht mit dieser Kombination von Rettungsbildern und historischem Zyklus, von paradigmatischer und sequentieller Geschichtsdarlegung nicht allein. Auf die Lipsanothek in Brescia (Abb. 11) habe ich schon eingangs des zweiten Kapitels kurz hingewiesen; ein kompositionsgeschichtlich hochinteressanter Parallelfall ist in dieser Hinsicht das Murano-Diptychon, jener Buchdeckel der 1. Hälfte des 6. Jahrhunderts, den wir im letzten Kapitel genauer betrachtet haben.[334] (Abb. 46) Dort finden wir dieselbe Verwendung der alten Heilsszenen, in diesem Falle sogar zweimal, als Sockel des Ganzen (Jona) und als Sockel des Hauptfeldes mit dem thronenden Christus (die Jünglinge im Feuerofen) und dieselbe Kombination der formelhaften

Sprache einer älteren Stufe mit dem neuen komplexen Argumentationsstil der nachkonstantinischen Epoche. Im Rahmen der Tür muß besonders der Abstand zwischen den tradierten Rettungsparadigmen und den thematischen Bildfeldern ins Auge fallen, die wir in die Zeile VI stellen wollen. Es ist dies ein Abstand, an dem natürlich auch die Formgeschichte ihren Anteil hat, die seit dem 4. Jahrhundert gelernt hatte, ebenso demonstrativ wie kreativ die Bildformulare der imperialen Ikonographie zu verarbeiten. Aber es ist auch und vor allem ein Abstand, der das Repertoire der Themen betrifft, das im 5. Jahrhundert mit der vollen Beanspruchung der kanonischen und außerkanonischen Erzählungen den größten Umfang erreicht hat. Hier erstreckt er sich von der Darstellung eines Mannes, der Hirten eine Mahlzeit bringen will (Abb. 56), bis hin zu Schaubildern einer christlichen Weltordnung (Abb. 62, 63). Ein System muß niemals alle Optionen realisieren, die in ihm möglich sind, aber es ist gehalten, seine Spanne und seine Spannkraft in solchen Extrempositionen anzuzeigen.

Über dieser Zeile wurde in den Reihen III, V und VII das Leben Christi erzählt. Von der dritten Zeile, die mit Kindheit und öffentliches Wirken überschrieben werden müßte, haben wir nur noch den Besuch der Magier; die fünfte dürfte mit vier Passionsszenen komplett sein; die siebte und ebenfalls vollständige hätte dann das Thema Auferstehung und ihre Folgen zum Gegenstand – dazu rechne ich auch die Traditio legis, die ja keinem historischen Buch zu entnehmen ist und dem historischen Zyklus eine thematisch gestimmte Schlußnote verleihen würde. Die Anordnung der großen Felder ist auf der Basis des Erhaltenen relativ leicht zu kombinieren: Die unterste Reihe II gehört wiederum dem Alten Testament und ist vollständig mit den Darstellungen der Berufung des Moses, dem Durchzug durch das Rote Meer, den Wundertaten des Moses und der Himmelfahrt des Elias. Damit korrespondierend der neutestamentliche Zyklus: Zu der Berufung des Moses müssen wir uns eine oder mehrere Episoden aus dem Bilderkreis um die Geburt Christi assoziieren, angefangen bei der Verkündigung an Maria über die Verkündigung an die Hirten bis zur eigentlichen Geburt; dem Durchzug durch das Rote Meer entspricht nach übereinstimmender Auffassung die Taufe Christi im Jordan, und die beiden restlichen Szenen sind bereits durch überzeugende Parallelen gedeckt: zweimal die Wundertaten, zweimal eine Himmelfahrt. Was die beiden »thematic panels« angeht, so haben wir hypothetisch die Akklamation sprich Einsetzung, Berufung, Amtseinführung in die Achse Berufung des Moses – Verkündigung bzw. Geburt Christi gesetzt und können uns die Parusie gut in der Verlängerung der Himmelfahrten vorstellen. So würde sich die zum Schema arrangierte Grobverteilung ergeben, welche die Rekonstruktionszeichnung in Abbildung 53 (s. Seite 224) vorschlägt.

Der konsequente Nachvollzug jeder Ordnung verlangt, daß immer ein Element oder eine Zeile der anderen Ordnung übersprungen werden muß, um weiterzulesen oder um die typologischen Achsen auf- und abzufahren. Was positiv formuliert heißt, daß die beiden Erzählkomplexe sich im Fortgang der Lektüre zu durchkreuzen beginnen und eine Art Textur bilden. Das wäre dann die übergreifende Figur, unser systematisches Tertium. Noch einmal wird sichtbar, daß Struktur nicht Aufteilung ist, sondern durch Verknüpfung, Interaktion, Interdependenz zustande kommt. Die beiden hier rekonstruierten Ordnungen bestehen für sich, aber sie sind auch solidarisch. Sie teilen sich in die Materie der Heilsgeschichte, so daß es nicht zu Wiederholungen kommt, sondern am zweifachen Kursus demonstriert wird, daß dieser Stoff das Potential zu vielen und doch immer wieder schlüssigen und untereinander korrelierbaren Erzählungen hat. Wir haben die Bedeutung des Formatwechsels für den Aufbau eines Argumentationszusammenhangs betont; aus der Perspektive der Auseinandersetzung mit dem Bibelstoff erscheint solches »Reformatieren« als der bündige Beweis, daß die Fülle und der Beziehungsreichtum dieser Geschichten höchste Flexibilität der Anwendung erlaubt. Was die Gemeinsamkeiten im Strukturellen angeht, so ist hervorzuheben, daß die Linearität, der ja beide narrative Ordnungen folgen, nicht ohne die höhere Weihe des Systematischen bleibt: Jede Zeile kommt einer abschnittsweisen Aufteilung des Erzählstoffes in Kapitel oder Bücher gleich – ein Verfahren der Gliederung, das wir schon am Triumphbogen und in sehr globaler Form auch an den Langhauszyklen von Santa Maria Maggiore feststellen konnten und das eine lange Geschichte in der christlichen Bilderzählung haben wird. Für die großen Felder und ihr typologisches Arrangement hat die Ausarbeitung zweier kurzer, aber kompletter Erzähldurchgänge in den Zeilen II und IV zur Folge, daß so das früheste Beispiel einer vollkommenen Parallelisierung zweier Erzähl*stränge* zustande kommt. Was im Vergleich zu der Einzeltypologie (s. Carrand-Diptychon) und der En-bloc-Typologie (s. Santa Maria Maggiore) eine deutliche Steigerung ist. »Composition en binôme« hatte Grabar dieses Anordnungsschema genannt: zweigliedriges Komponieren. Erwartet haben wir diese höchste Form typologischer Abstimmung erst im 12. Jahrhundert.

## Berufung als Anrede und als Kontrakt:
## Die erste Tafel des Moses-Zyklus

Wenn ich jetzt vom Gesamtprogramm zur inneren Ausgestaltung der Tafeln bzw. der zusammengehörigen Zeilen übergehe, möchte ich wie im Falle der Mosaiken von Santa Maria Maggiore der naheliegenden Vermutung entgegentreten, daß ein tragendes Strukturkonzept die Einzelelemente zu Lieferanten vorbestimmter Stichworte reduziert. Man braucht sich nur anzuschauen, wie die Vorgaben der Disposition aufgegriffen und kompositionell verarbeitet werden, um die zuletzt beschworene Wirkungseinheit auch im Kleinen wiederzufinden.

Ich konzentriere mich auf die Hochformate, die ja in einer Doppelfunktion stehen und die mit narrativem Material sicher schwerer zu bespielen sind als die Breitfelder. Am alttestamentlichen Zyklus, dem ich mich vorrangig zuwende, läßt sich gut studieren, wie der vom Format gebotene Aufbau in Schichten mit sehr viel Verständnis für positionale Sinneffekte und durchaus im Sinne einer kommentierenden Anordnung durchgeführt wird. Zweimal kommt im obersten Register so etwas wie eine Summe des Szenischen zustande, indem ein Ergebnismoment die Ereignismomente überragt. In beiden Fällen, d. h. in der ersten (Abb. 55) und dritten Tafel (Abb. 59) der zweiten Reihe, ist es die Hand Gottes, die in der oberen rechten Ecke aus der Wolke reicht und Moses auszeichnet. Um dieser Sanktion teilhaftig zu werden, wird der Gottesmann so oft vervielfacht, bis er aus den szenischen Zusammenhängen heraus- und vor Gott treten kann, als Repräsentant und Typus. So sehen wir es in der Tafel mit seiner Berufung, wo er sich sukzessive in diese Position emporarbeitet: vom Hirten, der bei seinen Schafen hockt, über den Sandalenlöser, der – vom Engel aufgeklärt – sich auf die Theophanie vorbereitet, bis zu seinen Auftritten im obersten Register, wo Moses nebeneinander als mit Gott Redender und ein zweites Mal als Empfänger des göttlichen Auftrags und Bündnisversprechens erscheint. Nicht anders als in Santa Maria Maggiore wird der alttestamentliche Geschichtsbericht durch eine Theophanie und durch einen Kontrakt eingeleitet, was hier noch wörtlicher zu nehmen ist, denn Moses empfängt mit verhüllten Händen von Gott eine Schriftrolle: »Und ich schaute, und siehe, eine Hand war zu mir hin ausgestreckt, in ihr lag eine Buchrolle.« So lesen wir in einer anderen berühmten Berufungserzählung des Alten Testaments, derjenigen des Ezechiel (Ez 2, 9), die vorbildhaft gewesen sein könnte, da der Bezugstext 2 Mos 3 einen solchen Vorgang gar nicht kennt. Bei der hier überreichten Rolle kann es sich materiell auch nicht um eines der beiden Schriftwerke handeln, die mit dem Namen des Empfängers normalerweise verbunden

*Abb. 55 Rom, Santa Sabina, Bildertür, Die Berufung des Moses*

werden: um das Gesetz, das später an derselben Stelle übergeben wird (2 Mos 32, 15 f.), oder um die fünf Bücher Mosis, die noch später (wann?) geschrieben sein müssen. (Man vergesse allerdings nicht die Bundesurkunde, die Moses nach dem Diktat Gottes aufschreibt – von ihr ist in 2 Mos 24, 4 ff., also auch viel später erst die Rede.) In der ersten Theophanie am »Gottesberg Horeb« wird das Land- und Bündnisversprechen aktualisiert, das zwischen Israel und seinem Gott gelten soll, der sich in diesem Zusammenhang wiederholt als der »Gott Abrahams, der Gott Isaaks und der Gott Jakobs« zu erkennen gibt. Er hat den ersten Teil der Bundesaussagen erfüllt; er hat das Volk Israel »zu einem großen Volk« gemacht, wie der Pharao in 2 Mos 1, 9 neidvoll anerkennen muß: »Seht nur, das Volk der Israeliten ist größer und stärker als wir.« Jetzt geht es um die Erfüllung der Landverheißung; diese Phase der Heilsgeschichte wird genauso wie die erste mit einem Aufbruchsbefehl aus Gottes Mund eröffnet: 1 Mos 12, 1: »Zieh weg aus deinem Land [...]« – 2 Mos 3, 10: »Und jetzt geh! [...] Führe mein Volk, die Israeliten, aus Ägypten heraus!«

Ich betone das Potential der biblischen Erzählung, Zäsuren einzurichten, immer wieder Ansatzpunkte zu ermöglichen und Anfänge zu parallelisieren, um die große »Heilslinie« (Cullmann) deutlich zu halten. Im Sinne dieser Geschichtstheologie ist der Sachverhalt, daß diese Anfänge die Form einer Erwählung einzelner »Gottesknechte« annehmen, gleichermaßen bedeutsam. Die Tatsache, daß und die Art, wie die Berufungen vorgenommen werden, realisiert jeweils aufs Neue die besondere Form der Kommunikation, die mit dem besonderen Gottesverhältnis des Volkes Israel einhergeht. Werner Zimmerli spricht vom »Anredecharakter«, den diese Gott und Volk gemeinsame Geschichte hat. Er begreift die »Taten des Herrn« an Israel, sein Offenbarwerden in Ereignissen »als eine Geschichte gewordene Anrede Jahwes an sein Volk – ein Wort, das des Menschen Antwort heischt«[335]. Diese Grundaussage läßt sich natürlich mit gutem Recht auf die Einzelerzählungen übertragen, in denen Gott »wörtlich« die von ihm Auserwählten anredet und zu Dienst und Gefolgschaft ruft. In 2 Mos 3 wird dieser Vorgang planmäßig vorbereitet und gesteigert: »Moses weidete die Schafe und Ziegen seines Schwiegervaters Jitro, des Priesters von Midian. Eines Tages trieb er das Vieh über die Steppe hinaus und kam zum Gottesberg Horeb. Dort erschien ihm der Engel des Herrn in einer Flamme, die aus einem Dornbusch emporschlug. Er schaute hin: Da brannte der Dornbusch und verbrannte doch nicht. Moses sagte: Ich will dorthin gehen und mir die außergewöhnliche Erscheinung ansehen. Warum verbrennt denn der Dornbusch nicht? Als der Herr sah, daß Moses näher kam, um sich das anzusehen, rief Gott ihm aus dem Dornbusch zu: Moses, Moses! Er antwortete: Hier bin ich. Der Herr sagte: Komm nicht näher heran! Leg deine

Schuhe ab; denn der Ort, wo du stehst, ist heiliger Boden. Dann fuhr er fort: Ich bin der Gott deines Vaters, der Gott Abrahams, der Gott Isaaks und der Gott Jakobs. Da verhüllte Moses sein Gesicht; denn er fürchtete sich, Gott anzuschauen. Der Herr sprach: Ich habe das Elend meines Volkes in Ägypten gesehen, und ihre laute Klage über ihre Antreiber habe ich gehört. Ich kenne ihr Leid. Ich bin herabgestiegen, um sie der Hand der Ägypter zu entreißen und aus jenem Land hinauszuführen in ein schönes, weites Land, in dem Milch und Honig fließen [...]. Und jetzt geh! Ich sende dich zum Pharao. Führe mein Volk, die Israeliten, aus Ägypten heraus!«

In der Tat, 2 Mos 3 gibt das klassische »récit de commencement« ab, wenn wir die Merkmalsliste von Pierre Gibert durchgehen[336]: Es treffen zwei Akteure aufeinander, ein menschlicher und ein übermenschlicher. Eine dritte Partei, etwa in der Eigenschaft eines Zeugen, fehlt – der Engel fungiert hier als Helfer bzw. Hypostase des göttlichen Prinzips. Von letzterem geht die Initiative aus; sie artikuliert sich in einem Auftrag an das menschliche Gegenüber, der dessen Kapazitäten und Kompetenz bei weitem übersteigt und doch angenommen wird. Diese Strukturelemente finden sich hier säuberlich aufgereiht – im Text und im Relief: Zuerst wird der zu Berufende in seiner Ausgangsposition charakterisiert (Moses weidet die Schafe seines Schwiegervaters Jitro am Berg Horeb), dann kommt es zur Begegnung mit dem Numen (das in dreifacher Steigerung erscheint: als brennender Dornbusch, als Engel des Herrn, als Stimme [resp. Hand] Jahwes), worauf die Weisungsrede erfolgt, die in den alttestamentlichen Berufungsberichten durch Einwände des zu Berufenden aufgehalten wird, bis der Vorgang durch eine endgültige Zusage und eine endgültige Annahme abgeschlossen wird (der Text ist hier weniger »definitiv« als das Relief, welches die Szenenfolge durch die Übergabe bzw. den Empfang der Bundesurkunde förmlich besiegelt).

In einem noch anderen als strukturgeschichtlichen Sinne hat Northrop Frye die Berufung des Moses zur idealen Initiale der biblischen Gesamterzählung erklärt. Würde die hebräische Bibel hier einsetzen, so argumentiert er, wäre die knifflige Frage aus der Welt, wie sich eine schlechte Welt von einem guten Schöpfergott herleite. »In der Geschichte vom brennenden Busch ist eine Situation von Ausbeutung und Ungerechtigkeit Tatsache geworden, und Gott erzählt Moses, daß er sich nun selbst einen Namen geben und in strikter Parteilichkeit in die Geschichte eingreifen wird, als Helfer der unterdrückten Israeliten gegen die ägyptische Herrschaft.« Die immanenten Auftakt-Qualitäten von Exodus 3 nennt Frye revolutionär, von unabgegoltener Folgewirkung auf die Konzeption von Juden- und Christentum, von Islam und Marxismus. Er nennt drei: »Erstens ein Glaube an eine bestimmte historisch verankerte Offenbarung als Startpunkt [...], zweitens die Adoption eines bestimmten Kanons von Texten, der sich deutlich von apokryphen und peripheren Zeugnissen absetzt [...]; drittens der dialektische Geisteszustand, der zwischen jenen, die für uns, und jenen, die gegen uns sind, unterscheidet.«[337] Das Türrelief wird der hohen Meinung durchaus gerecht, die Frye vom inaugurativen Potential dieser Szene hat; der Literaturkritiker kann sich bei ihm sogar Unterstützung für seine zweite Qualität holen, deren Aufstellung überraschend kommt, da weder aus dem Bibeltext noch aus dem Argumentationszusammenhang Fryes ableitbar. Was hat 2 Mos 3 mit der Setzung einer kanonischen Überlieferung zu tun?

Wir sagten, daß der Neueinsatz der Heilsgeschichte und ihrer Nacherzählung im Relief durch die starke Figur des Kontrakts eingeleitet wird, die der Erzähler auch ohne die explizite Deckung der Textvorlage realisiert. Er tut dies um der »guten« Erzählung willen, aber er handelt nicht gegen seinen Referenztext. Die Übergabe der Schriftrolle an Moses veranschaulicht nur ein weiteres Mal das Strukturkonzept der hebräischen Bibel, das wir als den »narrative covenant« angesprochen haben, als das Bündnis der Erzählung, welches den Text in seinen großen wie in seinen kleinen Abschnitten in die Perspektive von Verheißung und Erfüllung, von ankündigendem Wort und darauf folgendem Geschehen stellt. Daß die Vätergeschichte und das ihr eingeschriebene Telos Reichtum und Wachstum überwunden sein sollen, wird daran sichtbar, daß Moses durch einen Akt der Sonderung aus seiner natur- und zugleich familienverbundenen Stellung als Hüter der Tiere seines Schwiegervaters herausgehoben und zum Werkzeug einer neuen Epoche gemacht wird, die wir die Volksgeschichte Israels nennen. Wieder ist der Blick auf die gleichzeitigen Mosaiken im Langhaus von Santa Maria Maggiore lehrreich. Der Übergang von der Väter- zur Volksgeschichte, vom Abraham- zum Sinai-Bund und damit von der linken zur rechten Wand impliziert den Wegfall des Leitmotivs der Hirten und Herden – die einzige Ausnahme ist am Anfang, im Fall des Moses, zugelassen, der ja zur neuen Zeit überleitet. Wenn er im oberen Abschnitt des Bildfeldes R 3 mit Sephorah verheiratet wird und darunter inmitten des bukolischen Ambientes seine Berufung erlebt, dann werden noch einmal ganz deutlich die beiden Komponenten Familiengeschichte und Reichtumsverheißung aneinandergekoppelt, die den Inhalt des Väterbundes ausmachten. (Abb. 34) Das Motiv, das der Episode den Namen gibt, der brennende Dornbusch, ist selbst ein Zeichen, in dem Geschichte Natur ablöst. Ein Dornbusch, der brennt und nicht verbrennt, ein Dornbusch, aus dem die Stimme Gottes zu hören ist, markiert den Anfang einer Epoche, in der die Natur nicht mehr wächst und gehütet, sondern transformiert und bezwungen wird. Jedes Relief dieser Zeile spricht von Naturbeherrschung im Dienste der Heilsgeschichte: das Rote Meer teilt sich vor den Israeliten und schlägt über den Ägyptern zusammen, in der Wüste wird das Volk auf wunderbare Weise ernährt, ein feuriger Wagen entführt den Propheten in den Himmel.

Ich komme noch einmal auf die Initialfigur des Moses bei seinen Schafen zurück. Diese Gestalt ist, wie es sich für einen guten Anfang gehört, im Übergang begriffen: sie ist leiblich und funktional noch ganz im Vorher verankert, aber zugleich ist sie schon mit Blick und Haltung in das Geschehen involviert, das über ihr vor sich geht und sie selbst zum Gegenstand hat. Von Bedeutung ist zunächst das retentionale Motiv des Sitzens, das der Künstler gegen den Text verwirklicht. 2 Mos 3 kennt einen durch und durch aktiven Moses: Er treibt die Schafe und Ziegen, er kommt zum Berg Horeb, er spricht zu sich selbst und fordert sich auf, zum Dornbusch zu gehen usw. Auf dem Relief ist der behäbig Sitzende offensichtlich bemüht, der Ereignisse über ihm teilhaftig zu werden, ohne dabei den Schwerpunkt zu verlagern, den Ausgangspunkt schon zu verlassen. Durch sein demonstratives Verharren und Sitzen kann er jene Sphäre und jene Phase der Geschichte Israels sinnfällig machen, die ihr Telos im Besitztum und ihren kulturellen Ort in den naturnahen Verhältnissen eines Hirtenvolks hat. Zugleich aber wendet sich Moses um und hinauf, weil sich an ihm zuerst der entscheidende Übergang vollziehen wird: vom Sitzenden zum Aufbrechenden, vom Besitzenden zum Besessenen, von der Ziellosigkeit und Beschaulichkeit des Hirtenlebens zur zielhaften, entbehrungsreichen Sezession – wir können auch sagen: von der Stasis zur Ekstasis oder vom Ursprung und seiner Bodenbindung zum Anfang und seiner Zielgerichtetheit. Mit Hilfe des unteren Abschnitts gelingt es der Bilderzählung, eine Transformation sinnfällig zu machen, die zwischen einer ganzen Doppelreihe von oppositionellen Polen vermittelt. Sie reichen von beschuht vs. unbeschuht über sitzend vs. stehend, passiv vs. aktiv, profan vs. heilig bis zu Mensch und Tier vs. Mensch und Gott. Es soll uns nicht entgehen, daß dieser Parcours, nimmt man nur seine Extrempositionen, exemplarischen Charakter auch für größere Einheiten hat. Die ganze Zeile, die mit diesem Feld begonnen wird, schreitet ja die gleiche Strecke aus: Sie reicht vom Hirten bis zum Propheten, der in den Himmel entrückt wird. Und betrachten wir das kleine Feld mit dem ersten Teil der Habakuk-Episode (Abb. 56), das wir unter die Moses-Tafel setzen und damit zum Beginn des anderen Zyklus machen, dann finden wir noch einmal dieses Erzählprogramm in komprimierter Form wieder: Da sind die Hirten mit ihren Tieren, und da ist Habakuk, der vom Engel entführt wird. Aber was die Moses-Tafel so besonders macht, ist das Durcharbeiten der thematischen Möglichkeiten aller Stationen. Bemerkenswert ist etwa der Gedanke und seine konsequente Durchführung, die Phasen dieser Berufungsepisode als Kulturstufen zu kennzeichnen und sie als eine kleine Geschichte der Kommunikation zu inszenieren. Unten, befangen in seinem

*Abb. 56 Rom, Santa Sabina, Bildertür, Entraffung des Habakuk*

mythischen Hirtenzustand, ist Moses noch ganz Stupor, ganz Staunen und Verwunderung. Im Abschnitt darüber wird er Empfänger einer verbalen Botschaft: Er wird angeredet, hört und reagiert. Nicht mehr Staunen, sondern Aufmerksamkeit bestimmt den neuen Zustand. An dritter Stelle redet er selbst mit Gott. Man könnte auch sagen, da die Erzählform des kontinuierenden Stils ihm kein direktes Gegenüber einräumt: Er ist ganz Rede, ganz Kommunikation. An vierter und letzter Position wird ihm von Gott ein Schriftstück übergeben; aus dem Dialogpartner ist ein Vertragspartner geworden. Bemerkenswert ist dieser Auftakt also in seiner Reichweite *und* Schlüssigkeit: vom Natur- zum Geschichtswesen, vom geschichts- und sprachlosen Ursprung bis hinauf zum Pakt mit Gott, der ja der Gesellschaftsvertrag des Volkes Israels ist und das Versprechen auf die größeren Texte enthält, die in ihm »impliziert«, »eingerollt« sind: die Bundesurkunde, die Moses wiederum auf dem Berg Horeb diktiert bekommt (2 Mos 24, 1 ff.), die Tafeln mit dem Dekalog, die Moses an gleicher Stelle zweimal empfängt (2 Mos 24, 12; 34, 1 ff.), und die fünf Bücher, in denen Moses diese Geschehnisse rekapitulieren und die göttlichen Gebote mitteilen wird. Es durchdringen sich so das Konzept der Autorschaft und das der Autorität, das mit jedem großen Anfang gesetzt ist.

237

Im Sinne einer binnentypologischen Lesart hat die zyklische Kunst die Vorgänge am »Gottesberg« Horeb-Sinai durchaus aufeinander bezogen. Auf dem Türrelief geschieht dies in Form einer Prolepsis, wie sie uns schon in den Itala-Miniaturen begegnet ist. Der brennende Dornbusch ist wohl eher ein brennender Berg und verweist damit auf die Umstände der nächsten Gotteserscheinung, die im 19. Kapitel wie folgt beschrieben werden: »Der ganze Sinai aber rauchte, darum daß der Herr herab auf den Berg fuhr mit Feuer, und sein Rauch ging auf wie ein Rauch vom Ofen, daß der ganze Berg sehr bebte.« (2 Mos 19, 18) Die Theophanie am Anfang der neuen Bündnisphase antizipiert so schon die nächste, die der Höhepunkt aller Gottesbegegnungen genannt werden darf. In Dura-Europos und in San Vitale in Ravenna hat man der Berufungsepisode und der Gesetzesübergabe getrennte Bildfelder eingeräumt. In dem Abschnitt der Presbyteriumsmosaiken, der dem Alten Bund und seinen Hauptvertretern gewidmet ist, sehen wir auf der einen Seite in einer Doppeldarstellung, wie Moses vor dem brennenden Busch, der hier ebenfalls ein brennender Berg ist, die Sandalen löst und wie er darunter die Szene der Theophanie verläßt, durch seine Herde hindurchschreitend: in der Linken hält er eine Schriftrolle. (Abb. 2) Diese kann er wiederum nur von Gott empfangen haben. Auf der anderen Seite findet die Gottesbegegnung vor identischem Landschaftshintergrund statt, mit dem Volk, das am Fuß des Berges harrt, und mit Moses auf der Spitze, der aus Gottes Hand eine Rolle (!) entgegennimmt. (Abb. 3) Der Gesamtdisposition zufolge stehen wir hier schon außerhalb der Domäne des Narrativen. Das Thema ist nicht, wie bisweilen zu lesen, Moses als Mittler und Führer oder als Typus Christi[338]; es geht vielmehr um Moses als Autor, als Mann des Wortes: seine Mitrepräsentanten sind schließlich die großen Propheten Jesaja und Jeremia, und diese Vierergruppe bildet die typologische Entsprechung zu den vier Evangelisten, die in der Zone darüber erscheinen. Soweit die Setzungen des Kontextes. Erfüllt werden sie durch eine geschickte Angleichung der beiden Szenen und durch das Attribut der Rollen. Letztere sind ebenso notwendig wie auffällig: Bei der ersten Gottesbegegnung kam es zu keinem Austausch von Schriftstücken, und bei der zweiten denken wir natürlich zuerst an die Überreichung der steinernen Tafeln. Die Abweichungen gehen auf in jenem Dritten, das so vielen Teilgeschehen der Bibel Orientierung und Struktur gibt, im Bundesgedanken. In der Berufungsepisode verspricht Jahwe, sein Volk zu befreien und ins gelobte Land zu führen; auf dem Sinai erfolgt dann die Verpflichtung auf das Gottesrecht. Der ersten Überreichung der Tafeln geht das Diktat der Bundesurkunde voraus, sodaß wir durchaus die Möglichkeit haben, hier eine textgetreue Illustration von 2 Mos 24, 4 ff. (und nicht von 31,18) zu erkennen, ja sogar eine theologisch absichtsvolle Auslassung des jüdischen

Gesetzes anzunehmen. Wir können uns aber auch für eine abgewandelte und dem Kontext angepaßte Version der Übergabe und der Annahme des Dekalogs entscheiden – das macht in einem christlichen Programmzusammenhang einen Unterschied, narratologisch aber keinen, denn auch dieses Ereignis läuft auf einen weiteren förmlichen Bundesschluß hinaus: »Not law, but covenant«[339] hat man den Inhalt des Sinai-Geschehens pointiert, in Übereinstimmung mit Stellen wie 5 Mos 4, 13: »Der Herr offenbarte euch seinen Bund, er verpflichtete euch, ihn zu halten: die Zehn Worte. Er schrieb sie auf zwei Steintafeln.« Die Rollen sind dann nicht eigentlich als Substitute der Gesetzestafeln aufzufassen, was ja auch nur für die Rolle der Dekalog-Szene gelten würde. Die Rollen bezeichnen das Statut des Bundes schlechthin und darüber hinaus die »Diatheke«, das »Testament«, das »vorgelesen« (2 Kor 3, 14) werden kann; sie sind die Buchform aller Bundesurkunden. Ihre Zweizahl sagt aus, daß Jahwes Offenbarung in Worten und Taten geschieht; dementsprechend zerfallen die Bücher Mosis in einen erzählenden und in einen legislativen Teil, in die Bücher Genesis, Exodus, Numeri (teilweise) resp. Levitikus, Deuteronomium und Numeri (teilweise). Anders gesagt: Die Torah muß mehr sein als das Gesetz, denn nicht dieses, sondern die Geschichte ist die Instanz der Offenbarung. Bevor Jahwe die Regeln seines Glaubens erläßt, ist er der Gott, der handelt. Die Verkündung des Dekalogs beginnt er mit den bekannten Worten: »Ich bin Jahwe, dein Gott, der dich aus Ägypten geführt hat, aus dem Sklavenhaus.« (2 Mos 20, 2). Erst dann, nach dem Selbsterweis, kann Jahwe das erste Gebot erlassen: »Du sollst keine anderen Götter neben mir haben.«

## Berufung als Akt und Aktion: Die ersten Tafeln des David-Zyklus der Tür von San Ambrogio in Mailand

Was wir bisher an dem Berufungsrelief festgestellt haben, läßt sich als die Ausrichtung eines »relativen Anfangs« am »absoluten Anfang« charakterisieren – nach Pierre Gibert eine Tendenz, die den biblischen Texten, aber nicht nur ihnen eigen ist.[340] Das berühmteste Beispiel liefert der Prolog des Evangeliums nach Johannes. Einem schlichten Verständnis nach macht Christus genauso wenig den Anfang der Geschichte, wie es etwa Moses tut. Dennoch/deswegen rekapituliert der relative Beginn dieser Vita den Uranfang, den absoluten Anfang der Genesis. Ein weniger auf-, aber ebenso sinnfälliger Beleg ist die Exodus-Erzählung, welche die Schöpfung des Volkes Israel nach dem Vorgang der Weltschöpfung modelliert.[341] Man denke nur an die Tatsache, daß einmal die Welt und das andere Mal das Volk Israel dadurch in die Existenz gerufen werden, daß die Wasser sich auf göttlichen Befehl teilen und daß Jahwe überhaupt durch Teilen erschafft, nicht nur in Genesis 1, sondern auch, wenn er durch Moses dem Pharao verkündet: »Ich mache einen Unterschied zwischen meinem und deinem Volk. Morgen wird das Zeichen geschehen.« (8, 19) Aus dieser Perspektive glaubt man in der zweiten Tafel (Abb. 57) durchaus die Aufnahme und Inversion bestimmter Motive aus der Genesis feststellen zu können: Moses, der die Schlangen beherrscht und ihren Schlichen nicht erliegt wie Adam (unten), die Wasser, welche der Gestus des Moses bzw. die »hohe Hand« Gottes geschieden hat, um den symbolischen Durchgang der Kinder Israels zum Volk Israel zu ermöglichen und die danach die Ägypter vernichten, der Engel, der die Israeliten am anderen Ufer empfängt und nicht vertreibt wie im Fall der Ureltern. Im Vergleich mit dieser zweiten Tafel steht die erste nicht unter dem Zwang, den Anfang der Welt zu wiederholen; hier geht es um eine Rekapitulation der gesellschaftlichen Ursprünge, der Kulturentstehung.

In dieser Hinsicht ist sie gut vergleichbar mit den Incipit-Feldern (Taf. 14-15) der Holztür von San Ambrogio in Mailand, die seit Goldschmidt auf den Bau der ersten Basilika und damit auf ihren Gründer, auf Ambrosius selbst zurückbezogen wird, was eine Datierung ins späte 4. Jahrhundert ergibt, während stilistische Erwägungen eher für eine mit der römischen Tür in etwa zeitgleiche Ansetzung sprechen.[342] – der jetzige Zustand geht auf eine Totalrenovierung und Umdisposition des 18. Jahrhunderts zurück. (Abb. 58) Die Tür erzählt aus den Anfängen der Geschichte Davids: Folgen wir den letzten Rekonstruktionsversuchen, so waren es ursprünglich 16 Reliefs, die von unten nach oben den knappen Textausschnitt 1 Sam 16, 10 bis 19, 1 illustrierten. Wie bei der römischen Tür alternieren hoch- und querrechteckige Reliefs; allerdings gelten zwei Unterschiede: Es handelt sich nur um einen Zyklus, und die hochrechteckigen Felder sind immer aus zwei Szenen aufgebaut, die von unten nach oben zu lesen sind. Ein besonderes Problem stellen die Fuß- und Kopfstücke auf beiden Seiten dar, die thematischen Charakter haben und »die beiden Kampfesmächte« (Goldschmidt) andeuten: unten jeweils zwei kämpfende Drachen und oben zweimal das himmlische Siegeszeichen, das Monogramm Christi, das in einem Kranz von Engeln gehalten wird. Ich werde mich diesen Feldern im nächsten Kapitel, im Nachwort, zuwenden und mich hier hauptsächlich auf die Anfangsreliefs konzentrieren, die als einzige, wenn auch schlecht erhalten, so doch ohne erneuernde Zutaten des 18. Jahrhunderts geblieben sind, weil man sie nicht wieder in die Tür eingebaut hat.

Den Anfang der Geschichte Davids erzählt das 16. Kapitel des 1. Buches Samuel. Samuel wird von Gott angewiesen, unter den Söhnen Isais einen

*Abb. 57 Rom, Santa Sabina, Bildertür, Der Durchzug durch das Rote Meer*

Nachfolger für den »verworfenen« Saul zu finden; nachdem er sieben Söhne hat Revue passieren lassen, ohne an ihnen das Zeichen der Erwählung zu erkennen, spricht er zu ihrem Vater: »Sind das alle deine Söhne? Er antwortete: Der jüngste fehlt noch, aber der hütet gerade die Schafe. Samuel sagte zu Isai: Schick jemand hin, und laß ihn holen. [...] Isai schickte also jemand hin und ließ ihn holen. David war blond, hatte schöne Augen und eine schöne Gestalt. Da sagte der Herr: Auf, salbe ihn! Denn er ist es. Samuel nahm das Horn mit dem Öl und salbte David mitten unter seinen Brüdern. Und der Geist des Herrn war über David von diesem Tag an.« (1 Sam 16, 11 ff.) Die Analogien zur Findung des Saul, des ersten Königs der Juden, der ja auch ein junger Hirte war, liegen auf der Hand.

Die beiden Register des linken Reliefs muß man so verstehen, daß der Zyklus unten mit einem Bild des Protagonisten beginnt, der die Schafe hütet, während darüber (»gleichzeitig«) die Musterung der Söhne des Isai durch Samuel stattfindet. Im rechten Relief nähert sich wiederum unten der Bote dem Hirten David, und darüber salbt Samuel in Gegenwart der Familie Isais den von links herantretenden David. Nun ist das Entscheidende für unseren Zusammenhang, daß die beiden unteren Felder den Helden umfassender definieren als bisher angedeutet. Wir müssen hier von einem Motivanfang sprechen, welcher der vorbereitenden und vorbedeutenden Charakterisierung des Helden dient. Der Hirt ist nämlich in einen schweren Kampf mit Bär und Löwen verstrickt: wenig ist davon links zu sehen, gerade noch die Ausfallstellung des David, seine ausholende Bewegung mit der Lanze und der glatte Körper des einen angreifenden Tieres links. Rechts unten triumphiert er über beide Bestien: Der Löwe ruht unter seinen Füßen; der Bär verharrt rechts davon in unterwürfiger Stellung. Die Bezugsstelle ist 1 Samuel 17, 34 ff.; sie steht im Kontext des Kampfes gegen Goliath, der das zentrale Thema der Tür abgibt. Saul zweifelt verständlicherweise an dem Sinn einer Auseinandersetzung zwischen dem Hirtenjungen und dem Riesen. David aber entgegnet ihm: »Dein Knecht hat für seinen Vater die Schafe gehütet. Wenn ein Löwe oder ein Bär kam und ein Lamm aus der Herde wegschleppte, lief ich hinter ihm her, schlug auf ihn ein und riß das Tier aus seinem Maul. Und wenn er sich dann gegen mich aufrichtete, packte ich ihn an der Mähne und schlug ihn tot. Dein Knecht hat den Löwen und den Bären erschlagen, und diesem unbeschnittenen Philister soll es genauso ergehen wie ihnen, weil er die Schlachtreihen des lebendigen Gottes verhöhnt hat. Und David sagte weiter: Der Herr, der mich aus der Gewalt des Löwen und des Bären gerettet hat, wird mich auch aus der Gewalt dieses Philisters erretten.«

Die Zuversicht, die aus Davids Antwort auf Sauls Zweifel spricht, erfüllt sich: der Held, der über die Natur triumphiert, trägt auch in der Geschichte

*Abb. 58 Mailand, San Ambrogio, Bildertür, heutiger Zustand*

243

den Sieg davon. Das historische Handeln des zum »Knecht Gottes« Berufenen dient der fortschreitenden Gottesoffenbarung. Auch David erklärt den
Sinn seines Kampfes gegen die Philister damit, »daß alles Land innewerde,
daß Israel einen Gott hat« (1 Sam 17, 46). Die Klammer von Verheißung und
Erfüllung, von Zusage und Einlösung, die mit den Anfangsfeldern eröffnet
wird, ist sehr eng gebildet: David erlegt nämlich den Riesen im Gewand
und mit den Waffen des Hirten. Unter den Hochfeldern ist eines, das in
bezug auf 1 Sam 17, 38 zeigt, wie Saul David mit seiner Rüstung ausstattet,
die dieser dann aber wieder ablegt. Er fängt den zweiten und entscheidenden Teil der Bilderzählung, den Kampf gegen Goliath so an, wie er in die
Geschichte eingetreten ist: als Hirte.

Diese beiden zusammengehörigen Türfelder folgen keinem allegorischen
Impuls; sie erscheinen mir vielmehr selbst eine »Allegorie« zu sein, eine
Allegorie der christlichen Kunst, und ich komme hier auf die Bemerkungen
im Kapitel über die Miniaturen zurück, wo die allgemeine Feststellung
gewagt wurde, daß in christlicher Kunst ein Ergebnismoment, das von
Anfang an feststeht, mit allen Überraschungseffekten und in aller Folgerichtigkeit erst erarbeitet wird. Dieses wurde im Zusammenhang mit der
Berufung von Davids Vorgänger Saul und ihrer ersten Illustration konstatiert und sei wiederholt in Opposition zu jener Lehrmeinung, die christliche
Kunst auf eine Tendenz zum Statischen, Zeremoniellen, Hieratischen festlegt. Sie würde am oberen Register und seinem Stehtheaterstil eine Erzählart
konstatieren, die Aktion zugunsten des Aktes verraten hat. Und im gleichen
Zug könnte sie unten rechts den »Wesensdrang« dieser Kunst in der Entscheidung wiedererkennen, eine einfache Meldeszene zu einem Sinnbild des
Helden auszubauen. Dagegen ist so nichts einzuwenden. Aber, wie auch
schon gesagt, nicht am einzelnen Statement und seiner stilistischen Behandlung, sondern am Zusammenhang, an der Zusammenarbeit der einzelnen
Erzählpositionen beweist sich das Christliche der christlichen Kunst. Es
wird der Geschichte des jungen David ein regelrechter Anfang hier nicht
durch einen Kontrakt, sondern durch einen zweifachen Erwerb von Hand-
lungskompetenz gegeben, die dann im Zyklus ratifiziert wird – dies ist die
Leistung der beiden Sockelfelder für die Gesamterzählung. Wenn man die
beiden Register in ihrem Verhältnis zueinander betrachtet, dann ist das Auffällige und Aufregende, das »Allegorische« an diesem Doppelrelief, daß es
schon intern leistet, was für das Ganze gilt, für das Ganze der Erzählung
und für das Ganze der christlichen Kunst. Kompetenz, die Voraussetzung
des historischen Handelns, wird als das Ergebnis von Geschehen und nicht
bloß als Belehrung, Ermächtigung, Auszeichnung ins Bild gesetzt. Das
macht den feinen Unterschied im Vergleich mit dem Moses-Relief und den
Itala-Illustrationen aus: Dort ist der Anteil der Berufenen geringer – es

wird nur gezeigt, aus welchen Voraussetzungen sie kommen und auf welche Weise sie in ihre neue Funktion als Werkzeug des göttlichen Willens eingesetzt werden. Im Falle Davids hebt die Wahl und die Berufung einen heraus, der durch seine Taten schon herausgehoben ist.

Derjenige, der in einem förmlichen Akt der Selektion und Weihe zum Träger des göttlichen Mandats gemacht wird, legitimiert sich unten als Akteur; was ihm oben widerfährt, hat er sich unten verdient. Noch anders ausgedrückt: Der Kompetenzerwerb, der den christlichen Helden zum Handeln befähigt, ereignet sich zweifach: im Ritual und durch die Tat. Und danach ist auch die Ausgestaltung der beiden Register: Oben regiert die Statik, die Parataxe, die Isokephalie, gilt ein zeremonieller Ereignisbegriff, während unten aus freier Bewegung, Stellung und Gruppierung und aus ganz anderen Mitspielern ein sehr viel ungeordneteres und lebendigeres Bild entsteht. Wir sind auf diese Hineinnahme des Kontrastes von Repräsentation und Aktion *in* die Bilderzählung schon öfters gestoßen; auch hier ist sie das Indiz dafür, daß die großen Themen und Oppositionen wie Natur und Kultur, Vorgeschichte und Geschichte berührt werden – oder enger auf das Werden des Volkes Israel bezogen: daß der für die Israeliten so prekäre Übergang von der naturnahen Epoche der Patriarchen zur organisierten Gesellschaft der Königszeit berührt wird.

## Die Evidenz und der »reichere Sinn« der Geschichte

Ich kehre zur ersten Tafel des Moses-Zyklus der römischen Tür zurück. Auch im kleinen Format, im Inneren des Zyklus kann christliche Kunst überzeugen, wenn sie die Erzählvorlage zur Geschichtsgestalt bzw. wie im Fall dieses ersten Reliefs zur Geschichtsbewegung verdeutlichen kann. Der konsequente Vertikalismus und das fast Übergangslose der Erzählung werden nicht nur der Funktion des Anfangs gerecht, der eine Richtung vorgeben muß, zumal wenn er als universaler Anfang Diskontinuität bedeutet; sie entsprechen auch einer Gestalt, deren »Bewegungsgesetz« sich eindeutig bestimmen läßt. Moses, das haben schon die Kirchenväter hervorgehoben, war der Mann, den es unablässig nach oben zog. »Wie könnte man alle seine Aufstiege [...] beschreiben?« fragt Gregor von Nyssa.[343] Dreimal erscheint er hier direkt übereinander, bis er aus der Vertikale heraustritt und einen Schritt nach vorne macht, auf Gott zu, und dabei wie an einen Abgrund tritt. An der Komposition dieser ersten Tafel ist besonders auffällig, wie in eine ungeteilte Welt der Natur wie unter Vorbehalt und nur, soweit es nötig ist, das Liniensystem der Historie eingezogen wird. Im konzeptionell verwandten Carrand-Diptychon war der prägnante Gegensatz zwischen der lockeren Kompositionsweise des *status naturalis* und der ordentlichen Registerbildung des *status historicus* Teil und Träger der Botschaft. Die Komposition des Türreliefs kommt bis zur Mitte, genaugenommen bis zu dem Moment, da der Engel Moses darauf hinweist, daß er die Scheidelinie zwischen heilig und profan zu respektieren habe, ohne die Trennstriche aus, welche den Auftritt der Figuren in historischen Zusammenhängen ermöglichen. Als ganze bildet diese Tafel jedoch einen deutlichen Gegensatz zu der strengen Einteilung des übernächsten Feldes (Abb. 59), in dem Moses nicht einem Wunder begegnet, sondern selbst Wunder wirkt. Im obersten Abschnitt erscheint er in Summierung der vorangegangenen oder als Vorbereitung der kommenden Szenen als Thaumaturg, frontal stehend zwischen Gott als dem Ursprung seiner Kraft und dem Baum, der das Reich der Naturdinge und Elemente bezeichnet, welche in den Wundern bezwungen wurden: die Wasser des Meeres beim Durchzug, die trockene und unfruchtbare Erde der Wüste, aus der Wasser springt, die Luft, aus der Wachteln und Mannabrote herniederregnen, das Feuer, das hilft, den Wagen des Elias durch die Lüfte zu transportieren. Daß »die Elemente des Weltalls, die den Kosmos bilden, Erde, Feuer, Luft und Wasser, Moses wie eine Armee gehorchen«[344], hat schon Gregor von Nyssa in seiner Vita des Moses hervorgehoben; bei diesem Autor findet sich auch die schöne und im Hinblick auf die Darstellung im obersten Register besonders zutreffende Formulierung vom »Mittler« und vom »Grenzgänger« Moses: der Gottesmann, der zwischen Jahwe und seinem Volk, zwischen dem Heiligen und dem Profanen, zwischen Oben und Unten vermittelt, »er steht gewissermaßen an der Grenze zwischen der wandelbaren und der unwandelbaren Natur; er ist Mittler zwischen den Extremen«.[345]

Daß das oberste Feld der Wundertafel den generischen Moses und nicht Moses bei der Ausübung einer weiteren Wundertat meint – vorgeschlagen wurde das Mara-Wunder (16, 22 ff.)[346] –, macht der Blick auf das antitypische Gegenstück wahrscheinlich (Abb. 60): Hier gibt es nur drei szenische Abschnitte und keine repräsentative Darstellung mit einer Sanktion, die von oben kommt. Christus erhält sein Mandat nicht eigens von Gott – der Korinther-Brief tituliert ihn als »Kraft Gottes«, seine Taten sind Selbstmitteilung. Diesen Unterschied in der charismatischen Ausstattung von Typus und Antitypus haben die Väter genau verzeichnet – Ambrosius schreibt: »Moses bat, ein anderer befahl. Moses betete, Christus handelte. Moses floh, Christus verfolgte. Moses folgte der Wolke, die die Finsternis der Nacht verscheuchte, Christus spendete das Licht.«[347] In der Linie dieser Grundauffassung von Typologie liegt die Ausdifferenzierung der Wunder-

*Abb. 59 Rom, Santa Sabina, Bildertür, Wundertaten Mosis*

*Abb. 60  Rom, Santa Sabina, Bildertür, Wundertaten Christi*

taten: Christus folgt Moses, indem er wie dieser für Speise und Trank sorgt, aber er übertrifft seinen Vorläufer, wenn er im obersten Register einem Kranken das Augenlicht zurückgibt.

Bleibt die Frage: Warum Elias? Daß seine Himmelfahrt (Abb. 61) am Schluß dieser Zeile figuriert, scheint einzig und allein »von oben« diktiert zu sein – damit der Schlußpunkt der christologischen Erzählung ein passendes Gegenstück hat. Natürlich kann eine Erzählanalyse, die auf die Tiefenstrukturen und die elementaren Transformationen schaut, sich schon darin bestätigt sehen, daß am Anfang dieser Sequenz einer inmitten von Schafen am Boden hockt und zum Schluß einer mit dem Triumphwagen in den Himmel fährt. Aber im Sinn des »narrative covenant« wäre es natürlich schlüssiger gewesen, wenn am Ende der Tod des Moses oder die Kundschafter oder die Durchquerung des Jordan gestanden hätten. Folgt man jedoch der Aufforderung dieses Bildprogramms, die Geschichte nicht nur als Folge, sondern auch als Figur zu lesen, so ergibt die Wahl des Elias einen überraschend triftigen und reichhaltigen Sinn.

Elias ist insofern der geeignete Nachfolger des Moses, als sein Leben in mehrfacher Wiederholung die Grundzüge der Exodus-Geschichte nachvollzieht. Es beginnt in 1 Kön 17 damit, daß er von Gott bezeichnenderweise über den Jordan geschickt wird, jenen Schicksalsfluß der Israeliten, den sie nach vierzigjähriger Wanderschaft durch die Wüste trockenen Fußes durchquert hatten, um das verheißene Land in Besitz zu nehmen. Wie Moses und Josua, wie das ganze Volk Gottes erfährt Elias die Wüste als den Ort geistiger und körperlicher Stärkung; auf wunderbare Weise wird er dort von Raben und – in Zeiten der Dürre – von einem Bach genährt. Diese Konstellation wiederholt sich in 1 Kön 19, wo Elias nach einer Zeit öffentlichen Wirkens wiederum in die Wüste geht und von einem Engel mit Wasser und Brot versorgt wird. Darauf wandert er vierzig (!) Tage und vierzig Nächte zum Berg Horeb, wo ihm Gott erscheint und ihn mit umfangreichen Aufträgen und Weisungen versieht. Am Schluß seines Erdenlebens zieht es Elias (und seinen Begleiter Elisa) erneut an den Jordan. »Da nahm Elia seinen Mantel und wickelte ihn zusammen und schlug ins Wasser, das teilte sich auf beiden Seiten, daß die beiden trocken hindurchgingen.« (2 Kön 2, 8) Auf der anderen Seite, in der Wüste wird Elias dann von einem feurigen Wagen in den Himmel entführt. Elias alter Moses, Elias Moses redivivus: an seiner Vita wird deutlich, wie genau auch die Gestalten der hebräischen Bibel »in der Spur gehen« und daß Typologie nicht nur das Verhältnis von Altem und Neuem Testament regelt.[348] Elias, der in Weg und Tat die von seinem Vorgänger angestoßene Geschichtsstrecke rekapituliert, ist prädestiniert, diese Bildfolge zum Abschluß zu bringen. Moses kann dies nicht. Der Mann der vielen Aufstiege, der Mittler zwischen den Elementen und Positionen, ist

249

*Abb. 61 Rom, Santa Sabina, Bildertür, Himmelfahrt des Elias*

auch der Mann des Noch-nicht. Anders als Elias hat er den Jordan nicht überschritten, den »Gnadenfluß«, jenseits dessen das Heil Israels liegt und von dem eine zweite Heilsperiode ihren Ausgang nimmt.

Wie im Fall der anderen, so ist es auch bei diesem typologischen Relief nicht damit getan, daß eine Form- oder Inhaltsanalogie den übergreifenden Bezug stiftet. Auch hier wird der historische Sinn von innen gestärkt und bereichert – in diesem Fall durch das Verfahren der Kontaminierung und der inneren Kommentierung. Zwei Bildelemente sind von der entsprechenden Bibelstelle nicht gedeckt: die Quelle, die am unteren Rand des Reliefs entspringt, und die beiden Prophetenjünger, die in Zuständen höchster Erregung das Geschehen kommentieren. Ihre Werkzeuge verweisen auf eine spätere Episode, die mit dem Wirken des Elisa, des Nachfolgers des Elias und des laut Bibeltext einzigen Zeugen seiner Himmelfahrt, verbunden ist: Als einem Jünger die Klinge seines Beils in den Jordan fällt, macht Elisa, daß das Eisen schwimmt und geborgen werden kann (2 Kön 6, 1 ff.). Die Quelle hat man ebenfalls mit einer Wundertat des Elisa in Verbindung gebracht; es sei diejenige, die direkt auf die Himmelfahrt des Elias folgt: Der neue Prophet, auf dem der Geist des alten ruht (2 Kön 2, 15), reinigt eine Quelle. Man kann diese kleinen Prolepsen wie Vektoren lesen, die sagen: die Heilsgeschichte geht immer weiter: auf Moses folgt Elias, auf Elias Elisa, auf Elisa... Das wäre der Aspekt der Folge. Was das Figurative angeht, so sagen die Quelle und die eisernen Klingen aber noch etwas anderes aus: Sie sagen Wasser, und sie sagen Jordan. Elias ist nämlich nicht nur der Typus der Himmelfahrt, sondern auch der Typus der Taufe. Mögen diese beiden Vorgänge als extreme Stationen das öffentliche Leben Christi rahmen, für das Urchristentum und die Väter standen sie in einem engen Bedingungszusammenhang, so eng wie im Leben des Elias. Origenes: »Elias wurde in den Himmel erhoben, aber nicht ohne Wasser; erst hat er den Jordan durchschritten, dann hat ihn ein von Pferden gezogener Wagen gen Himmel entführt.«[349] Allgemeiner gesprochen: »Die Katabasis in das Todeselement des Taufwassers [...] ist ein Begrabenwerden › mit Christus ‹. (Röm 6, 3 ff.; Kol 2, 12).«[350] Der Bezug zum Taufgeschehen ist natürlich schon biblisch legitimiert. Die jüdischen Priester und Leviten fragen Johannes, ob er der Elias oder der Prophet sei; die Wiederkunft des Elias oder eines dem Moses ähnlichen Propheten erwarteten die Juden für die Endzeit. Johannes antwortet: »Ich bin es nicht.« »Ich bin die Stimme, die in der Wüste ruft: Ebnet den Weg für den Herrn!« Der neue Aion ist also angebrochen. Aber Johannes sagt auch: »Ich taufe mit Wasser.« Christentum ist »religio aquae« (Tertullian).

Die Kommentatoren und die lokale Tradition haben schon früh alle relevanten Ereignisse zusammengezogen. An dieser einen Stelle am Jordan, »am anderen Ufer« (Joh 1, 28), sagen sie, überquerten die Israeliten den Fluß, wurde Elias in den Himmel entführt, ereignete sich das Wunder des schwimmenden Eisens, reinigte Elisa die Quelle und wurde Christus von Johannes getauft.[351] Das Relief hält mit dieser Kumulation der Angaben, dieser Überidentifikation eines heiligen Ortes durchaus mit – was die Dichte und Reichweite seiner Argumentation, nicht unbedingt was seine geographischen Angaben anbelangt, denn der Jordan wird nicht explizit gezeigt. Er ist indirekt präsent in den Hacken und in der Quelle; vielleicht sollen wir uns ja auch vorstellen, daß die Böschung am unteren Rand, daß die Stufen und die Quelle zum Ufer des Flusses gehören. Wie im Falle des ersten Reliefs dieser Reihe ist nicht zu verkennen, daß Weltbildliches expliziert wird. Die Elemente Erde, Wasser, Feuer und Luft werden nicht nur komplett aufgezählt und nebeneinandergestellt, sie werden in Erzählung übersetzt: Vor allem in eine Vertikale, die als Ausdruck einer typologischen Achse natürlich den Vorrang hat und die in dramatischer Aktion und Reaktion Erde und Himmel, genauer Erde, Feuer und Luft miteinander verbindet – in der Form von Zonen, von Handlungsweisen, von Repräsentanten. Aber daneben existiert auch ein horizontaler Zeitbezug, der in diesem Feld in komprimierter Form erscheint. Wir sollen das Relief als Fortsetzung und Vollendung des Moses-Zyklus begreifen und in die Prolepsen (Quelle, Jünger, Hacken) den Fortgang der Heilsgeschichte hineinlesen, die mit diesem Ereignis eben nicht abgeschlossen ist, so sehr auch die Position des Bildes und sein Inhalt einen solchen Schluß nahelegen. Auf diese Weise ist die doppelte Beanspruchung, in der jedes Feld des großformatigen Zyklus steht, innere Erzählform geworden. Und noch mehr: Man hat sicher zu Recht festgestellt, daß die typologische Beanspruchung des Alten Testamentes, daß die Hermeneutik des Christentums notwendig dessen Fülle und Eigensinn beschneidet: »Once we ask of an Old Testament event: What does it mean? once we say: This is the fulfillment of that, it is very difficult to retain our sense of the plenitude and even contradictoriness of what went before.«[352] Ich hoffe in diesen Interpretationen einzelner Bildfelder des typologischen Zyklus gezeigt zu haben, daß dies nicht immer und nicht notwendig so ist. Nicht alles war »von oben«, von der christlichen Ebene aus diktiert. Der Reichtum des Historischen, auf den der »sensus plenior« der Künste gerichtet ist, wurde wahrgenommen.

»Ein unerschütterliches Reich«:
Die »realisierte Eschatologie« der thematischen Felder

Die Beanspruchung der repäsentativen Darstellungen (Abb. 62-63) für einen dreistelligen Aufbau der Ordnung der Hochformate hat zur Klärung der Gesamtdisposition mehr beigetragen als zu ihrer Deutung selbst. Wenn wir sie auch nicht mehr als »enigmatic panels« ansprechen müssen, so bleiben sie doch problemhaltige Felder, weil mit ihnen der Problemkreis der nachchristlichen Geschichte beginnt, von der zuallererst die Frage ist, ob sie Geschichte sein kann. Die Heilsgeschichte hatte sich in Christus »erfüllt« (Gal 4, 4); »sie duldet keine Steigerung, Erweiterung oder Veränderung mehr«[353]. »Die geschichtliche Offenbarung ist also tatsächlich abgeschlossen, und Christus ist in diesem Sinn das Ende der Heilsgeschichte.«[354] Gleichwohl hat die Zeit nach Christus nicht nur Geschichte *gehabt* und ist nicht nur auf das Christusgeschehen zurückbezogen (im Sinne einer perfektischen Eschatologie); sie hat auch eine eschatologische Gegenwart, die sich vor allem auf Joh 5, 24 f. und 2 Kor 6, 2 berufen kann: »Sehet, jetzt ist die angenehme Zeit, jetzt ist der Tag des Heils«. Danach würde das Endgeschehen sich in der Verkündung und Annahme der Heilsbotschaft ereignen. Und es gibt natürlich ein eschatologisches Futur, das in der jüdischen Tradition der Apokalypse steht und ebenfalls seine großen Textzeugen aufrufen kann: die sogenannte synoptische Apokalypse in Lukas 21 und die Johannes-Apokalypse. Damit nicht genug der Komplikationen: die Naherwartung und die Parusie-Verzögerung, die sich etablierende Reichskirche und ihre eigene Historiographie, die bis zu einem neuen Typus von Universalgeschichte gesteigert werden konnte (Augustinus), alle diese Geschichts- und Zukunftentwürfe mit ihren je eigenen Zeithorizonten machen das Gebiet der nachchristlichen Geschichte und Eschatologie zu einem schwer verminten Grund – »where even angels fear to tread« möchte man mit einer englischen Redensart sagen.[355]

Alles, was wir hier tun können, ist der Versuch, Relationen zu qualifizieren (was wir ja eigentlich immer tun) und dabei von jenem Minimalkonsens der Eschatologie-Forschung auszugehen, der uns rät, die nachchristlichen Konzepte bezüglich Zukunft, Gegenwart und Geschichte am besten durch das heilsgeschichtliche Perfekt zu erschließen, was insofern sinnvoll ist, als diese Geschichte ja auch die Weltenwende, die durch Christi Heilstat eintritt, mit einbezieht. Diese Aufforderung wird meist eng christologisch formuliert, sie muß aber grundsätzlich weiter gefaßt werden, wenn es um die Bildsummen der altchristlichen Kunst und ihre typologische Beanspruchung des Alten Testaments geht. Auffällig ist sogleich die Tatsache, daß den

*Abb. 62 Rom, Santa Sabina, Bildertür, Akklamation*

*Abb. 63 Rom, Santa Sabina, Bildertür, Parusie*

thematischen Feldern keine Sonderstellung eingeräumt wird – im Gegenteil, es wird sogar ihre hohe Position dadurch wieder relativiert, daß über
ihnen noch eine Zeile mit szenischen Darstellungen angesetzt ist, was guten
theologischen Sinn ergibt, denn die Endereignisse können nicht der entscheidende Orientierungspunkt sein, wenn Christi Sein in der Zeit als Zentrum und sinngebende Zäsur der Heilsgeschichte begriffen wird wie im Falle des Türprogramms, wo die Zeile mit den Heilstaten Christi den »Angelpunkt« der Geschichte, die »Mitte der Zeit« markiert. Gleichwohl ist auch
diese Mitte nicht in sich ruhend und abgeschlossen zu denken. So wie die
Wundertaten des Moses auf die durch Christus bewirkten hinzielen, so sind
letztere ihrerseits als Vorwegnahme der darüber realisierten endgültigen
Gottesherrschaft zu verstehen. Darauf kam ich im letzten Kapitel zu sprechen. Ich zitiere noch einmal Lukas 11, 20: »Wenn ich aber die Dämonen
durch den Finger Gottes austreibe, dann ist doch das Reich Gottes schon
zu euch gekommen.«

Was sollen wir aber daraus folgern, wenn das Thematische nicht durch
Format oder Ort besonders privilegiert ist, sondern seinen Platz in einem
primär von den Bedürfnissen des historischen Zyklus diktierten Bezugsrah-
men hat? Zunächst etwas sehr Grundlegendes und vielleicht nur dem heutigen Verständnis Banales. Es ist eine Aufgabe, ja ein Privileg der Kunst, in
solchen komplexen Kompositionen kundzutun, daß der christliche Weltentwurf über *alle* Zeitstufen und Zeitqualitäten disponiert, daß ihm eine Reichweite und konzeptionelle Sicherheit eigen ist, die anderen großen Erzählungen und Religionssystemen abging. Der Gott des Christentums ist derjenige, »der ist, der war und der sein wird« (Apk 1, 4). Disponieren heißt
natürlich mehr als Auskunft geben über Vergangenes, Gegenwärtiges und
Zukünftiges. Es heißt, daß die Zeiten ein strukturelles Verhältnis miteinander eingegangen sind, daß sie immer schon heilsgeschichtlich qualifiziert
sind. Was die Verhältnisbestimmungen anbelangt, so denken wir wieder
und zuallererst an die »Erfüllungsstruktur«, die Wort und Tat bzw. Ereignis
und Ereignis zusammenhält. Zuallererst deswegen, weil diese Regel Gott
selbst bindet. »Im Blick auf göttlich geschehene Taten erkennt man die
Wahrheit einer Gottesrede, wie eben überhaupt Gott sich selbst durch seine
Taten erweist.«[356] Dies gilt in letzter Konsequenz auch für die Legitimation
der Endereignisse, soweit sie von Christus verkündet werden bzw. sich an
ihm vollziehen sollen. »Gott selbst« hat »diesen Anspruch in seiner eschatologischen Tat letztgültig« zu erweisen.[357] Weiterhin und im Grunde überra-
schender: Der Zyklus, der Heilsgeschichte mit einer Anrede anfangen läßt,
bleibt auch in seinen letzten Stationen Anrede – in anderer Qualität und
im größeren Maßstab der Selbstverkündigung Gottes vor der Gemeinde,
vor den Vertretern der Kirche, vor dem Hintergrund des Kosmos. Was

natürlich auch Gegenstand der Enderwartungen ist, denn es heißt, daß das Ende erst kommen wird, wenn das Evangelium allen Völkern gepredigt wird. Aber schwerer wiegt das Konsistenzmoment: Wenn es das »Wesen der Bibel« ist, »daß sie *nur von Gottes Offenbarungshandeln* spricht«[358], dann gehören auch diese letzten Tafeln zu einem biblischen Zyklus – wie alle anderen Reliefs der Tür.

Aus diesen Perspektiven können wir unsere erste Beobachtung an den obersten Tafeln besser verstehen. Sie fügen sich ohne besondere Auszeichnung in den Verband des gottesgeschichtlichen Zyklus, weil sie dessen letzte Manifestation und abschließender Wahrheitsbeweis sind. Unter dieser Prämisse ließe sich auch dem Vorschlag beitreten, daß die dichteste Kombination eschatologischer Zeichen, die bisher vorgekommen ist, der Thron im Scheitel des Triumphbogens von Santa Maria Maggiore die Stelle der fehlenden Geburt Christi einnimmt.[359] (Abb. 39) In einem Kontext, der schon die Kindheitserzählung mit Hinweisen auf die königliche Würde des Messias nur so spickt, mögen sich in den Insignien der Basileia, der Gottesherrschaft, die erste und die zweite Parusie vermitteln. So begriffen tritt uns der thematische Modus als eine ebenfalls in die Dimension der Geschichtlichkeit eingebundene Äußerungsform entgegen, als Teil, Erfüllung und Fortsetzung des Offenbarungsgeschehens.

Dennoch: Eschatologie ist nicht Teleologie, d. h., eine lineare Vorbereitung und einen gebahnten Übergang kann es nicht geben. Die letzten Dinge bedeuten auch einen Bruch des Seins, einen Sprung in der Geschichte, sie kommen als ein Geschenk Gottes. Von diesem übergeschichtlichen Status sprechen die Schwierigkeiten, die man immer haben wird, die großen Tafeln der obersten Reihe in eine lineare Abfolge zu bringen und mit den typologischen Achsen zu koordinieren. Die Differenz entsteht aber vor allem intern durch einen anderen Aufbau der großen Felder, durch das innere Kontrastpotential eines anderen Modus. Drei verschiedene Weisen, mit dem hochrechteckigen Format zu erzählen, lassen sich an der Tür unterscheiden: die vereinheitlichende im Falle der Himmelfahrtsszenen – hier durchzieht eine bemerkenswerte Dynamik das ganze Bildfeld; die aufbauende, die sich an den Wunderszenen oder der Berufung des Moses beobachten läßt – hier zerfällt die Komposition in mehrere Teilabschnitte mit je eigenen Erzähleinheiten; die trennende im Fall der thematischen Tafeln – hier wird das Relief als eine sinngemäße Einheit aufgefaßt, aber in zwei kontrastierende Hälften zerlegt. Diese Disposition bringt ein wesentliches Merkmal des thematischen Modus zum Vorschein und hebt ihn dadurch von seinem narrativen Umfeld ab: Oben und Unten werden im Sinne einer kulturellen Metasprache verabsolutiert, die letztlich unchristlich ist. Eine horizontal-zeitliche Jenseitserwartung wird durch das bekannte pagane Modell eines vertikalen und in Diastasen zerfallenden Dualismus ersetzt. Bei der Ausgestaltung dieses Konzepts stoßen wir auf Dispositive, die uns schon ganz zu Anfang beschäftigt haben: die hierarchische Anordnung, die Figuren der Totalität, der erhöhte Einsatz von symbolhaften Äußerungen. Auffällig an der Parusie-Tafel ist natürlich die Präsenz so vieler Zeichen, die das »Schriftprinzip« auslegen: die vier Wesen sehen wir da, die Schriftrolle, das Ichthys-Akrostichon und das Alpha und Omega. Eine enge Lesart wird darin lauter »letzte« Dinge erblicken und die vier Wesen überhaupt nicht als Hinweise auf das viergestaltige Evangelium, sondern nur »als Symbole für den erhöhten Herrn der Apokalypse und seiner weltumspannenden Herrschaft, dessen Parusie bevorsteht«[360] gelten lassen wollen. Behält man den Zusammenhang des Türprogramms im Auge, kann einem nicht entgehen, daß die Ordnung der großen Tafeln in ihrem ersten Feld die »Schrift« deutlich genug ins Bild rückt. Wenn das Parusie-Relief ursprünglich seinen Platz dort hatte, wo es heute steht, dann läßt sich eine Diagonale ziehen, von unten links, wo die Überreichung der eingerollten Bundesurkunde Geschichte inauguriert, und oben rechts, wo der personifizierte Logos diese Rolle geöffnet hat und sich selbst als ihre Botschaft erweist und – damit nicht genug – zugleich als der Ursprung und das Ende aller Schriften, als das Apriori des letzten Wortes, als Logos charakterisiert wird. Der Titulus der verlorenen Fassadendekoration von Santa Croce in Ravenna resümiert die Prinzipien, die hier in eine Bildkonstellation getreten sind, und transzendiert die Zwänge der räumlich/zeitlichen Anordnung:

> Christe, patris verbum, cuncti concordia mundi,
> Qui ut finem nescis, sic quoque principium.
> Christus, Wort des Vaters, Harmonie der ganzen Welt,
> Der du weder Ende noch Anfang kennst.[361]

Kommen wir noch einmal zu der Oben-Unten-Differenz der Kompositionen zurück, die im Gegensatz zur Vorher-Jetzt-Nachher-Differenz erst christlicherseits erarbeitet werden mußte, so gilt folgendes: Die beiden Hälften setzen einander voraus, sind aber nicht das Ergebnis eines Zusammenwirkens oder einer gemeinsamen Entwicklung. Der Akklamierte ist z. B. nicht das Produkt der Akklamierenden, denn der ihn präsentierende Engel und die »Rückendeckung«, die er in der Heiligen Stadt hat, machen ihn fast ebenso unabhängig von der unteren Zone, wie es der Christus der Parusie-Tafel ist, der als himmlische Majestät in der Figur der Vollkommenheit erscheint. Ich verweise zum Vergleich wieder auf das Feld mit den Wunderszenen des Moses. (Abb. 59) Auch dort wurde ja in der höchsten Position eine allgemeine Feststellung gemacht: Der Thaumaturg wurde als der Mittler zwischen der Kraft Gottes und dem Reich der Natur eingeführt. Aber das Charisma, das da delegiert wird, muß, wie es das Gebot der narrativen Ordnung ist, sofort in einem entsprechenden Handeln verausgabt werden, wie ein Vergleich des obersten und des untersten Abschnitts dieser Tafel belegt. In den thematischen Statements ist das nicht verlangt. So daß wir jetzt genauer die Ambivalenz dieser Felder definieren können. Als Teil eines großen, historisch verfaßten Gesamtzusammenhangs fügen sie sich dem Imperativ, der Erfüllungsstruktur heißt, der den Beweis in der Geschichte vorschreibt. Intern jedoch, *in* den Bildern der nachchristlichen Zeit ist der Wort-Tat-Zusammenhang mit allen Folgen für Komposition und Bildsprache aufgehoben und ein anderer Wahrheitsbeweis formuliert, der die Forderung nach einer Legitimation durch »Zeichen vom Himmel« erfüllt – siehe den Engel, siehe das vom Himmel herabstoßende Kreuz – und der sein Zeitkonzept auf eine »transzendentale Räumlichkeit«[362] umstellen kann. Aus der zuletzt angedeuteten Perspektive gibt der Hebräer-Brief, den Peter Maser zu der Darstellung des »Erhöhten« auf der Akklamations-Tafel herangezogen hat, mehr her als den Hinweis auf die eschatologische Qualität Christi als »wahrer Hoherpriester«, als »Hoherpriester der zukünftigen Güter« (9, 11).[363]

Die Hohenpriester, um diesen Gedanken zunächst einmal auszuführen, sind von Gott aus der Mitte der Menschen auserwählt worden, um zwischen ihm und den Menschen zu vermitteln und um »Gaben und Opfer für die Sünden darzubringen«. Der Unterschied zwischen den Hohenpriestern des Alten und dem Hohenpriester des Neuen Bundes besteht darin, daß letzterer, der ohne Sünde ist, sich selbst opfert, »ein einziges Opfer für die Sünden dargebracht hat«, daß er ein neues Gesetz und eine neue Hoffnung verkörpert und daß er nicht in einer Reihenfolge vieler Priester steht, sondern »weil er auf ewig bleibt, ein unvergängliches Priestertum hat«. Seine transzendentale Qualität, sein »erhabeneres Priestertum« drückt sich ferner darin aus, daß »er abgesondert von den Sündern und erhöht über die Himmel existiert«.

Es soll nicht der Fehler wiederholt werden, die thematischen Felder auf eine Bibelstelle festzulegen; es sind und bleiben synthetische Entwürfe einer Zeitstufe und Zeitqualität. Entscheidender als motivische Anregungen, entscheidender gerade für die Bedürfnisse der Künste ist die inhärente Tendenz des Textes, auf die Darstellungsebene des Räumlichen überzuwechseln oder Räumliches im Bildervorrat der alttestamentlichen Tradition aufzusuchen. Um die Analogie von Tür und Text noch weiter zu treiben: Zu dieser Verräumlichung greift ein Autor, der wie kaum ein anderer die Historizität und das heißt die Legitimation des Kommens Christi aus den Geschichtsbüchern betont.[364] Indem er an die Wahrheit und Evidenz der *historia divina* appelliert, ist sein Argumentationsrahmen wie derjenige des Gesamtkonzepts der Tür ein historischer. Wir kennen die große Durchmusterung der Geschichte nach den Zeugen des Glaubens im 11. Kapitel; ich habe dieses Summarium im Zusammenhang der Langhausmosaiken von Santa Maria Maggiore zitiert. Ein anderer Beweis »nach der Geschichte«: Christus stammt von Judah, nicht von Levi ab. Wie Melchisedek steht er nicht in der Kontinuität eines priesterlichen Geschlechts, sondern begründet in sich selbst ein neues Priestertum. Dieses Leitmotiv nun ist besonders geeignet, Eschatologie in Ekklesiologie und umgekehrt zu übersetzen. Im Rahmen eines großen Religionsvergleichs wird die alte und die neue Topologie des Heils entworfen, »wird die künftige Stadt (13, 14), der Ort der endgültigen › Ruhe ‹ (4, 1-11), als das jetzt schon existierende obere Jerusalem vor Augen gestellt, in dem bereits die Festversammlung der Engel und Vollendeten mit Jesus als dem Mittler eines neuen Bundes im Gange ist (12, 22-25) und als dessen Bürger die Glaubenden sich wissen dürfen.«[365] »Ihr seid«, heißt es an der zuletzt herangezogenen Stelle, »zum Berg Zion hingetreten, zur Stadt des lebendigen Gottes, dem himmlischen Jerusalem, zu Tausenden von Engeln, zu einer festlichen Versammlung und zur Gemeinschaft der Erstgeborenen, die im Himmel verzeichnet sind; zu Gott, dem Richter über alle, zu den Geistern der schon vollendeten Gerechten, zum Mittler eines neuen Bundes, Jesus [...].« Die Gemeinde wird aufgefordert, »in das Heiligtum einzutreten«. »Da wir einen Hohenpriester haben, der über das Haus Gottes gestellt ist, laßt uns mit aufrichtigem Herzen und in voller Gewißheit des Glaubens hintreten.« »Er hat uns den neuen und lebendigen Weg erschlossen durch den Vorhang hindurch, das heißt durch sein Fleisch.« (10, 19 ff.)

Aus diesen Angaben und mit Hilfe dieser Technik einer Beibehaltung der alten Bilder und Themen bei gleichzeitiger Universalisierung und Abstrahierung derselben, lassen sich thematische Kompositionen wie die hier zu analysierenden bauen: Das Himmlische wird vom Irdischen getrennt, das Stabile vom Wandelbaren, das Einzige vom Iterativen. Jean Cambier, der das Eschatologie-Konzept des Briefes besonders nahsichtig auf der sprachlichen und begrifflichen Ebene untersucht hat, schreibt dazu: »Die Formeln der traditionellen Apokalyptik bleiben, aber ihre Bedeutung wird modifiziert. Man spricht z. B. noch von den zukünftigen Gütern, aber das Wort › zukünftig ‹ wird nicht mehr vorrangig in seiner ursprünglichen Bedeutung eingesetzt; es dient vielmehr als eine Bezeichnung, die vor allem diese Güter als himmlische ausweist. Der qualitative Aspekt › himmlisch ‹ ordnet sich dem zeitlichen Aspekt › zukünftig ‹ unter.«[366] Die Feststellung dieses Übergangs von einem »zeitlichen Heilsschema« zu »einem räumlich-metaphysischen«[367] hat die Konsequenz, daß wir in bezug auf die eingangs gestellten Fragen etwas sichereren Grund gewonnen haben, ohne uns letztlich ent-

scheiden zu müssen. Die eigentümliche Spannung der christlichen Grund-
aussagen über Eschatologie, die aus dem Nebeneinander von Gegenwärtig-
keit und Zukünftigkeit, von Schon und Noch-nicht resultiert, wird nicht
dogmatisch, sondern darstellungstechnisch beantwortet – durch ebendiesen Dimensionswechsel: Der Raum, zumal der sakral konzipierte Raum
mit seinen unveränderlichen Ordnungsstrukturen, ist jetzt das Medium einer
übergeschichtlichen Präsenz. Die Nähe oder Gegenwart der Eschata wird
evoziert, ohne daß ein Wort über die zeitliche Nähe oder Ferne der Parusie
verloren werden muß. Die Eschatologie wird der Ort, an dem die »stabilité
des réalités célestes« (Cambier) und die Attribute einer zeitlosen Herrschaft,
eines »unerschütterlichen Reiches« vorgeführt werden. Was eine Konsequenz hat, die wir angesichts der überzeugenden Durchstrukturierung eines
solchen Komplexes fast automatisch übersehen: Wenn der Gegenstand Endzeit universalisiert wird, dann entspricht das dem Geltungsbewußtsein der
etablierten, in die Dimensionen und die Denkformen des Imperiums hin-
eingewachsenen Reichskirche, die man auch eine »Raum-Zeit-Kirche«
genannt hat im Gegensatz zur »Zeit-Kirche« alttestamentlicher und ur-
christlicher Observanz.[368] Dann ist hier schon verlorengegangen, was
christlicher Geschichtsauffassung als Möglichkeit ebenso immanent ist und
was erst am Ende des Mittelalters in einer Auflehnung gegen die Herrschaft
der großen Strukturen wiedergewonnen wurde: die Möglichkeit einer
Zukunft, die sich im Jetzt des einzelnen, des zu Christus sich entscheidenden
Gläubigen realisiert.

Es bedarf keiner längeren Ausführungen, daß die Kunst aufgrund ihrer
medialen Voraussetzungen und als Erbin pagan-antiker Bildformeln weniger innere Hemmnisse kannte als die Theologie, wenn es um die Transformation eines christlich sanktionierten Zeitschemas (Jetzt/Dann; Vorberei-
tung/Erfüllung) in ein pagan belastetes Raumschema (Hier/Dort; Unten/
Oben; Irdisch/Himmlisch) ging – anders gesagt: um die Ablösung einer
horizontalen durch eine vertikale Eschatologie. Und daß die Kunst zu der
Durchsetzung einer Erhöhungstheologie im Sinne einer »realized eschatology« (C. H. Dodd)[369] mehr beigetragen hat als alle Spekulationen der Exegeten und Systematiker, das scheint mir auch ausgemacht. So ist die Frage
nach dem futurischen oder präsentischen Gehalt der Tafel, die wir mit Parusie überschreiben, nicht eigentlich mehr drängend. Das Oxymoron
»realized eschatology« markiert bestens eine konstitutive Unentscheidbar-
keit, als deren erste Agentin die Kunst auftritt, die »realisieren« muß und die
nach dem gerade Gesagten das »realisieren« wird, was sie am besten kann:
die Ordnungsstrukturen, die Zeit und Welt zusammenhalten.

Es bleibt vielmehr ein anderes Problem übrig. Wir können ja nicht übersehen, daß der Komplex der großen Tafeln nicht in einem, sondern in vier

Bildern der erfüllten Zeit kulminiert. Wenn man das überhaupt noch Kulmination nennen will. Es fällt schwer, an einen zeitlichen Sinn des Nebeneinander der Tafeln in Reihe 6 zu glauben – also an eine geregelte Folge endzeitlicher Epiphanien. Sicherer erscheint dagegen, daß die verschiedenen Versionen der »Herrlichkeit« in vertikaler Hinsicht Sinn ergaben. Ihre Relationierung mit den Positionen des Alten und des Neuen Testaments wird gerade vor dem Hintergrund eines Geschichtsentwurfes verständlich, wie er aus dem Hebräer-Brief abgeleitet werden kann, der ja das letzte, sprich: jüngste kanonische Wort zu den letzten Dingen ist. In dem Maße, in dem die Jenseitserwartung entzeitlicht wird, wächst die paradigmatische Funktion der Helden und Zeugen des Alten Testaments, steigert sich auch der Wert der Gewißheit des Gekommenseins Christi.[370] Entzeitlichung der Eschata führt zu einer gesteigerten Geschichtlichkeit des Glaubens. Doch sagen wir hier nur mit einem anderen Gedanken, was vorher schon klar war, daß nämlich die großen Tafeln aller Reihen in einem historischen Verweisungszusammenhang stehen. Die Tatsache einer Vielfalt und Konkurrenz der eschatologischen Entwürfe bleibt so unerklärt. Ich behaupte keine Abweichung von den kanonisch verbürgten Bestimmungen. Im Kolosser- und Epheser-Brief wird Christus ja ausdrücklich als das »Haupt« des Alls *und* der Kirche bezeichnet. Auffällig ist nur, wie sicher im Modalen, wie plausibel in der Grundeinrichtung und wie unabhängig voneinander zwei eschatologische Bildformeln ausfallen können: Die Inauguration des über das Haus Gottes gestellten Hohenpriester Christus – die Rekapitulation des erneuerten Kosmos durch den Logos-Christus. In dieser Hinsicht gelange ich hier nicht darüber hinaus, daß ich noch einmal auf den Titel, das Motto und den Tenor dieses Kapitels rekurriere. Zwei Erzählstränge, zwei Formate, zwei Leserichtungen, zahlreiche innere Erweiterungen und Überlagerungen – das Prinzip der Fülle, das in diesem Türprogramm überall wirksam ist, wird auch dann nicht aufgegeben, wenn eine Letztaussage erwartet wird. Auch für die erfüllte Zeit steht, um Löwith zu paraphrasieren, eine Fülle der Bilder bereit. Wie lauten die ersten Worte des Hebräer-Briefs? *Polymeros kai polytropos* – es ist die hier so oft bemühte Formel von der Vielfalt der Offenbarungsträger und Offenbarungsweisen Gottes.

# Nachwort

## »Spolia multa« – »Reiche Beute«

Ich komme auf den naheliegenden Gedanken zurück, der hl. Ambrosius selbst könne der Stifter und Ideator der Bildertür am Eingang zu seiner Basilika gewesen sein.[371] (Abb. 58; Taf. 14-15) Diese Annahme würde einen der großen Exegeten der Bibel in eine engere Beziehung zu einem Monument der biblischen Kunst bringen, als dies in allen hier betrachteten Fällen möglich war. Und selbst wenn der Bischof von Mailand an der Entstehung dieses Werks keinen Anteil hatte, kam seiner *lectura divina* in seiner Stadt und im Umkreis seiner Basilika sicher kanonische Geltung zu. Mit den zahlreichen Aussagen des Ambrosius zu David haben also die »Eingeweihten«, so stellen wir es uns vor, Christus verstanden, wenn sie David sahen, und den Teufel assoziiert, wenn Goliath gegen ihn auftrat. Vielleicht haben sie bei der Enthauptung des Riesen, die David durch dessen Schwert vollzieht, mit dem Kirchenvater darüber spekuliert, daß so »der wahre David, der demütige und milde Herr Jesus, das Haupt des gemeinten Goliath mit dessen eigenen Waffen amputiert. Die Heiden waren nämlich die Waffen des Teufels; durch den [neuen] Glauben der Völker verwundet, hat er auch sein Haupt verloren.« »Er [Christus] hat dessen Kopf abgetrennt, um selbst zum Haupt des getöteten Körpers zu werden.«[372] Ausgelöst wird diese *interpretatio christiana* durch das Wort »spolia«, das die Waffen und die Rüstung des Riesen bezeichnet, die dem Sieger anheimfallen. In der Ausarbeitung seines exegetischen Potentials gelingt dem Kirchenvater nicht nur die Übertragung ins Christliche, es werden auch die Taten Davids mit den Worten Davids kurzgeschlossen, die im 118. Psalm stehen: »Ich freue mich über deine Worte, wie einer, der auf reiche Beute (spolia multa) gestoßen ist.« (V. 162) Der Fokus der Auslegung beginnt damit wieder von der Erzählung der Königsbücher wegzuwandern; er erweitert sich an dieser Stelle zu einer allgemeinen Betrachtung der eigenen Grundlagen, der materiellen wie methodischen Voraussetzungen des Bibelverständnisses, genauer einer christlichen Aneignung der »Spolien« der jüdischen Kultur, Geschichte und Literatur. In der folgenden, sehr animierten Passage paraphrasiert Ambrosius einen Vers des Jesaja (3, 1 ff.), der davon spricht, was Gott dem von ihm verstoßenen Volk alles nehmen wird – ich zitiere die christlich modifizierte Version des Kirchenvaters: »Er nahm ihnen die Kraft des Brotes und des Wassers, er nahm ihnen den Propheten und den wunderbaren Ratgeber, den klugen Baumeister und den weisen Zuhörer.

263

Er nahm ihnen das alles und gab es uns. Mit guten Gründen › freue ich mich wie einer, der auf reiche Beute gestoßen ist ‹. Ohne Mühe habe ich Beute gefunden, die ich vorher nicht besaß. Ich habe den Heptateuch gefunden, die Bücher der Könige, die Schriften der Propheten, das Buch des Esdra, die Psalmen, die Sprüche, den Ecclesiastes, das Hohe Lied, ich habe den wunderbaren Ratgeber Christus, den klugen Baumeister Paulus gefunden; ich habe als weisen Zuhörer das Volk der Christen gefunden, welches hörend versteht, was die Juden nur lasen, denn nur derjenige hört, der auch versteht, was er hört. Das Gesetz ist ein geistiges. Der Jude, der es körperlich hört, hört nicht; nur der hört und versteht, der im Geiste hört. Die Juden haben die Bücher, aber sie besitzen den Sinn der Bücher nicht. Sie haben die Propheten, aber sie haben nicht den Prophezeiten. Denn wie können sie etwas besitzen, das sie nicht empfangen haben? Moses und Elias konnten mir erscheinen, weil sie sich von den Juden entfernt haben? Reiche Beute hat gemacht, wer das Wort Gottes besitzt. Multa habet spolia, qui habet Dei Verbum.«[373]

Der Christ, vor allem der die hebräische Bibel auf allegorische Weise auslegende Christ als Held, als Nachfolger des Beute machenden David: diese Position bietet einen ebenso guten Ausgangspunkt für den Vergleich von Bild- und Textexegese, wie ihn Gregors Lesung der Saul-Geschichte im Hinblick auf die Itala-Illustrationen schuf. Ambrosius schwelgt im Reichtum der Überlieferung; seines ist ein typisches Bekenntnis zur Vielfalt der Stimmen und Themen. In diesem Punkt schließt sich die bildkünstlerische Rezeption der Bibel an, keine Frage: Wir haben feststellen können, daß am Anfang der christlichen Kunst der größte Reichtum herrscht, was das Repertoire biblischer Themen, die Dichte der Durchillustration und die Vielfalt der Umsetzungen betrifft. Ambrosius nennt aber auch den Schlüssel, der den Schatz der Offenbarungen öffnet, und das ist ihr »geistiges« Verständnis. In diesem Punkt versagt die Kunst, versagt selbst das im Umfeld des Kirchenvaters entstandene Bildwerk die Gefolgschaft. Wenn wir uns vorstellen, die Mailänder hätten die Reliefs mit der Davidsgeschichte im Sinne des Ambrosius übersetzt, dann wäre ihre Lektüre eben eine »abgehobene«, eine »alta interpretatio«, gewesen, um den Kirchenlehrer selbst zu zitieren. Entscheidend bleibt, daß ein solches Exegeseprogramm nicht mit jener primären und konstruktiven Vortrags- und Übersetzungsart interferiert, welche den »sensus historicus« herstellt, was — wie wir oft zeigen konnten — nicht gleichbedeutend ist mit Illustration. Auf der »Tautegorie« (Friedrich Schlegel) zu bestehen, heißt vor allem, das Sinnpotential zu realisieren, das »anders« als im »Selben« nicht ausgedrückt werden kann. Ich hätte grundsätzliche Bedenken, im Hinblick auf den David-Triumphator im unteren Relief von einem »zweiten Sinn, einer Symbolik« zu sprechen.[374] Die Rechtfertigung für Davids verallgemeinernde Auszeichnung findet sich in der Bibel, nicht in einem patristischen Kommentar. Der Bilderzähler greift hier nicht einmal aus eigenen Stücken dem Geschehen voraus, wie es der Itala-Illustrator tut, der den jungen Hirten Samuel als Imperator einführt, oder wie der Schnitzer des römischen Reliefs, der den brennenden Dornbusch in den brennenden Berg Sinai verwandelt. Er realisiert ja nur eine spätere Selbstaussage Davids, d. h., er macht sich nicht selbst den großen Reim auf die Geschichte, sondern entnimmt auch dieses Strukturmoment direkt seiner Vorlage.

Die Kunst folgt einem anderen Offenbarungsverständnis, einem »geschichtlichen Credo«. Ihre Distanz zur Deutungsart der Allegorese schließt nicht aus, daß sie von der Theologie und von der christlichen Literatur profitiert: Die Kunst pflegt die Typologie ebenso, wie es die Väterexegese tut, aber aus dem anderen Grund, daß sie ihr hilft, Geschichte durch Analogien thematisch durchsichtig zu machen; sie adaptiert die Techniken des Midrash, des apokryphen und hagiographischen Erzählens, weil sie ihre Zyklen kompletter, evidenter und wiederum kompatibler gestalten will; ja, und auch der allegorische Impuls kommt ihr zupaß, wenn es gilt, das *thematische*, nicht das narrative Register ihrer Bildsummen auszustaffieren. Ein solcher Fall ist hier gegeben. Die Rahmenfelder, die Drachen unten und die Engel oben bilden das christliche Visier der Tür, durch das wir auf die jüdische Historie schauen. Sie überformen die Füllung nicht und sind auch nicht bloß angehängt: Sie bewähren sich vielmehr als konstruktives Element eines umfassenden Bezugssystems, das seine eigenen Gesetzlichkeiten entfaltet. Auch im Falle dieses Ensembles gilt, daß der positionale Sinn sich in Richtung der umfassenderen Sinngebung eines weltbildlichen Modells bewegt. Die Drachen unten, die Engel oben und dazwischen der historische Komplex, sie ergeben zusammen und relativ unabhängig von ihrem lokalen Sinn das bekannte dreiteilige Schema einer vertikal gegliederten Welt aus »himmlischen, irdischen und unterirdischen Wesen«, wie es in frühchristlichen Glaubensbekenntnissen heißt.[375] Immer wieder geht es darum, die Reichweite und die Strukturiertheit des christlichen Weltmodells zum Ausdruck zu bringen und dadurch auch die sichere Herrschaft dessen zu betonen, von dem es im Ersten Petrusbrief heißt, daß ihm die »Engel, Mächte und Gewalten unterworfen sind« (1 Petr 3, 22). Das Bildschema ist also das Primäre, die Füllung das Sekundäre – zuerst kommt der Beziehungssinn, dann der geistige Sinn, erst die Relation, dann die Identifikation. Der identifikatorische Modus, der die Textexegese beherrscht, lebt davon, Entitäten ineinander aufgehen zu lassen; der relationale Modus, der die Kunst regiert, hält sie auseinander, um ihren »relativen« und ihren phänomenalen Wert auszubauen.

Die Frage ist, ob die thematischen Felder zum ersten Zustand der Tür gehörten. Im Gegensatz zu den Engeln sind die Drachen ganz und gar 18. Jahrhundert, aber sie sind natürlich keine Programmidee der tiefgreifenden Restaurierungsmaßnahmen dieser Epoche. Der Türrahmen war in ambrosianischer Zeit einmal höher und nahm damals anstelle von heute sechs zehn narrative Tafeln auf. Es ist nicht auszuschließen, daß auch noch Platz für die schmalen Reliefs mit den Drachen und Engeln war – antikes Rhythmusgefühl und der Blick auf Santa Sabina legen die Möglichkeit sogar nahe, daß die vertikale Abfolge der Tafeln durch die schmalen Formate ein- und ausgeleitet wurde. Der Mailänder Katalog von 1990 nimmt dagegen an, daß die barocke Restaurierung nur die Reparatur eines zweiten Zustands der Tür besorgte, der zwischen dem 6. und 11. Jahrhundert hergestellt wurde und den breiten Ornamentrahmen und die thematischen Felder zum Ensemble beisteuerte. Daß ein historischer Zyklus zu einer Bildsumme komplettiert wird, ist im späten 4. bzw. 5. Jahrhundert genauso möglich wie in mittelalterlicher Zeit. Von daher bietet sich kein Ausweg aus dem Problem an; das kritische Moment sind eher die Drachen, deren frühe Datierung sicher Schwierigkeiten bereitet.

Anhand dieses Motivs der Drachen soll eine zweite Form der Distanzierung, eine für die christliche Kunst nicht minder konstitutive, angesprochen werden. Genausowenig wie die christlichen Bildsummen durch Allegorese der Tendenz zum Begriff nachgeben, leisten sie einer Remythisierung oder gar der Entwicklung eines universalen Mythos Vorschub: das Reich der Archetypen und der ewigen Wiederholung bleibt verschlossen oder wird als eine Position den eigenen Konfigurationen einverleibt. Die letztgenannte Option ist diejenige, die wir in diesem Epilog verfolgen, der zugleich ein Prolog ist. Die der ganzen Unternehmung zugrunde liegende Erwartung ist ja die, daß die »figures de relation« (Valéry) und die zugehörigen Rezeptionsweisen, die Strukturen und das strukturelle Betrachten, die sich in frühchristlicher Zeit herausgebildet haben, bewahrt bleiben und ihre Notwendigkeit angesichts der Herausforderungen des christlichen Mittelalters unter Beweis stellen, in Abwandlungen natürlich, in immer neuen Realisierungen dieser relationalen Matrix.

Wie das »mythische Analogon« der christlichen Kunst auf die Kontinuität des Mythischen und auf neue Ausformungen desselben reagiert, das läßt sich an der Tür von San Ambrogio so schön aufzeigen, denn sie exponiert sich in dieser Beziehung. Wir haben gesehen, daß viele Bildkomplexe der christlichen Kunst ihre Kompositionen und vor allem ihre Erzählungen in den Instanzen, den Repräsentanten oder Zeichen der Schrift absichern und so die sehr viel größere Legitimationsstruktur der jüdischen und christlichen Theodizee abbilden: »Durch sein eigenes Wort vergewissert Jahwe selber sein Tun – daneben gibt es keine unpersönliche, in einer mythischen Beziehung wurzelnde Behaftung Jahwes, die zur Vergewisserung helfen könnte.«[376] Diese äußeren Garantien des Wort-Tat- und des Autor-Offenbarung-Zusammenhanges fehlen hier; die Rahmung und Einbettung der Geschichten haben hier ganz andere Wesen übernommen, die wir als »Mächte« angesprochen haben: die Mächte des Animalisch-Bösen und des Himmlisch-Triumphalen in den Rahmenfeldern. Woraus dann in Zusammenarbeit mit dem alttestamentlichen Bericht wieder ein dreiteiliges Ganzes entsteht, das wir im kleineren Maßstab und mit exakt dieser Schichtung (Elementares, Geschichtliches, Transzendentales übereinander) und Klammerung (thematische Felder rahmen historische) bereits im Murano-Diptychon (Abb. 46) und in den Ampullen (Abb. 48-50) kennengelernt haben. Im thematischen Modus, so lautete der Befund von Kap. 1 und 2, kehren Ordnungsprinzipien des verabschiedeten mythischen Denkens wieder. An Analogie und Dualismus denkt man zuerst, und beide Dispositive sind bei der Ausgestaltung der Fuß- und Kopfstücke auch besonders evident: die linke und die rechte Seite stehen im Verhältnis der Identität, die Positionen unten und oben im Verhältnis eines absoluten Kontrastes – unten kämpfen jeweils zwei Drachen verbissen miteinander, oben tragen zweimal zwei Engel in schönstem Einverständnis das Kreuzeszeichen. Zwischen diesen Extremen besteht keine direkte Verbindung; im thematischen Dispositiv reagiert die Ferne. Jenseits des Formalen und Figurativen gilt natürlich, daß dieses Personal zum unverzichtbaren Aufgebot des Mythos gehört: die Elementarwesen genauso wie die Himmelsmächte. Wichtig ist nun zu sehen, daß der Held der Erzählung, daß die ganze Erzählung zwischen diese Positionen und Figuren des Mythischen eingebettet erscheint, ohne daß die Grenze durchlässig gemacht würde. Es muß klar sein, welche Verführung von der Möglichkeit ausgegangen ist, eben den Mythos zu reaktualisieren, der vom Kampf des Helden ausgerechnet mit der Schlange bzw. dem Drachen handelt. Dies ist der paradigmatische Mythos. Das Potential seiner christlichen Aneignung erscheint unerschöpflich, denkt man an die Religionskonkurrenz, die mit den Edikten des Konstantin oder des Theodosius (um die Entstehungszeit der Tür anzusprechen), nicht abgeschafft ist; sie erhält ja neue Aktualität, begegnet neuen Fronten und neuen Sprachmöglichkeiten des Mythischen in ebendiesen Jahren, in ebendieser Stadt Mailand, wo nach dem Tod des Theodosius und im Beisein des Ambrosius Stilicho, ein Halbwandale, als Vormund des Kinderkaisers Honorius die kaiserliche Macht an sich zieht. Ein harter Übergang soll uns in diese Welt, ihre zentralen Themen und Axiome versetzen.

Im frühen 5. Jahrhundert »spielt« das im 8. Jahrhundert (?) in Altenglisch aufgeschriebene Versepos von Beowulf. Es bietet sich zum Vergleich an, weil es von den Bewährungen eines königlichen Helden handelt, bevor und nachdem er sein Amt angetreten hat, und weil »Beowulf« keine mythologische Dichtung ist, sondern wie die Erzählungen der Königsbücher in die Kategorie der »heroic histories« fällt.[377] Der Protagonist der Erzählung stammt aus dem Königshaus der Gauten, der Südschweden. Anders als Saul und David wird er nicht aus der Menge der Namenlosen von Gottes Willen auserwählt; seine erste Legitimation ist seine Abstammung, an ihr wird er erkannt, sie ist das Passepartout, das ihm die Chance zur heldenhaften Bewährung eröffnet. Als er an den dänischen Hof Hrothgars kommt und der Herold seinen Herrn fragt, ob er den Fremden vorlassen kann, antwortet dieser: »Ich kannte ihn schon, als er noch ein Knabe war. Sein Vater hieß Ecgtheow, dem der Gaute Hrethel seine einzige Tochter zur Frau gab. Sein tapferer Sohn ist nun hierher gekommen, um einen lieben Freund aufzusuchen.« (V. 371-376) Worauf der Herold, zu Beowulf zurückgekehrt, den Bescheid gibt: »Mein Herr, der Herrscher der Dänen, läßt euch sagen, daß er eure Herkunft kennt, und daß ihr [...] ihm hier willkommen seid.« (V. 391-394) In die Halle der Dänen eingelassen, präsentiert sich Beowulf folgendermaßen: »Sei gegrüßt, Hrothgar! Ich bin Higelacs Verwandter und Gefolgsmann. Ich habe in meiner Jugend viele ruhmreiche Taten verbracht.« (V. 407-409) Seine zweite Legitimation sind also seine heldenhaften Taten, obenan seine siegreiche Bewährung im Kampf gegen die Monster, die Ungeheuer, die Erde und Wasser unsicher machen. Diese seine Spezialität hat ihn zu den bedrängten Dänen geführt; er bittet darum, ihnen gegen das Unwesen namens Grendel beizustehen, das die Männer des Königs Nacht für Nacht dezimiert: »Die besten von meinen Stammesgenossen [...] hatten selbst zugesehen, als ich von den Feinden aus dem Kampf zurückkam, wo ich fünf Riesen gefesselt, ihr Geschlecht vernichtet und nachts auf See die Wasserungeheuer getötet hatte. [...] Und nun werde ich allein den Kampf gegen den Unhold und Riesen Grendel austragen.« (V. 415-426) Beowulf besteht diesen Kampf gegen den »höllischen Feind«, der »das Reich des Riesengeschlechts« bewohnt, aber einmal ist im Heldenlied nicht genug – wie im Mythos muß alles wiederholt werden: Beowulf tritt im folgenden gegen Grendels Mutter und gegen den geflügelten feuerspeienden Drachen an. Im Kampf mit letzterem erringt er, der inzwischen auf eine lange Königsherrschaft zurückblicken kann, einen Pyrrhus-Sieg; mit äußerster Anstrengung erschlägt er das Monster, um selbst seinen schweren Verwundungen zu erliegen. Der Schluß des Gedichts tönt das Motiv der »spolia multa« an: Diesmal sind es wirkliche Schätze, denn der Drache hat einen großen Goldhort gehütet, und Beowulf läßt sich im Moment seines Todes vorführen, wofür »ich mein Leben und meine Königswürde um so leichter aufgeben kann«: »den alten Schmuck, den Goldschatz, die leuchtenden Kleinodien« (V. 2749-2751).

Drei Hauptteile, die mit Kämpfen gegen drei Monster bestritten werden, das ist eine selbst für die Usancen der nordischen Dichtung erstaunliche Engführung. Der Mythos hat an die »heroic histories« die ewigen Feinde der Götter, die Monster, vererbt und mit ihnen die Natur der Auseinandersetzung: sie ist unausweichlich, unerbittlich und, wie Tolkien sagt, »unendlich hoffnungslos«[378]. Im Vergleich dazu steht das »Monster« Goliath wie ein Einzelphänomen da. Sein Auftreten hat ja auch nur den Effekt, einen einzelnen auszuzeichnen. Das Antimythische der alttestamentlichen Erzählungen (und ihrer Rezeption) tritt so deutlich hervor; man könnte weiter gehen und vom Anti-Heroischen sprechen, wenn man das Unbedingte des nordischen Helden und das Bedingte seines alttestamentlichen Gegenstücks bedenkt, welches als ausgesuchtes Werkzeug göttlichen Willens fungiert. Aber eine solche Charakterisierung würde an jener wiederholt hervorgehobenen Grundstruktur der christlichen Kunst vorbeigehen, die gerade an diesem Werk so deutlich hervortrat: Der königliche Held ist *doppelt* ausgezeichnet, durch einen symbolischen Akt (Berufung, Salbung) und durch eine heroische Tat (Triumph über die wilden Tiere und über Goliath).

»Beowulf« bietet sich nicht nur zum Vergleich auf der motivischen Ebene an. Und das Gedicht ist nicht allein als radikaler Gegenentwurf zu den Geschichten aus biblischer Zeit zu lesen. Wir können bei ihm bleiben, wenn wir die Modalitäten und die Attraktionspunkte des germanisch-christlichen Austauschs studieren wollen. Entscheidende Voraussetzung muß dabei sein, daß als vergleichbare Ausgangsstellung die Distanz wahrgenommen wird, welche die Erzähler bzw. Nacherzähler zu ihrem Material halten, das einmal einen jüdischen und das andere Mal einen germanischen Helden im Mittelpunkt hat. Das altenglische Gedicht hat das Geschehen in eine große Ferne gerückt, es erzählt »von einer anderen Zeit und von einem anderen Ort«: »Fürwahr, wir haben vom längst vergangenen Ruhm der Dänen und ihrer Könige vernommen, wie die Edlen Heldentaten vollbrachten.« (V. 1-3) Die Seegermanen leben und handeln nach dem »alten Gesetz« »ealde right« (V. 2330), sie verharren also wie die Juden im Zustand vor der Gnade. Sie haben den Exodus, die Auswanderung nach England, die ihre Konversion bedeutet, noch vor sich.[379] »Patriarchal figures, Christian in virtue, though not in belief«, nennt Robert W. Hanning die Helden vor der Epoche der Bekehrung.[380]

Der jeweilige Umgang mit einer geographisch, historisch und religiös ferngerückten Welt fällt allerdings sehr verschieden aus. Der unbekannte christliche Dichter des »Beowulf« allegorisiert nicht, er transkribiert das germanische Heldenlied nicht ins Christliche – die Christianismen, die er über die Geschichte verteilt, sind kleine, oft oberflächliche Akzente.[381] Eher verfährt er wie der Schöpfer der Tür. Was bei dieser der christliche Rahmen ist, der das Gerahmte unberührt läßt, das wäre im Falle des Beowulf eine Haltung, die mit großer Hingabe, ja Faszination die Materie des Heldenepos quasi ausstellt und sie nur dadurch charakterisiert, daß sie den Dingen ihren heidnischen Lauf läßt. Die pagane Geschichte soll selbst »die Grenzen der heidnischen Gesellschaft, die Grenzen des rechtschaffenen Helden und die Grenzen des heroischen Ideals offenbaren«[382]. Um noch einmal Tolkien zu zitieren: »One thing he [der »Beowulf«-Dichter] knew clearly: those days were heathen – heathen, noble, and hopeless.«[383]

Die Faszination, die durch die Distanz des Beawulf-Dichters hindurch spricht, speist sich aus einer Quelle, die mehr Druck besitzt als alle anderen, heißen sie Erinnerung, Lehre, Kunde, Unterhaltung. Das Heldengedicht ist das Medium, in dem Werte und Motive, die christlicherseits eigentlich abgetan sind, ihre Aktualität behaupten und reflektiert werden können. An erster Stelle nenne ich das Heldentum selbst. Der Dichter des Beowulf, der sicher ein Kleriker war, steckte in dem gleichen Dilemma wie Ambrosius: »the only valid life was that led in the *imitatio Christi*, yet meek surrender to the heathen world could not have been contemplated in the actual world.«[384] Anders gesagt: Kaum hatte sich das Christentum ohne Heldentaten etabliert, sah es sich gezwungen, die Ideale und die Notwendigkeit des Heroischen anzuerkennen. Abraham – ich erinnere daran – begegnet uns auf den Mosaiken von Santa Maria Maggiore zuerst als siegreicher Heerführer; Moses, Josua, David setzen ebendort und auf der Tür von San Ambrogio die Ikonographie des biblischen Helden fort. Diese und viele andere Rezeptionen des Alten Testamentes bezeugen dessen einzigartiges Potential, die neue Epoche der vielen Völker und der verwickelten Fehden im Spiegel seiner historischen Bücher zu begreifen – das gilt für die Dichtung genauso wie für die Kunst und die Geschichtsschreibung. Hier ist der Kampf der Könige des Nordens und des Südens und Abrahams beherzter Einsatz für Lot – nur wenige Verse von hunderten aus dem altenglischen Gedicht »Genesis A« (um 700), die uns an den Anfang der Langhausmosaiken von Santa Maria Maggiore erinnern: »Es war ein hartes Gefecht,/ein Austausch tödlicher Speere, der Tumult des Krieges/ und lauten Rufen der Schlacht. Aus ihren scheiden/ zogen die Krieger die ringgeschmückten Schwerter/ mit ihren starken Klingen.« (V. 1989-93) »Abraham gab/ ihnen Krieg zurück, nicht gedrehtes Gold/ für den Sohn seines Bruders:/ er schlug und tötete den Feind im Gefecht.«[385] Und so stilisiert Gregor von Tours den Kampf zwischen König Chlothar gegen seinen Sohn Chramnus: »Chlothachar ging wie ein neuer David gegen seinen Sohn Absalom in den Kampf, und er schlug sich an seine Brust und sagte: Sieh herab vom Himmel, Herr, und richte meine Sache, denn ohne Schuld erleide ich Unrecht von meinem Kinde. Sieh herab, Herr, und richte gerecht, sprich auch hier das Urteil, das du einst sprachest zwischen Absalom und seinem Vater David.«[386] Wolfgang Haubrichs weitgehende Feststellung ist sicher gerechtfertigt: »Die Welt des Alten Testamentes ist für den Menschen des frühen Mittelalters keine vergangene Welt, sondern normensetzende heilige Vorzeit, in deren Strukturen er die verwandten Züge seiner eigenen archaischen Gesellschaft wiederentdecken kann.«[387] Dasjenige Strukturkonzept, das eine germanische Rezeption entscheidend begünstigte, ist die Idee vom geschichtsmächtigen Gott, vom Gott, der sich durch Taten beweist. Was mit Konstantin im 4. Jahrhundert begann, die Annahme des neuen Gottes zur Erprobung seiner Macht, das wird in der folgenden Bekehrungszeit zum Grundmuster: »Im Vordergrund aller Bekehrungsmotive [...] des frühen Mittelalters steht die *Macht* des neuen Gottes, des *omnipotens*, des *victor*, des Siegbringers und *sigidruhtin* (Heliand) [...].«[388] Nach dem Sieg der Franken über die Awaren schreibt Alkuin: »Dieses Reich [der Awaren] hat lange und fest und stark gestanden, doch stärker ist der, der es besiegt hat, dessen machtvoller Hand alle Könige und ihre Reiche unterworfen sind.«[389] Und so können sich die im Sieg ausgezeichneten Franken als das neue Volk Gottes begreifen; so können ihre Könige als *novus David, novus Salomon* angesprochen werden; so können sich die Angelsachsen ihren zentralen Kulturmythos nach dem Vorbild von Exodus und Annahme als Gottesvolk bilden. Es ist diese »Alttestamentarisierung« der frühmittelalterlichen Gottes- und Geschichtsauffassung, welche das typologische Modell wach und das »argumentum historiae« hochhält.

Nach dem Heroischen ist das zweite große Thema, dem die christliche Begegnung mit den Germanen nicht ausweichen kann, das Thema Gold, Schätze, Waffen – Stichwort »spolia multa«.[390] David ist erst erfolgreich gegen den Riesen angetreten, nachdem er die ihm von Saul überlassene Rüstung wieder abgelegt hatte. Und von der Ausrüstung Goliaths nimmt der Sieger nur das Schwert, um den Kopf des Riesen abzutrennen. So berichtet es das Königsbuch, so zeigt es die Tür. Mit wenig Effekt. Auch allegorisierendes Wegerklären half bei dieser Herausforderung nicht, also die Schätze vergeistigen zu wollen, wie Ambrosius mit dem jüdischen Beutegut umgeht oder wie Alkuin in einem Brief an Karl d. Gr. das Schwert, dessen Kauf Christus den Jüngern empfiehlt (Luk 22, 36), zum Wort Gottes

*Abb. 64 London, British Museum, Franks Casket, Vorderseite mit der Wielandlegende und der Anbetung der Magier*

umschmiedet, als der eigentlichen Waffe des »miles Christi« im Kampf gegen die »Anschläge der alten Schlange«[391]. Zur Zeit Alkuins und Karls d. Gr. starrte auch das in Evangelienbüchern materialisierte Wort Gottes von Gold und Edelsteinen. Wie im Fall der heroischen Exempla nahm die nachantike Zeit das Alte Testament lieber bei den Worten, die von großen Reichtümern und kostbaren Materialien berichten – man denke nur an die langen Passagen des ersten Buches der Könige, wo der Bau des Tempels aus den von David und Salomon bereitgestellten Reichtümern beschrieben wird.

Die Rückseite des Franks Casket (Abb. 65) zeigt die Eroberung Jerusalems durch Titus und hat in der Mitte das Allerheiligste des Tempels nicht so sehr in seiner Eigenschaft als spirituelles Zentrum, sondern als exquisites Beutegut. Der Bildkomplex dieses Kastens gehört hierher, weil er zunächst einmal der Beweis dafür ist, daß das christliche Verfahren, die Gnadenstände und Zeitgestalten zu einem Bildsystem zu organisieren, auch die nachchristlich-römische und die heidnisch-germanische Vergangenheit als gleichberechtigte, als analogiefähige Zeiten integrieren kann. Was, um das oben Ausgeführte noch einmal zu pointieren, nicht für Synkretismus, für bloßes Beutemachen spricht, sondern für die Verarbeitung einer historischen Erfahrung, die es ermöglicht, zwischen den Zeiten zu unterscheiden und ihre jeweilige spezifische Gestalt zu ermitteln.

*Abb. 65 London, British Museum, Franks Casket, Rückseite mit der Eroberung Jerusalems*

Franks Casket oder das Kästchen von Auzon ist zeitlich, geographisch und ideologisch dem Beowulf-Gedicht benachbart.[392] Was aber Material, Objektform und Dekoration angeht, so sind Affinitäten zur Elfenbeinschnitzerei der Spätantike unverkennbar – ein detaillierter Vergleich etwa mit der Lipsanothek von Brescia (Abb. 11) wäre sicher lohnend. Während letztere zur Aufnahme von Reliquien bestimmt war, diente das Kästchen von Auzon als Schmuckschatulle – und davon handelt das Bildprogramm und die große Runeninschrift. Sie spricht – beschwörend, möchte man sagen – vom Spender des Materials, dem Walfisch, der, von der Flut an den Strand gehoben, sein Leben ließ. Die szenischen Reliefs, welche die Seiten und den Deckel schmücken, stellen »Reichtumsexempla« (K. Hauck) aus dem germanischen, christlichen und römischen Motivkreis zusammen. Es geht in ihnen um die Herstellung, die Gewinnung und die Überreichung von Kleinoden, wobei als weiteres verbindendes Merkmal hinzukommt, daß die Protagonisten oder Antagonisten jeweils von königlichem Rang sind.

Die Deutung ganzer Szenen und vieler Details ist nach wie vor umstritten. Für die Zwecke dieser kurzen Synthese mag es reichen, die wichtigste, die Vorderseite (Abb. 64), kurz zu betrachten. Über sie ist der Sinn des Gesamtprogramms zu erschließen, so wie hier realiter auch der Schlüssel eingeführt werden mußte, um das Kästchen zu öffnen. An der Vorderseite erscheint ringsum laufend, nur durch den (verlorenen) Beschlag unterbrochen, die große Inschrift, welche über die Herkunft und die Art des Materials des Kästchens informiert. Von seiner Funktion aber handeln die beiden Darstellungen. Es ist dies die einzige Platte, die zwei formal und motivisch deutlich voneinander abgesetzte Bildfelder gegeneinanderstellt, auf diese ebenso simple wie wirksame Weise zu erkennen gebend, daß dieser Bildkomplex aus disparaten, aber einander unterstützenden Elementen besteht. Und da die Inschrift anders als in den anderen Seitenansichten für eine Erläuterung der Szene nicht zur Verfügung steht, wird zugleich darauf gebaut, daß im Nebeneinander zwei Felder sich gegenseitig erläutern helfen. Nur der kleine Titulus »Magi« erleichtert auf der rechten Seite den Einstieg in die »heilsgeschichtliche Antithese«: Die Magier, die »apertis thesauris suis«, »mit offenen Schätzen« (Mt 2, 11) dem Christkind auf dem Schoß der Mutter ihre Gaben darbringen, werden einer Szenenfolge aus der Wielandsage gegenübergestellt, in der das Hauptmotiv den von König Nidud gefangengehaltenen Schmied bei der Arbeit zeigt, dem übrigens auch Beowulf seine Rüstung verdankt. Auf dem Relief ist er damit beschäftigt, aus dem Schädel des von ihm erschlagenen Königssohns einen kostbaren Becher zu fertigen, während die Tochter des Königs ihm einen auf König Salomon zurückgehenden, zaubermächtigen Ring zur Reparatur überbringt – so zumindest deutet Karl Hauck diese schwer zu entziffernde Konstellation.[393] Wielands Motiv ist Rache. Er wird sein Verlangen auch an der Tochter seines Gegners befriedigen, indem er sie betrunken macht und schwängert.

Selbst wenn wir uns strikt an die unumstrittenen Elemente der linken Seiten halten, sind wir berechtigt, das Arrangement typologisch zu verstehen: Links wird von dem »Magier« Wieland ein Königssohn ermordet, und mit Gewalt wird er einen Sohn mit der Königstochter zeugen. Rechts ist der ohne Zutun eines Mannes gezeugte Gottessohn der Empfänger der Ehrerbietung und der Gaben der Magier. Das sind sehr sprechende, drastisch ausgemalte Kontraste, die einen entwickelten Sinn für den demonstrativen Wert der Geschichtsexempla belegen. Auf den Zweck des Kastens zurückbezogen: Die Ambivalenz der Schatzthematik, die immer, d. h. schon vor der christlichen Perspektivierung, virulent war, wird hier in den Blick genommen. Das Gefäß ist dazu da, Schätze zu horten. Was auch in der heroischen Gesellschaft problematisch ist, wo es darauf ankommt, Schätze auszutauschen. Wird die Kommunikation unterbrochen, entsteht ein unheilschwangeres Szenarium wie am Schluß des Beowulf-Gedichts, wo nach dem Ringen um den großen Hort nebeneinander hingestreckt liegen: der Drache, der König, der Schatz, der dann als »burden of history« mit dem Helden und mit der heroischen Epoche als Grabbeigabe untergeht.

Schließlich noch einmal die Monster, welche diese Überlegungen angestoßen haben – eine weitere Quelle von unendlicher Faszination für das frühe
Mittelalter. Das um 1000 geschriebene Manuskript der British Library, das
den »Beowulf« überliefert, hat die Auswahl seiner Texte offenbar unter
einem thematischen Gesichtspunkt getroffen. Die altenglische Paraphrase
des Buches Judith, der »Brief des Alexander an Aristoteles« und die »Wunder des Ostens«, zwei auf die vorchristliche Alexanderliteratur zurückge-
hende Prosatexte, sowie das Bruchstück einer Homilie über Christophorus,
sie haben mit der Beowulf-Dichtung eines gemeinsam: »das Vorkommen
monströser Wesen: der zuweilen als Hundskopf vorgestellte Christophorus;
die › Wunder ‹, die in › Alexanders Brief ‹ ein Gegenstück haben; Grendel und
der Drachen im › Beowulf ‹; Holofernes in der › Judith ‹.«[394] Schon aus den
Schriften dieses einen Codex, eines kompilativen »Liber monstrorum«, läßt
sich ein reiches Repertoire verschiedenster Klassen und Unterarten des
Monströsen zusammenstellen. Diese Vielfalt und die mit Hilfe der Autoritä-
ten »wissenschaftlich« abgesicherte Kunde von den Ungeheuern macht es
schwer, die eindeutige und vereinheitlichende Perspektive der Theologen
zu ergreifen, die von der Schlange der Genesis bis zum Drachen der Apokalypse immer nur die eine Deutung bereithalten. Die Monster sind zuerst
eine Realität und eine Welt für sich, bevor sie ein Prinzip verkörpern.[395] Als
Klasse der Schöpfung, als Welt am Rande der Welt, haben die Monster ihren
Ort in der Topologie und nicht nur in der Theologie mittelalterlichen Christentums. Am »Beowulf« kann man sehr schön die Überlagerung ihrer
Eigenschaften studieren. Grendel und seine Mutter stammen von Kain, vom
Begründer der »civitas terrena«, ab; sie ziehen ihre Kraft aus ihrer Verbindung mit der Ursprungsmacht des Bösen. So will es in einer seiner wenigen
Interventionen der christliche Dichter. Sie haben aber nicht nur eine signifi-
kante Herkunft, sondern auch einen charakteristischen Ort: Sie hausen in
menschenleeren »Marken« und wie die meisten Monster, die im »Beowulf«
vorkommen, in Seen oder im Meer. Ihr Reich »wird nicht, wie meistens in
der christlichen Vorstellung, › unten ‹ gedacht, sondern es umgibt einem
Meere gleich, die Inseln der menschlichen Zivilisation«[396].

So liest man es auch in den erwähnten antiken Texten des Beowulf-
Codex, wo die Randbewohner und ihre Länder beschrieben werden; so
sieht man es in der Bilderdecke von Zillis aus dem späteren 12. Jahrhundert,
wo das von zahlreichen Zwitter- und Mischwesen bevölkerte Meer am
Rande der Welt den festen Kontinent der Heilsgeschichte umspült[397]; so
erscheinen sie auf den Weltkarten des Mittelalters[398].

Es fällt nach wie vor schwer, mit Gewißheit zu sagen, ob die Drachen als
Bestandteil der ersten Tür von San Ambrogio schon die neue Herausforderung annehmen und eine lange Geschichte der Auseinandersetzung mit ger-

manischer Bild- und Motivtradition eröffnen oder ob sie ein aktualisierender Nachgedanke, ein Parergon sind. Aber zweifellos ist die Position und die Funktion, die ihnen im Türprogramm angewiesen wird, ausdrucksfähig, ganz gleich ob unsere Datierung sie als vorbildhaft oder als typisch erscheinen läßt. Die »Mächte«, die außerhalb der Zeit stehen, bleiben auch in der Topologie christlicher Bildsummen am Rande und durch deutliche Grenzen abgetrennt, wodurch verhindert wird, daß in einem Verwischen der Zeit- und Raumgrenze Übermenschliches und Menschliches, Mythisches und Historisches ineinander übergehen. David kämpft nicht den Kampf gegen den Aggressor, das Böse, das Animalische schlechthin, er tötet keine Drachen, sondern bezwingt sehr viel weniger spektakuläre, dafür um so realere Feinde seiner Herde bzw. seines Volkes. Diese Nähe und diese Grenze zwischen Mythos und Geschichte bleibt auch insofern deutlich definiert, als das Grundprinzip mythischer Transformation, die Metamorphose, hier keine Funktion hat – wenn man will, kann man die Drachen und die Engel als Indikatoren oder Verwirklichungen der Zwittermächte, der »shifters«, begreifen, die zwischen den Elementen und den Stufen oder Modi des Seins wechseln. In der innerweltlichen Geschichte bleibt es beim Transformationsschema der historischen Berichte, das nach Ursache und Folge verfährt. Der Riese, den David bezwingt, ist nur ein sehr großer Mensch, kein dämonisches Wesen, und sein Tod löst keine Verwandlungen aus, sondern hat Konsequenzen für die Volksgeschichte Israels. Was Beowulf mit dem Sieg über den Drachen erreicht, ist wie gesagt beider und der Geschichte verdüstertes Ende.

Dies bringt uns auf eine weitere Eigenschaft der Monster. Sie haben nicht nur eine Herkunft und einen Ort und ein unentschiedenes Wesen – sie haben auch eine Form, die sie einer Dichtung, die so dezidiert von ihnen handelt, mitzuteilen scheinen. »Beowulf« ist für seine Abschweifungen und Erzählungen in der Erzählung, für seine Vor- und Rückblicke und seine plötzlichen Wendungen berühmt oder berüchtigt. Strukturgeschichtlich ist bei dieser intrikat verschlungenen Kompositionsweise die Nähe zur Flechtwerk-Technik germanischer Ornamentik gegeben, die zur Entstehungszeit des Gedichts auf den Inseln ihren Höhepunkt erreicht.[399] Wird dieses Flechtwerk aus zoomorphen Elementen gebildet (Abb. 66), etwa aus Wesen mit Köpfen, die in ihre verwickelten Leiber zurückbeißen oder die losen Enden des Gewebes verschlingen, dann können wir von einer Symbiose von Komposition und Motiv sprechen. Die Energie der animalischen Wesen motiviert die Windungen der Muster ebenso, wie die Rückführung in sich selbst deren Gefährlichkeit bannt – eine Gefährlichkeit, die nicht nur durch die Wildheit der Tiere, sondern durch ihre Andersartigkeit, ihre Monstrosität bedingt ist. Den entscheidenden Unterschied zu den heidnisch-antiken

*Abb. 66 Dublin, Trinity College, Ms. 57, Book of Durrow, Tierornamentik*

und den christlichen Formationen macht diese Steigerung von der Zirkula-
rität zur Knotenstruktur bzw. zum Motiv der sich selbst verschlingenden
Schlange aus: »The sudden reversals inherent in the structure as one theme
intersects another without regard to time give to the whole poem a sense
of transience about the world and all that is in it as beginnings and endings
are juxtaposed; this is the much-remarked elegiac texture of *Beowulf*.«[400]
Schon die Vordergrundshandlung des Gedichts wird zu einer großen
Schleife geflochten: Alles beginnt mit dem Begräbnis des Dänenkönigs
Scyld, des Großvaters von König Hrothgar, und alles endet mit dem
Begräbnis Beowulfs; das erste große Ereignis ist der siegreiche Kampf
gegen das Monster Grendel, das letzte der tragische Kampf des Helden mit
dem Drachen – den »gekrümmten Drachen« hatte Beowulf »in der Mitte
durchgehauen«, das ist nicht die Lösung des Knotens, sondern sein und der
Geschichte Ende. So entsteht ein weiteres Mal eine charakteristische
Geschichtsgestalt – die Form einer Geschichte, die trotz (oder wegen) hel-
denhaften Handelns und Trachtens eine Geschichte ohne Ziel und ohne
Führung bleibt.

Es ist heute üblich, an der Bekehrungszeit, also grob gesprochen: am frühen
Mittelalter jene Tendenz herauszustreichen, welche die christliche Offen-

*Abb. 67 Mailand, San Ambrogio, Goldaltar, Vorderseite mit der Vita Christi*

barung durch Elemente des Mythischen umformt und einer eher archaisch zu nennenden Glaubenshaltung anpaßt. Der Materialismus, der Sakralismus, der Ritualismus, die krasse Leistungsfrömmigkeit, die Rückkehr zu magischen Praktiken, diese Wendung, die das Christentum damals nimmt, ist oft als universales Phänomen beschrieben worden.[401] Eine Aufteilung der Religiosität nach Hochkirche und Volkskirche hilft in der Tat nicht weiter. Denken wir nur an das vom Klerus verantwortete Genre der Hagiographie, das sich als ein Nebenevangelium seit dem 5. Jahrhundert durchsetzt und das die angedeuteten Frömmigkeitsformen ohne Rückhalt propagiert. Dennoch: Wenn wir nach den Folgen für unser Ressort fragen, nach dem sichtbaren Umgang der christlichen Bildsummen mit diesen scheinbar zwingenden Epochentendenzen, was finden wir? Wir finden die Kunst weiter engagiert auf der Seite einer strukturalen Argumentation, eines konstruktiven und syntagmatischen Kommunikationsstils. Ich spreche nicht von Produkten »monastischer Spiritualität« (Werckmeister), die in den Skriptorien für wenige Auserwählte gefertigt wurden. Ich spreche z. B. von Werkkomplexen, die am Ort magischer Praktiken mit den neuen kostbaren Materialien und die aus dem Stoff der Geschichten der anderen Helden dieser Zeit, der wundertätigen Heiligen, realisiert worden sind. Legen wir die wenigen Schritte von der Tür zu dem Hauptaltar von San Ambrogio zurück, einem ebenfalls mit Reliefs über und über bedeckten Schatzbehältnis, das um 840 entstanden ist. Bei ihm handelt es sich um eine »Vereinigung von Antependium, Altar, Altargrab und Konfession« – das will sagen, daß diese allseitige Bekleidung eines hölzernen Altartisches die Gebeine des Titularheiligen und der von diesem gefundenen Märtyrer Protasius und Gervasius

278

*Abb. 68 Mailand, San Ambrogio, Goldaltar, Rückseite mit der Vita des hl. Ambrosius*

aufnimmt, ausstellt und thematisiert.[402] Bei der Interpretation des Altars
wird häufig der Fehler gemacht, nur seine Längsseiten (Abb. 67-68) aufeinander zu beziehen. Diese Perspektive geht an der Tatsache der Umkleidung
aller vier Seiten vorbei. Der Altar will umschritten sein; dann stellt sich heraus, daß folgender Rhythmus aus alternierend thematischen und narrativen
Blöcken seine Flächen skandiert – ich beginne beim linken Kompartiment
der Vorderwand: Christus-Leben I – Majestas, Crux gemmata, Apostel –
Christus-Leben II – Kreuzkomposition – Ambrosiusleben I – Engel und
Heilige in Medaillons – Ambrosiusleben II – Kreuzkomposition. Die thematischen Einheiten (Abb. 69) sind aus geometrischen Figuren und Zeichen
aufgebaut, ihr Personal sind repräsentative Einzelfiguren, die zusammenge-
nommen eine lückenlose Hierarchie ergeben: Gott, Engel, Wesen, Apostel,
Heilige, Menschen. Die erzählenden Abschnitte bestehen dagegen einheit-
lich aus jeweils sechs fast quadratischen Relieffeldern. Auffällig ist, wie
sorgfältig die beiden Ordnungen durch ihre Felderstrukturen voneinander
abgegrenzt werden. Den Schmalseiten verleiht das auf Spitze gestellte Quadrat eine eigene Orientierung, und am mittleren Abschnitt der Vorderwand
sorgt das griechische Kreuz mit seinem ovalen Zentrum und seinen leicht
breiter werdenden Armen dafür, daß die von ihm umschriebenen und die
von ihm ausgeschiedenen Flächen eben nicht mit den narrativen Einheitsele-
lementen verwechselt werden können.

Der Mailänder Altar ist der früheste erhaltene Fall einer Parallelisierung
von Christus- und Heiligenleben, was die Möglichkeit einer Weiterführung
und Präzisierung des typologischen Modells einschließt – von »Postfigura-
tion« läßt sich mit mehr Berechtigung als etwa im Falle des Franks Casket

*Abb. 69  Mailand, San Ambrogio, Goldaltar, Seitenansicht*

sprechen, da das zweite Leben deutlich in der Spur des ersten geht.[403] In Mailand ist eine solche Beziehung schon rein äußerlich betrachtet dadurch gegeben, daß die Disposition der beiden Viten jene Doppelstellung aus Ähnlichkeit *und* Differenz nachvollzieht, die für Typologie konstitutiv ist. Gleich ist das äußere Grundraster der Erzählung, ungleich ist deren Richtung. Der christologische Zyklus zerfällt nämlich in zwei vertikal zu lesende Abschnitte; die Ambrosius-Vita erzählt dagegen in drei horizontalen Zeilen mit je vier Feldern, also über das mittlere Kompartiment hinweg. In seiner ausführlichen Untersuchung der beiden Zyklen kommt Viktor Elbern zu dem Schluß, daß die Künstler, die vielleicht zum ersten Mal eine derart ausführliche Ambrosius-Vita zusammenstellten, ausgiebig auf Bildtypen des neutestamentlichen Bilderkreises zurückgegriffen haben: es »sind zehn von zwölf Szenen, die ganz bzw. teilweise dem christologischen Bildervorrat entstammen«[404]. Aber das ist nicht alles und nicht einmal das Interessante. Entscheidender erscheint mir eine Regelmäßigkeit, die man mit Elbern das Gesetz der gegenseitigen Rücksichtnahme nennen könnte. Spürbar fehlen z. B. im Christus-Zyklus die Szenen der Geburt und der Taufe: »Die Zusammenhänge, die für den Ambrosius-Zyklus [...] aufgezeigt werden, machen dies [das Fehlen der beiden erwähnten Szenen] verständlich: Denn die Bildschemata für › Geburt ‹ und › Taufe Christi ‹ werden für den Zyklus der Rückwand gebraucht. Deshalb dürften sie auf der Vorderwand vermieden sein.«[405] Die Bildfelder beider Seiten sind also nicht analogisierbar, sie reflektieren vielmehr *beide* den gleichen Typenvorrat, die ideale Vita des heiligen Menschen auf Erden. Beide Zyklen konvergieren, machen sich transparent im Hinblick auf das gleiche Ziel und Zentrum, in abgestufter Wirksamkeit freilich: Der Christus-Zyklus hat gewissermaßen direkten, der Ambrosius-Zyklus indirekten Zugriff auf das Grundmodell; die Christus-Vita steht dem Vorbild näher, sie fungiert als Ausgabe oder Redaktion desselben; die Ambrosius-Vita gibt eine abgeleitete Version, eine »Nacherzählung« – »nicht mehr ich lebe, sondern Christus lebt in mir« (Galater 2, 20). Die Dialektik von Ähnlichkeit und Differenz, welche dem typologischen Denken innewohnt, wiederholt sich so zweifach: im Verhältnis beider Viten zur unausschöpflichen und unvorstellbaren Fülle des Logos, der Fleisch geworden ist, und im Verhältnis der antitypischen zur typischen Vita.

Was wir selbst nach kurzer Betrachtung konstatieren dürfen, ist die Priorität des Strukturellen über das Episodische, soweit die narrative Ordnung betroffen ist, des Komplementären über das Monologische, was das Zusammenwirken der Ordnungen anbelangt, und der Evidenz über den materiellen Reiz, wenn wir das Verhältnis von Verarbeitung und Material betrachten. Die Feststellung solcher Regelmäßigkeiten wird denjenigen ungelegen kommen, die sich in unseren Tagen am Marginalen und am Mirakulösen der mittelalterlichen Kunst erbauen, die mit Clifford Geertz sagen: »We hawk the anomalous, peddle the strange. Merchants of astonishment.«[406] Was bei mir Erstaunen auslöst, ist der »esprit de système«, der diesen Bildkomplex zusammenhält.

Noch ein harter Übergang, und wir haben das Ende der Kunstepoche erreicht, für die gilt, daß sie ihren, den christlichen Beziehungssinn aus Kombination und Rekombination, aus strukturellem Anordnen und strukturellem Betrachten gewinnt. Was die Motive anbelangt, so bleibe ich bei den »Kraftmeiergeschichten« (W. Zimmerli) des Alten Testaments, mit denen ich dieses Kapitel begonnen habe. Wir finden sie wieder als Graffiti eines Fußbodens, den Jan van Eyck seinem Verkündigungsbild in der National Gallery, Washington unterlegt. (Abb. 70-71) Der Engel und Maria stehen in einem prachtvollen Gebäude, an dessen Rückwand man mit Mühe ausmachen kann: ein Fenster mit einer Majestas-Darstellung, zwei Wandmalereien mit der Auffindung des Moses und der Übergabe der Gesetzestafeln an ihn sowie kleine gemalte Medaillons mit der Segnung des Jakob

*Abb. 70*
*Jan van Eyck, Washington,*
*National Gallery,*
*Verkündigung*

durch Isaak. Auf dem Fußboden konnten identifiziert werden: Samson erschlägt Philister (unter dem Gewand des Engels), Samson und Delilah, Samson bringt den Tempel zum Einsturz, David erschlägt Goliath, der Tod des Absalom (unter dem Gewand Mariens), der Tod des Abimelech (unter dem Schemel).[407] In den Streifen, welche die Bildfelder rahmen, haben die Zeichen des Sternkreises ihren Platz gefunden, so daß wir – immer auf der motivischen Ebene bleibend – wirklich nicht so weit von der Mailänder Tür entfernt sind: zweimal die Heroengeschichten des Alten Testaments in einer Konstellation mit den Zeichen kosmischer Mächte. Aber wie so oft wird Analoges hervorgekehrt, um die Augen für die großen Differenzen zu öffnen. Nominal hat sich wenig geändert: Typologisches Denken und Bilden ist nicht abgetan; die ein Jahrtausend alte Tradition, die von den Konfigurationen vieler Bilder aus mehreren Zeitstufen zehrt, bleibt bewahrt. Verändert hat sich mit und in der Kunst die Verhältnisbestimmung der Elemente und Modi zueinander. Van Eyck entwickelt eine neue Form, eine neue Qualität des Anordnens und Argumentierens mit Anordnung, welche uns veranlaßt, mit ihr eine Zäsur zu setzen. Bis hierhin galt, daß thematischer und narrativer bzw. narrativer und narrativer Modus in einem komplementären Verhältnis stehen, wenn sie in einer Bildsumme zusammenkommen.

*Abb. 71 Jan van Eyck, Washington, National Gallery, Verkündigung, Fußboden*

283

Und daß alle Ordnungsbezüge möglich sind, welche die flächtige Disposition erlaubt: Ausbreitung, Parataxe, Kombination, Korrelation, Überlagerung etc. Nun ist die Relation eine hierarchische: Integration und nicht Beiordnung, Subordination und nicht Koordination heißt das Gebot. Das erste Register rahmt das zweite. Dieses Verfahren mutet sehr modern an, wenn wir Moderne mit Experiment und distanzierter Beobachtung assoziieren: Ein Tatbestand wird eingeklammert, das ist eine heuristische Operation. In Ruhe und Unabhängigkeit läßt sich dann beobachten bzw. demonstrieren, was in der Klammer und unter den Bedingungen des Einklammerns passiert. Mit dieser Geste ist im Grunde auch schon festgelegt, daß wir mit einem selbstreflexiven Typus von Stilwandel zu rechnen haben. Das neue Formdenken ist nicht nur auf Ablösung aus. Entscheidend ist vielmehr, daß die neue kompositorische Ordnung die alte distanziert. Sie tut dies, indem sie die überkommenen Anordnungsfiguren integriert und kritisch kommentiert. Dieses Bild ist auch ein Blick auf christliche Kunst selbst, ein Blick zurück auf eine 1000 Jahre lange Epoche.

Bei van Eyck differieren die Figuren des ersten und zweiten Registers fundamental; die Typen des Alten Testaments schnurren im Vergleich zur Monumentalität der Hauptakteure zu einem Geschlecht der Zwerge und Puppen zusammen. Nun sind Miniaturformen und Sprünge im Figurenmaßstab durchaus positive Errungenschaften der neuen Malerei, die unter dem Gesetz des Tiefenraumes angetreten ist. Zur kategorialen Differenz wird der Unterschied zwischen den großen und kleinen Figuren erst durch den Medienwechsel und den damit verbundenen Wechsel im Seinsmodus. Die Gestalten des ersten Registers »leben«, die des zweiten Registers verdanken ihre Existenz menschlicher Kunsttätigkeit: Sie sind tot, farblos(er), Realitäten aus zweiter Hand. In dieselbe Richtung zeigt eine andere aus der konsequenten Raumauffassung ableitbare Form der Distanzierung, welche das zweite Register in den Zustand der Kontingenz rückt. Maria und der Engel sowie ihre Accessoires verdecken so manche – rekonstruierbare – Darstellung auf dem Fußboden ganz und andere partiell. Nach 1400 geht es an die Substanz des zweiten Registers, das dann auch in nichtssagenden Bruchstücken erscheinen kann und mit Füßen getreten wird. Nicht als Zufall, sondern als Wuchern der Metonymien möchte man es bewerten, daß dort, wo der Engel und wo Maria steht, von den Bildfeldern nur die untere Zone mit putzig wirkenden Füßen und Beinen erscheint. Und daß es ein Fußschemel ist, der den Blick auf zwei weitere Szenen aus dem Alten Testament verstellt. Bei van Eycks Fußboden kommt im übrigen hinzu, daß seinen Darstellungen nicht nur Überschneidung, Anschnitt und progressive Verkleinerung im Tiefenraum, sondern auch das Fluchten der Orthogonalen zusetzen.

In ikonographischer Hinsicht ist auffällig, daß die ausgewählten Präfigurationen nicht die Weihe der Bildtradition und der Nachschlagewerke haben. Die Ikonographen, für die alles in einem stimmigen Programm abgesichert sein muß, haben eine gewisse Not, überzeugende Gründe für die kapriziöse Themenwahl zu finden. Vielleicht sollte man aber grundsätzlich Abstand nehmen von der Idee, daß erstes und zweites Register theologisch wie DNS-Stränge ineinandergreifen müssen. Vielleicht liegt der Sinn ab jetzt woanders, auf anderen Ebenen und in anderen Aufgaben für die Rezipienten: Daß sie erkennen sollen, daß die eingeführten, seit Jahrhunderten visuell abgebrauchten Bilderpaare hier nicht mehr aufgerufen werden. Daß das andere Aufgebot an Typen zunächst einmal nicht neugierig machen soll auf eine unerschlossene Interpretation des Paradigmas, sondern daß es als Ausstattung seinem Ort und dessen Notwendigkeit untersteht – Stichwort: Realismus der Umstände – und daß der Vergleich der Register dann zu seinem Ergebnis über eine Wahrnehmung der Alterität der Modi der Darstellung und des Erzählens kommt. Damit spreche ich eine Technik der Distanzierung und Hierarchisierung an, die sich aus den Grundentscheidungen des neuen Realismus nicht lückenlos ableiten läßt, die aber wie keine andere ihre Differenz aus der Reflexion der zur Verfügung stehenden Kunstmittel erzeugt. Es geht dabei um das Moment einer historischen Perspektivierung oder um die Frage, wie in einem Kunstwerk ein Exkurs über historische Formen der Kunst entsteht.

Es ist sicher enorm wirksam, wenn der Übergang von der einen zur anderen Erzählung als Medienwechsel und als Wechsel im Realitätsmodus angelegt ist; dann spielt die erste und »reale« Erzählung in einem präfabrizierten Ambiente, das mitsamt seinen vielen Geschichten notwendig einer früheren Epoche angehört. Doch ist es mit einer relativen Chronologie nicht getan. Die Bilder des zweiten Registers sind nicht nur als fertige Artefakte datiert, sondern auch in ihrem stilistischen Habitus und vor allem in ihrem Erzählstil von der Vortragsart der Haupterzählung unterschieden. Die archäologische Akribie, mit der die Alten Niederländer ihre Architekturen mit romanischen und älteren gotischen, aber so gut wie nie mit zeitgenössischen Formen ausstatten, kommt auch den Binnenerzählungen zugute. Man darf hier keine wörtlichen Kopien erwarten, aber doch einen geschärften Sinn für vergangene Stilstufen und für mediengerechte Artikulation.

Daß die Sgraffiti in van Eycks Fußboden nicht leicht zu datieren sind, liegt nicht nur an der schlechten Überlieferung mittelalterlicher Schmuckfußböden. Es liegt daran, daß sich über das Historisieren auch eine Erklärung in eigener Sache legt, nämlich, wie und was man auch erzählen kann. Das Alte Testament als Stofflieferant für Haupt- und Staatsaktionen, für

Heldentaten und sagenhafte Vorfälle, das alles referiert in einer hemmungs-
los aktualisierenden Erzählhaltung und auf einem Niveau, das man heute
sicher als naiv und populär bezeichnen würde, das im 13. und 14. Jahrhundert aber höchste Ansprüche erfüllte: so ähnlich haben Schmuckfußböden,
Teppiche, Buchmalereien, profanes Gerät und später Holzschnitte die gleichen Gegenstände vorgetragen. Wir haben hier einen profanen Erzählstil
vor uns, der auch die religiösen Stoffe, vor allem die alttestamentlichen, ein-
bezog. Möglich, daß van Eyck neben der Opposition Typus-Antitypus auch
den Gegensatz weltlich – geistlich anspricht. Auf jeden Fall macht er durch
den Charakter des mit Liebe, Fleiß und Ironie ausgestatteten zweiten Registers deutlich, daß seine Kunst und sein Medium einen weiten Abstand zu
dieser Stilstufe hält und sie gleichwohl beherrscht. Es hat also solche Fuß-
böden und es hat einen solchen Umgang mit dem Alten Testament gegeben
– die Bezugsgrößen sind klar auszumachen und für den Zeitgenossen noch
um vieles gegenwärtiger, aber haargenau so hat dann alles auch wieder nicht
ausgesehen. Der Ungenauigkeitsfaktor hilft, ein ganzes Genre zu treffen, er
hat aber auch Signalcharakter in bezug auf die autoreferentielle Dimension
dieser Einlagen. Ich sehe mit anderen Worten diese angewandte Reflexion
über Stile als Allegorie jener größeren kunsthistorischen Situation, in der
van Eyck steht und in welcher der Übergang von den vielen Bildern und
der Bildsumme zum Einzelbild und zur Bildwelt stattfindet. Ein Übergang,
den der Maler nicht als Bruch, sondern in Form einer inneren Auseinandersetzung vollzieht. Wir haben es nicht mit zitierter Kunstgeschichte, sprich:
Historismus, sondern mit praktizierter Kunstgeschichte zu tun. Man könnte
auch sagen: mit einer Kunst»geschichte«, die 120 Jahre vor Vasari »erzählt«,
wie es ein Jahrtausend lang in der Kunstgeschichte zugegangen ist.

# Nachbemerkung

Der Grundstein für dieses Buch wurde 1987 während eines Aufenthalts am Getty Center for the History of Art and the Humanities in Santa Monica gelegt; der Schlußstein wurde eingefügt 1994 am Wissenschaftskolleg in Berlin. Ich verdanke beiden Institutionen, ihren Leitern und ihren Mitarbeitern viel: nicht nur die Möglichkeit zur ungestörten Arbeit und materielle Unterstützung jeglicher Art, sondern auch die Schaffung einer Atmosphäre, in der Vorhaben gedeihen, an die man sich sonst vielleicht nicht wagen würde. Wenn das Buch auch eine Art von Fortsetzung meiner Studien zur systematischen Bilderzählung des Mittelalters ist, so möchte ich doch eine Quelle der Inspiration benennen, die mir in der Zwischenzeit wichtig geworden ist und von der manche Überlegung ihren Ausgang nahm. Ich meine Abhandlungen zur Literaturgeschichte der Bibel, wie sie in den letzten 15 Jahren vor allem im englischsprachigen Raum erschienen sind: Frank Kermode, Robert Alter, Gabriel Josipovici, Harold Bloom, Meir Sternberg u. a. haben durch ihre Bücher in meinen Analysen tiefere Spuren hinterlassen, als dies Zitate oder Hinweise ausdrücken können. Aleida und Jan Assmann, Hans Robert Jauß, Herbert Kessler, Peter Klein, Liselotte Kötzsche, Elga Lanc, Brigitte Walbe, Paul Zanker danke ich für Rat, Hinweise und praktische Hilfe. Auch haben manche Teile dieses Buches sehr von den Diskussionen profitiert, die in der studentischen Arbeitsgruppe des Kunstgeschichtlichen Instituts der Universität Marburg zu Fragen der Narrativik stattfanden.

# Anmerkungen

Abgekürzt zitierte Literatur:

| | |
|---|---|
| ANRW | = *Aufstieg und Niedergang der Römischen Welt. Geschichte und Kultur Roms im Spiegel der neueren Forschung,* Berlin – New York 1972 ff. |
| CSEL | = *Corpus Scriptorum Ecclesiasticorum Latinorum,* Wien 1866 ff. |
| CChr | = *Corpus Christianorum Series Latina,* Turnhout – Paris 1953 ff. |
| LCI | = *Lexikon der christlichen Ikonographie,* Rom – Freiburg – Basel – Wien 1968 ff. |
| Literary Guide | = *A Literary Guide to the Bible,* hrsg. v. R. Alter u. F. Kermode, Cambridge (Mass.) 1987 |
| MGH | = *Monumenta Germaniae historica,* Berlin 1826 ff. |
| PL | = *Patrologia Latina,* hrsg. v. J.-P. Migne, Paris 1878 ff. |
| PG | = *Patrologia Graeca,* hrsg. v. J.-P. Migne, Paris 1857 ff. |
| RAC | = *Reallexikon für Antike und Christentum,* Stuttgart 1950 ff. |
| Volbach | = F. W. Volbach, *Elfenbeinarbeiten der Spätantike und des frühen Mittelalters,* Mainz 1952 u. ö. |

EINLEITUNG

1 J. Neumeier, *Geschichte der christlichen Kunst,* Schaffhausen 1856, S. 4.

2 Ebda., S. 6.

3 J. Ruskin, *Modern Painters,* Bd. 2 III, II, V

4 J. J. A. Nicolas, *Philosophische Studien über das Christentum* (1857; zuerst 1843 ff.), zit. nach Neumeier (wie Anm. 1), S. 7.

5 K. Schnaase, *Geschichte der bildenden Kunst,* Düsseldorf 1866, Bd. 1, S. 101.

6 M. Carrière, *Das christliche Altertum und der Islam in Dichtung, Kunst und Wissenschaft,* Leipzig 1868, S. 102.

7 F. Deichmann, *Einführung in die Christliche Archäologie,* Darmstadt 1983, S. 167. Zu dieser Sicht siehe jetzt die Publikationen von A. M. Romanini u. S. Casartelli Novelli, von letzterer zusammenfassend, semiotisch argumentierend: »Segno *Salutis* e segno › iconico ‹«, in: *Segni e riti nella chiesa altomedievale occidentale (Settimane di Studio del Centro Italiano di studi sull'alto medioevo XXXIII),* Spoleto 1987, Bd. 1, S. 105 ff.

8 J. Strzygowski, *Ursprung der christlichen Kirchenkunst,* Leipzig 1920, S. 10. Zu Strzygowskis Entwicklung s. seinen eigenen Rechenschaftsbericht: *Aufgang des Nordens,* Leipzig 1936 und zuletzt E. Lachnit, »Julius von Schlosser und die Geschichte der Wiener Schule«, in: *Kritische Berichte* 16, 1988, H. 4, S. 29 ff. mit zahlreichen Literaturangaben.

9 L. v. Sybel, *Die klassische Archäologie und die altchristliche Kunst,* Marburg 1906, S. 10 f.

10 Ebda., S. 13.

11 Th. Klauser, »Studien zur Entstehungsgeschichte der christlichen Kunst IV«, in: *Jahrbuch für Antike und Christentum* 7, 1964, S. 74.

12 Deichmann (wie Anm. 7), S. 27 Zur Fachgeschichte der Christlichen Archäologie s. die Überblicksdarstellung in Deichmann (wie Anm. 7); einen sicher pointierten Überblick gibt F. Corby Finney, »Gnosticism and the Origins of Early Christian Art«, in: *Atti del congresso internazionale di archaeologia christiana,* Rom 1975, S. 392 ff. Wichtig als Rückblick auf das 19. Jahrhundert immer noch die Einleitung in F. X. Kraus, *Geschichte der Christlichen Kunst,* Freiburg 1896, S. 27 ff.

13 A. Grabar, *Christian Iconography. A Study of Its Origins,* Washington 1961, S. XLVI. Eine identische Aussage bei W. Deichmann. Zur Frage der Gesamtschau der frühchristlichen und byzantinischen Kunst, in: *Byzantinische Zeitschrift* 63, 1970, S. 46.

14 Grabar (wie Anm. 13), S. XLVII.

15 M. Dvořák, »Die Entstehung der christlichen Kunst«, in: *Wiener Jahrbuch für Kunstgeschichte* N. F. 1, 1923, S. 1.

16 Ebda., S. 9.

17 Chateaubriand, »Génie du christianisme ou beautés de la religion chrétienne«, in: ders., *Essai sur les révolutions. Génie du christianisme,* hrsg. v. M. Regard, Paris 1978, S. 708 (das ganze Kapitel trägt die Überschrift: »La religion chrétienne considérée elle-même comme passion«).

18 E. Auerbach, *Dante als Dichter der irdischen Welt,* Berlin – Leipzig 1929, S. 20.

19 Ebda., S. 22.

20 Ebda.

21 Siehe die verschiedenen Stimmen in »Gibt es eine › christliche Ästhetik ‹?«, in: *Die nicht mehr schönen Künste. Grenzphänomene des Ästhetischen (Poetik und Hermeneutik III),* hrsg. v. H. R. Jauß, München 1968, S. 583 ff.

22 R. Herzog, *Die Bibelepik der lateinischen Spätantike,* München 1975, S. LXXVff.; H. R. Jauß, *Ästhetische Erfahrung und literarische Hermeneutik,* München 1977, 106 ff., 142 ff.

23 G. Dux, *Die Logik der Weltbilder. Sinnstrukturen im Wandel der Geschichte,* Frankfurt/M. 1982, S. 151.

24 Vgl. U. Japp, *Beziehungssinn. Ein Konzept der Literaturgeschichte,* Frankfurt/Main 1980. In der christlich-archäologischen Literatur finde ich Hinweise in diese Richtung nur bei E. Stommel, *Beiträge zur Ikonographie der konstantinischen Sarkophagplastik,* Bonn 1954, der etwa auf S. 65 unter Benutzung eines Zitates von Deichmann schreibt: »Von ihrer Stellung in dem neuen Zusammenhang erhalten jetzt die einzelnen Glieder ihren neuen Wert und ihre neue Bedeutung. › Die Teile beginnen untergeordnet im Ganzen aufzugehen und verlieren damit ihre ursprüngliche Funktion und Bedeutung. ‹ [...] Ihr jeweiliger Zusammenhang ist ein logischer, dessen Verständnis die tätige Mitarbeit des Beschauers fordert. Erst in seinem Geiste vollzieht sich der logische Prozeß der Sinnklärung. Die frühchristliche Kunst findet in dieser Eigenart der gesamten spätantiken Kunst das Mittel, sich selbst als › christliche ‹ Kunst zu konstituieren, denn auch bei ihr liegt der Sinngehalt der Darstellung nicht an der Oberfläche.« Damit ist der Autor freilich wieder das gerade erst angesprochene Verhältnis Teile-Ganzes los; das Ganze wird als nur äußerliches Arrangement, als ein »Andeutendes« im Sinne einer »geistigen« Lesart der Kunstwerke verstanden.

25 Th. W. Adorno, »Der getreue Korrepetitor«, in: *Gesammelte Schriften* Bd. 15, Frankfurt/M. 1976, S. 184. Was bei Adorno die höchste Form des Hörens besetzt, ist vor christlicher Kunst der Spätantike und des Mittelalters eine elementare Voraussetzung: »Anzuleiten wäre dazu, Kompositionen strukturell aufzufassen, also ihre Momente derart miteinander zu vermitteln, daß ein Sinnzusammenhang erhellt.« (Ebda.)

26 C. Lugowski, *Die Form der Individualität im Roman,* mit einer Einleitung v. H. Schlaffer, Frankfurt/M. 1976 (zuerst 1932).

27 Ebda., S. 13.

28 C. Lévi-Strauss zit. bei M. Oppitz, *Notwendige Beziehungen. Abriß der strukturalen Anthropologie,* Frankfurt/M. 1975, S. 329.

29 E. Cartier, *L'art chrétien. Lettres d'un solitaire,* Paris 1881, S. 9. Zur heutigen Sicht s. die in Anm. 215 und 220 zit., eher »technische« Literatur; zum Kommunikationssystem des frühen Christentums allgemein: M. Mann, *The Sources of Social Power,* Cambridge 1986, Bd. 1, S. 310 ff.

30 Vgl. dazu H. L. Kessler, »Diction in the › Bibles of the Illiterate ‹«, in: *World Art: Themes of Unity in Diversity,* hrsg. v. I. Lavin, University Park – London 1989, Bd. 2, S. 297 ff.; L. G. Duggan, »Was Art Really the › Book of the Illiterate ‹«, in: *Word & Image* 5, 1989, S. 227 ff.; C. M. Chazelle, »Pictures, Books, and the Illiterate«, in: ebda., 6, 1990, S. 138 ff.; M. Curschmann, »*Pictura laicorum litteratura*«, in: *Pragmatische Schriftlichkeit im Mittelalter,* hrsg. v. H. Keller u. a., München 1992, S. 21 ff. Zur »Entstehung des christlichen Diskurses« (im wesentlichen außerhalb des Bereichs der Kunst) s. jetzt A. Cameron, *Christianity and the Rhetoric of Empire. The Development of Christian Discourse,* Berkeley – Los Angeles – Oxford 1991.

31 Vgl. die in den Anm. 187 und 207 zit. bzw. angekündigte Literatur.

32 *Sermo corporeus. Die Erzählung der mittelalterlichen Glasfenster,* München 1987; »Visual Narratives, Memory, and the Medieval *Esprit de système«,* in: *Images of Memory. On Remembering and Representation,* hrsg. v. S. Küchler u. W. Melion, Washington – London 1991, S. 87 ff. (deutsch in: *Memoria. Vergessen und Erinnern,* hrsg. v. A. Haverkamp u. R. Lachmann *[Poetik und Hermeneutik XV],* München 1993, S. 263 ff.); »Parallelismus als Formprinzip. Zum Bibelfenster der Dreikönigskapelle des Kölner Doms«, in: *Kölner Domblatt* 56, 1991, S. 259 ff.; »Wörtlichkeit und Weltlichkeit. Beobachtungen an einer schwedischen Bilderdecke des 13. Jahrhunderts«, in: *Modernes Mittelalter,* hrsg. v. J. Heinzle, Frankfurt/M. 1994, S. 451 ff.; »Mittelalterliche Bildsysteme«, in: *Marburger Jahrbuch für Kunstwissenschaft.* 22, 1989, S. 121 ff. (englisch in: *Iconography at the Crossroads,* hrsg. v. B. Cassidy, Princeton 1993 S. 121 ff.) Der letztgenannte Aufsatz, der in der Festschrift für H.-J. Kunst erschien, bildete den Entwurf für dieses Buch.

I. KAPITEL

33 Meine Ausführungen über diesen Zyklus stützen sich auf die Eigenpublikation der Pfarrgemeinde: *Pfarrkirche St. Georgen ob Judenburg,* St. Georgen ob Judenburg 1989 bzw. auf das Kapitel: »Die spätromanischen Wandmalereien« von Elga Lanc, die mir freundlicherweise diese nicht im Buchhandel erhältliche Publikation zur Verfügung stellte. Zum ikonographischen Programm s. E. Lanc, »Die spätromanischen Wandmalereien in St. Georgen ob Judenburg«, in: *Österreichische Zeitschrift für Kunst und Denkmalpflege* XLV, 1991, S. 1 ff. und K. Smlak, »Die Beischrift der Ecclesia-Allegorie in der Pfarrkirche St. Georgen ob Judenburg«, in: ebda., S. 13.

34 B. Kühnel, »From the Earthly To the Heavenly Jerusalem« *(Römische Quartalsschrift für christliche Altertumskunde und Kirchengeschichte* Supplementheft 42), Rom – Freiburg – Wien 1987, S. 147.

35 Lanc 1989 (wie Anm. 33), S. 71.

36 Ebda., S. 69.

37 Ebda., S. 71.

38 O. Demus, *Byzantine Mosaic Decoration. Aspects of Monumental Art in Byzantium,* London 1964³; danach: A. D. Kartsonis, *Anastasis. The Making of an Image,* Princeton 1986; A. Wharton Epstein, *Tokali Kilise. Tenth-Century Metropolitan Art in Byzantine Cappadocia,* Washington 1986, S. 44 ff. (mit Kritik an Demus und Kitzingers Typologie); E. Kitzinger, »Mosaic Decoration in Sicily under Roger II and the Classical Byzantine System of Church Decoration«, in: *Italian Church Decoration of the Middle Ages and Early Renaissance,* hrsg. v. W. Tronzo, Bologna 1989, S. 147 ff.; B. Schellewaldt, »Die Ordnung einer Bilderwelt. Bilder und Bildprogramme in Byzanz im 10. und 11. Jahrhundert«, in: *Kaiserin Theophanou,* hrsg. v. A. v. Euw u. P. Schreiner, Köln 1991, Bd. II, S. 41 ff.; dies., »› Stille Predigten ‹ – Das Verhältnis von Bild und Text in der spätbyzantinischen Wandmalerei«, in: *Die Lesbarkeit der Kunst,* hrsg. v. A. Beyer, Berlin 1992, S. 53 ff.; H. Belting, *Bild und Kult,* München 1991, S. 192 ff., 253 ff.

39 Kitzinger (wie Anm. 38), S. 147 f.

40 Zu San Vitale F. Deichmann, *Ravenna. Hauptstadt des spätantiken Abendlandes,* Wiesbaden 1976, Bd. II, 2, S. 141 ff.

41 G. Kretschmar, »Ein Beitrag zur Frage nach dem Verhältnis zwischen jüdischer und christlicher Kunst in der Antike«, in: *Abraham unser Vater.* Festschrift O. Michel, Leiden-Köln 1963, S. 303 ff., hier zit. nach dem Reprint in: *No Graven Images,* hrsg. v. J. Gutmann, New York 1971, S. 168.

42 Kitzinger (wie Anm. 38), S. 149.

43 Schellewaldt 1992 (wie Anm. 38), S. 56.

44 J. Klamt, *Die Monumentalmalereien im Dom zu Braunschweig.* Diss. Berlin 1968.

45 Zillis: Kemp 1989 (wie Anm. 32), S. 127 ff.. (mit der älteren Lit.); Dädesjö: Kemp 1994 (wie Anm. 32).

46  Zu Dura-Europos s. zuletzt K. Weitzmann und H. Kessler, *The Frescoes of the Dura Synagogue and Christian Art,* Washington 1990 mit der gesamten älteren Literatur. Ich schließe mich hier eng an Kesslers Beitrag zu diesem Buch an, den ich für das Beste halte, was zum Gegenstand geschrieben wurde. Zu einer kritischen Sicht auf die Dura-Forschung s. A. J. Wharton, »Good and Bad Images from the Synagogue of Dura Europos: Contexts, Subtexts, Intertexts«, in: *Art History* 17, 1993, S. 1 ff.

47  Kessler (wie Anm. 46), S. 153.

48  Ebda., S. 156 f.

49  Ebda., S. 147. Auf die Übermalungen der Zone über der Nische in zwei weiteren Dekorationsphasen gehe ich nicht ein, s. dazu Kessler, S. 164 ff. und vorher J. Goldstein, »The Central Composition of the West Wall of the Synagogue of Dura-Europos«, in: *The Journal of the Ancient Near Eastern Society* 16/17, 1984-85, S. 100 ff.

50  Ebda., S. 156 f.

51  Ebda., S. 182.

52  G. Stuhlfauth, *Die altchristliche Elfenbeinplastik,* Freiburg – Leipzig 1896, S. 66 ff.; Volbach Nr. 119; P. Metz, *Elfenbein der Spätantike,* München 1962, S. 24 f.; F. Steenbock, *Der kirchliche Prachteinband im Mittelalter von den Anfängen bis zum Beginn der Gotik,* Berlin 1965, S. 69 ff.

53  Ich nenne nur eine Auswahl der einschlägigen Literatur: O. K. Werckmeister, »Die Bedeutung der »Chi«-Initialseite im Book of Kells«, in: *Das erste Jahrtausend. Kunst und Kultur im werdenden Abendland an Rhein und Ruhr,* hrsg. v. V. H. Elbern, Düsseldorf 1964, Bd. 2, S. 687 ff.; ders., *Irisch-Northumbrische Buchmalerei des 8. Jahrhunderts und monastische Spiritualität,* Berlin 1967, S. 120 ff.; F. Rademacher, *Der thronende Christus der Chorschranken aus Gustorf. Eine ikonographische Untersuchung,* Köln-Graz 1964; A. C. Esmeijer, »La machina dell'universo«, in: *Album Discipulorum. Festschrift J. G. v. Gelder, Utrechts Kunsthistorische Studien* 7, 1963, S. 11 ff.; A. C. Esmeijer, *Divina Quaternitas,* Diss. Utrecht 1973; V. H. Elbern, »Bildstruktur-Sinnzeichen-Bildaussage. Zusammenfassende Studie zur unfigürlichen Ikonographie im frühen Mittelalter«, in: *Arte medievale* 1, 1983, S. 17 ff. (Zusammenfassung zahlreicher einschlägiger Einzelstudien des Autors)

54  Zu einer ähnlichen Begrifflichkeit gelangt W. Haug, *Das Mosaik von Otranto,* Wiesbaden 1977, S. 82 – ein in der Kunstgeschichte kaum »angekommenes« Buch, das gleichwohl Maßstäbe für die systematische »Lesung« mittelalterlicher Kunstwerke setzt. Zu den Möglichkeiten mittelalterlicher Bildordnungen und der dafür entwickelten Begrifflichkeit s. auch E. J. Beer, »Darstellungsmöglichkeiten des Allegorischen in der Kunst des Mittelalters«, in: *Sitzungsberichte der Kunstgeschichtlichen Gesellschaft zu Berlin* 33, 1984-85, S. 5 ff. Für die Anwendung s. F. v. Juraschek, »Sinndeutende Kompositionsweisen der Illustrationen zur Apokalypse im Frühmittelalter«, in: *Arte del primo millenio,* Viglongo 1954, S. 187 ff.; M. H. Caviness, »Images of Divine Order and the Third Mode of Seeing«, in: *Gesta* 22, 1983, S. 99 ff.; W. C. Schneider, »Semantische Symmetrien in mittelalterlichen Handschriften und Beinschnitzwerken«, in: *Symmetrie in Kunst, Natur und Wissenschaft,* Kat. Darmstadt 1986, Bd. 1, S. 197 ff. und H. Maguire, »The Art of Comparing in Byzantium«, in: *The Art Bulletin* LXX, 1988, S. 88 ff.

2. KAPITEL

55  J. Kollwitz, *Die Lipsanothek von Brescia,* Berlin-Leipzig 1933, S. 34.

56  Siehe ebda.; weitere Lit. Volbach, Nr. 107.

57  Zur Verbindung der Elemente Wegraum-Zentralraum im frühen Kirchenbau s. A. Grabar, *Martyrium. Recherches sur le culte des reliques et l'art chrétien antique.* Paris 1946, Bd. I, S. 297 ff., 426, 580 ff.; Bd. II, S. 230 ff. (zu den entsprechenden Ausstattungsprogrammen); B. Kühnel (wie Anm. 34), S. 86 ff. Zur Ausstattung der ersten römischen Basiliken s. zuletzt H. Kessler, » Caput et Speculum omnium ecclesiarum ‹. Old St. Peter's and Church Decoration in Medieval Latium«, in: *Italian Church Decoration* (wie Anm. 38), S. 119 ff. mit weiterer Lit.

58  A. Arbeiter, *Alt-St. Peter in Geschichte und Wissenschaft,* Berlin 1988, S. 216.

59  M. de Certeau, *Das Schreiben der Geschichte,* Frankfurt – New York 1991, S. 254.

60  Ebda., S. 255

61  Ebda.

62  Grundlegend nach wie vor H. P. L'Orange – A. von Gerkan, *Der spätantike Bildschmuck des Konstantinsbogens,* Berlin 1939. Über die weitere Forschungsgeschichte unterrichtet J. Ruysschaert, »Essai d'interprétation synthétique de l'Arc de Constantin«, in: *Rendiconti della Pontificia Accademia Romana d'Archaeologia* 35, 1962-63, S. 79 ff., eine für das Folgende maßgebende Strukturanalyse.

63  L'Orange (wie Anm. 62), S. 181 ff. Siehe auch P. Peirce, »The Arch of Constantine: Propaganda and Ideology in Late Roman Art«, in: *Art History* 12, 1989, S. 389.

64  F. Mehmel, *Virgil und Apollonios Rhodius,* Hamburg 1940, S. 115.

65  Ebda., S. 114.

66  Ebda, S. 116.

67  T. Hölscher, »Die Geschichtsauffassung in der römischen Repräsentationskunst«, in: *Jahrbuch des Instituts* 95, 1980, S. 296.

68  Vgl. vor allem S. Bettini, *Frühchristliche Malerei,* Wien 1942, S. LII (ein Buch zur frühchristlichen Kunst, das, wenn auch in den Details überholt, immer noch die meisten Gesamtdarstellungen zum Thema weit hinter sich läßt).

69  Hölscher (wie Anm. 67), S. 313.

70  L'Orange (wie Anm. 62), S. 181 ff.

71  L. B. Alberti, *On Painting,* hrsg. u. übers. v. J. R. Spencer, New Haven – London 1966, S. 75 f. Vgl. zu dieser Stelle M. Baxandall, *Giotto and the Orators,* Oxford 1971, S. 136 ff.. Zur Auseinandersetzung Mittelalter – Renaissance s. W. Kemp, »Masaccios ›Trinität‹ im Kontext«, in: *Marburger Jahrbuch für Kunstwissenschaft* 21, 1986, S. 45 ff.

72  F. Brommer, *Herakles. Die zwölf Taten des Helden in antiker Kunst und Literatur,* Münster-Köln 1953, Taf. 31; ders., *Denkmälerlisten zur griechischen Heldensage,* Bd. 1: *Herakles,* Marburg 1971, S. 1 ff.

73  A. Sadurska, *Les Tables Iliaques,* Warschau 1964; R. Brilliant, *Visual Narratives. Storytelling in Etruscan and Roman Art,* Ithaca (N. Y.) 1984, S. 54 ff. (mit neuerer Lit.)

74  Die Literatur zu den Mithrasreliefs und speziell zu den narrativen Randfeldern ist kaum mehr überschaubar. Ich beziehe mich auf F. Saxl, *Mithras. Typengeschichtliche Untersuchungen,* Berlin 1931, S. 28 ff., 37 ff., 81; H. Lavagne, »Les reliefs à scènes multiples en Italie«, in: *Mélanges de philosophie, de littérature et d'histoire ancienne offertes à P. Boyancé,* Rom 1974, S. 481 ff.; R. L. Gordon, »Panelled Complications«, in: *Journal of Mithraic Studies* III, 1980, S. 200 ff.; S. R. Zwirn, »The Intention of Biographical Narration on Mithraic Cult Images«, in: *Word & Image* 5, 1989, S. 2 ff.

75  Zur Bildanordnung allgemein B. Schweitzer, »Dea Nemesis Regina«, in: *Jahrbuch des Deutschen Archäologischen Instituts* 46, 1931, S. 175 ff. Zur Rezeption in Renaissance und Barock Saxl (wie Anm. 74), S. 81; B. Schöller, *Kölner Druckgraphik der Gegenreformation,* Köln 1992, S. 109 ff.

76  M. Clauss, *Mithras. Kult und Mysterien,* München 1990, S. 64.

77  Gordon (wie Anm. 74).

78  Zwirn (wie Anm. 74), S. 15.

79  A. Gehlen, *Urmensch und Spätkultur,* Köln 1986⁵, S. 222 f.

80  F. J. Tschan, *Saint Berward of Hildesheim,* Notre Dame 1942 ff., Bd. 2, S. 272 ff.; R. Wesenberg, *Bernwardinische Plastik,* Berlin 1955, S. 117 ff.

81  E. Schlee, *Die Ikonographie der Paradiesesflüsse,* Leipzig 1937, 153 ff.

82  Irenäus, Adv. Haer III, 11, 8, in: PG 7, Sp. 847.

83  Auctor ad Diognetum, zit. nach U. Wickert, »Christus kommt zur Welt. Zur Wechselbeziehung von Christologie, Kosmologie und Eschatologie«, in: *Kerygma und Logos.* Festschrift F. C. Andresen, Göttingen 1979, S. 473.

84  W. J. Ong, *Orality and Literacy. The Technologizing of the Word,* London – New York 1982, S. 37 ff.

3. KAPITEL

85 O. Cullmann, *Christus und die Zeit*, Zollikon-Zürich 1948, S. 107. Zu Cullmanns geschichtstheologischer Konzeption s. auch dessen: *Heil als Geschichte*, Tübingen 1965 und die kritische Gesamtwürdigung von K.-H. Schlaudraff, *»Heil als Geschichte«?*, Tübingen 1988. Eine gute Einführung in die grundlegenden Abhandlungen zur christlichen Zeitvorstellung (Eliade, Maritain, Rahner, Poulet, Gilson, Cullmann, Daniélou) gibt F. Masciandaro, *La problematica del tempo nella › Commedia ‹*, Ravenna 1976. Zu einer anderen Sicht: J. Barr, *Biblical Words for Time*, London 1962. Sehr konstruktiv auch die in Anm. 86 und 92 aufgeführten Aufsätze von Farris und Higgins.

86 N. M. Farris, »Remembering the Future, Anticipating the Past. History, Time, and Cosmology Among the Maya of Yucatan«, in: *Comparative Studies of Society and History* 29, 1987, S. 568.

87 Ebda.

88 G. J. Whitrow, *The Nature of Time*, New York 1972, zit. nach R. Edwards, »Techniques of Transcendence in Medieval Drama«, in: *The Drama in the Middle Ages*, hrsg. v. C. Davidson u. a., New York 1982, S. 14 f.

89 Augustinus, *De civitate Dei XII*, 14, in: CChr Bd. 48, S. 369.

90 Edwards (wie Anm. 88), S. 115.

91 M. Eliade, *Das Heilige und das Profane*, Reinbek 1957, S. 66.

92 Augustinus, *De civitate Dei XII*, 14, in: Augustinus (wie Anm. 89), S. 368 f. Vgl. zum folgenden A. Higgins, »Medieval Notions of the Structure of Time«, in: *Journal of Medieval and Renaissance Studies* 19, 1989, S. 231 ff.

93 Augustinus (wie Anm. 89), S. 369.

94 Ebda., S. 370.

95 Bonaventura, »Breviloquium«, in: *Opera Omnia*, Quaracchi 1891, Bd. V, S. 203.

96 M. W. Bloomfield, »Authenticating Realism and the Realism of Chaucer«, in: *Thought* 39, 1964, S. 343.

97 H. Schneidau, *Sacred Discontent: The Bible and Western Tradition*, Baton Rouge (La.) 1977, S. 215. Ich folge, was die gesamte Diskussion anbelangt, der zusammenfassenden Darstellung von R. Alter, *The Art of Biblical Narrative*, New York 1981, S. 25 ff. Vgl. auch D. Damrosch, *The Narrative Covenant*, San Francisco 1987, S. 47 ff., 57 ff. (»The Bible as Antiepic«). Zur »metonymischen Logik« der biblischen Erzählung s. auch R. Barthes, »The Struggle With the Angel«, in: *Image, Music, Text*, London 1977, S. 125 ff.

98 S. Talmon, »The › Comparative Method ‹ in Biblical Interpretation – Principles and Problems«, in: *International Organization for the Study of the Old Testament. Göttingen Congress Volume*, Leiden 1978, S. 354.

99 Schneidau (wie Anm. 97), S. 292.

100 Alter (wie Anm. 97), S. 26.

101 Überblicke über Mythos-Theorien: K. Hübner. *Die Wahrheit des Mythos*, München 1985; G. v. Graevenitz, *Mythos. Zur Geschichte einer Denkgewohnheit*, Stuttgart 1987; Ch. Jamme, *»Gott anhat ein Gewand«. Grenzen und Perspektiven philosophischer Mythos-Theorien der Gegenwart*, Frankfurt 1991; H. Reinwald, *Mythos und Methode*, München 1991.

102 Sallustius, *De dis et mundo* 4, 9, zit. J. Pépin, *Mythe et allégorie*, Paris 1976, S. 503.

103 Plotin, *Enn. III*, 5, 9, 26-28, zit. ebda.

104 Hugo v. St. Viktor, *De arca Noe*, in: PL 176, Sp. 677.

105 A. Wachtel, *Beiträge zur Geschichtstheologie des Augustinus*, Bonn, 1960, S. 33.

106 A. J. Greimas u. J. Courtés, *Sémiotique*, Paris 1979, S. 69 ff.

107 R. Rendtorff, »Strukturkonzept Bund«, in: *Gesammelte Studien zum Alten Testament*, München 1975, S. 60 ff.

108 G. v. Rad, *Theologie des Alten Testaments*, München 1957, Bd. I, S. 149.

109 K. H. Miskotte, *Wenn die Götter schweigen. Vom Sinn des Alten Testaments*, München 1963, S. 307.

110 K. Heinrich, *Parmenides und Jona*, Frankfurt/M. 1966, S. 158 f.

111 Ebda., S. 115.

112 H. v. Campenhausen, *Die Entstehung der christlichen Bibel,* Tübingen 1968.

113 Miskotte (wie Anm. 109), S. 39.

114 G. v. Rad, »Typologische Auslegung des Alten Testaments«, in: *Evangelische Theologie* 12, 1952/53, S. 23.

115 W. Zimmerli, »Verheißung und Erfüllung«, in: ebda., S. 49.

116 E. Auerbach, *Mimesis. Dargestellte Wirklichkeit in der abendländischen Literatur,* Bern 1946, S. 13 f. — Diese berühmte Passage kommt zu ganz ähnlichen Ergebnissen wie Chateaubriands Vergleich von biblischer und homerischer Poesie in *Génie du christianisme.* Chateaubriand geht so weit, daß er zu Beweiszwecken ein Stück alttestamentliche biblische Erzählung in den Stil Homers transponiert, s. Buch 5: »La bible et Homère«.

117 J. Barr, *Holy Scripture. Canon, Authority, Chriticism,* Oxford 1983, S. 57.

118 D. L. Jeffrey, »Reference and Recognition in Medieval Thought«, in: *By Things Seen,* hrsg. v. D. L. Jeffrey, Ottawa 1979, S. 12.

119 O. Cullmann, »Die Pluralität der Evangelien als theologisches Problem im Altertum«, in: *Vorträge und Aufsätze 1925-1962,* Tübingen – Zürich 1966, S. 563. Einen guten Überblick über den Stand der Kanon-Debatte gibt *Jahrbuch für Biblische Theologie* 3, 1988; vorher B. M. Metzger, *The Canon of the New Testament,* Oxford 1987.

120 N. Freye, *The Great Code. The Bible and Literature,* San Diego – New York – London 1983, S. 225.

121 Literary Guide, S. 151.

122 E. Auerbach, *Gesammelte Aufsätze zur romanischen Philologie,* Bern und München 1967, S. 77. Zum Thema Typologie s. u. a. v. Rad (wie Anm. 114); L. Goppelt, *Typos,* Gütersloh 1939; J. Daniélou, *Sacramentum futuri,* Paris 1950. Für die Kunstgeschichte s. Kemp (wie Anm. 32), S. 56 ff. und die dort zit. Lit.

123 Higgins (wie Anm. 92), S. 249.

124 Kermode in: Literary Guide, S. 605.

125 Zit. ebda.

126 Stemberger in: H. L. Strack – G. Stemberger, *Einleitung in Talmud und Midrasch,* München 1982, S. 225.

127 F. Kermode, *The Genesis of Secrecy,* Cambridge – London 1979, S. 82. Zum Thema Midrash s. die Einführungen von Strack und Stemberger (wie Anm. 126) u. G. Stemberger, *Midrasch,* München 1989. Besonders zu empfehlen der Sammelband *Midrash and Literature,* hrsg. v. G. Hartmann u. S. Budick, New Haven 1986, S. 179 ff.; s. dort zu einer allgemeinen Einführung: J. L. Kugel, »Two Introductions to Midrash«, S. 91 ff.

128 »Proto-Evangelium des Jakobus 9«, in: *Apokryphen zum Alten und Neuen Testament,* hrsg. v. A. Schindler, Zürich 1988, S. 420 ff. Zur Einordnung als »christlicher Midrash«: E. Cothenet, »Le Protévangile de Jacques«, in: ANRW II, 26, 6, Berlin – New York 1988, S. 4259. Es handelt sich vermutlich ohnehin um ein Werk für den Gebrauch der Judenchristen. Zu diesen und anderen »Geschichten« und ihrer Funktion für das frühe Christentum s. das Kap. 3 »Stories People Want« in: Cameron (wie Anm. 30), S. 89 ff.

129 E. Stauffer, *Theologie des Neuen Testaments,* Stuttgart – Berlin 1941, S. 153.

130 A. v. Harnack, *Das Wesen des Christentums,* Leipzig 1900, S. 132.

131 Ebda., S. 142.

132 E. Gellner, *Plough, Sword and the Book. The Structure of Human History,* London 1988, S. 77.

133 M. Elze, »Häresie und Einheit der Kirche im 2. Jahrhundert«, in: *Zeitschrift für Theologie und Kirche* 71, 1974, S. 405.

134 J. Lotman, »On the Metalanguage of a Typological Description of Culture«, in: *Semiotica* 14, 1975, S. 102. Vgl. ders., *Tipologia della cultura,* Mailand 1975.

135 Lotman (1975) (wie Anm. 134), S. 102.

136 Zum Prolog des Johannes-Evangeliums s. u. a. R. Bultmann, *Das Evangelium des Johannes,* Göttingen 1956[14], S. 1 ff.; F. Kermode, in: Literary Guide, S. 440 ff. und vor allem W. H. Kelber, »In the Beginning Were the Words«, in: *Journal of the American Academy* 58, 1990, S. 69 ff.

137  Kelber (wie Anm. 136), S. 90.

138  M. M. Bachtin, *Die Ästhetik des Wortes*, hrsg. v. R. Grübel, Frankfurt/M. 1979, S. 192 ff. In einem methodologisch weiterreichenden Rahmen gestellt bei A. Assmann, »Kultur als Lebenswelt und Monument«, in: *Kultur als Lebenswelt und Monument*, hrsg. v. A. Assmann und D. Harth, Frankfurt/Main 1991, S. 15 ff.

139  Origines, *Johannes -Kommentar II*, 12, in: PG 14, Sp. 90.

140  Zur biblischen Theologie der Väterzeit s. jetzt A. Compagnon, *La seconde main ou le travail de la citation*, Paris 1979. Zur Schriftallegorese J. Daniélou (wie Anm. 122); J. Pépin, *Mythe et allégorie. Les origines greques et les contestations judéo-chrétiennes*, Paris 1958; H. Lubac, *L'exégèse médiévale. Les quatre sens de l'Écriture*, Paris 1959 ff.; J. L. Kugel – R. A. Greer, *Early Biblical Interpretation*, Philadelphia 1986; M. Fishbane, *Biblical Interpretation in Ancient Israel*, Oxford 1985; *Bible de tous le temps*, Paris 1970 ff.; *The Cambridge History of the Bible*, Cambridge 1963 ff., Bd. 1, 2.

141  J. Daniélou, *Message évangélique et culture hellénistique au IIᵉ et IIIᵉ siècles*, Tournai 1961, S. 262 f. Vgl. Pépin (wie Anm. 140), S. 505 ff.

142  Tertullian, *Adversus Praxean 18*, 2, in: PL 2, Sp. 177.

143  Thomas v. Aquin zit. nach A. Compagnon (wie Anm. 140), S. 224. Zum Suffizienz-Gedanken vgl. Campenhausen (wie Anm. 112), S. 336 u. H. Karpp, *Schrift und Geist bei Tertullian*, Gütersloh 1955, S. 41.

144  Eusebius, *Historia ecclesiastica III*, 24, in: PG 20, Sp. 263 ff.

145  Origines, *Johannes-Kommentar XIII*, 5, in: PG 14, Sp. 406.

146  Origines, »De principiis 4, 2, 9«, in: *Origines, Vier Bücher von den Prinzipien*, hrsg. u. übers. v. H. Görgemanns u. H. Karpp, Darmstadt 1985, S. 727.

147  Augustinus, *De doctrina christiana III*, 12, in: CChr Bd. 32, S. 88.

148  G. H. Hartmann, »The Struggle for the Text«, in: *Midrash* (wie Anm. 127), S. 13.

149  Origines, *De principiis 4*, 2, 9, in: Origines (wie Anm. 146), S. 727 f.

150  Ambrosius, *Lukaskommentar Proömium 4*, in: CChr Bd. 14, S. 3.

151  Zum Verhältnis Patristik – Kunst s. die vorsichtigen Bemerkungen von E. Dassmann, *Sündenvergebung durch Taufe, Buße und Märtyrerfürbitte in den Zeugnissen frühchristlicher Frömmigkeit und Kunst*, München 1973.

152  Philo, *De ebrietate XXXVI* in: *Loeb* III, S. 395.

153  Philo, *De Abrahamo*, in: *Loeb* VI, S. 41 f.

154  Auerbach (wie Anm. 18), S. 23.

155  Origines, *De principiis IV*, 2, 9 in: Origines (wie Anm. 146), S. 727 ff.

156  Lubac (wie Anm. 140).

157  Origines, *De principiis IV*, 2, 9 in: Origines (wie Anm. 146), S. 729.

158  G. Josipovici, *The Book of God*, New Haven – London 1988, S. 234.

159  W. Blakes berühmte Zeile »The Old and New Testament are the Great Code of Art« findet sich als Beischrift zu seiner Laokoon-Graphik, s. W. Blake, *Complete Poetry and Prose*, hrsg. v. D. E. Erdmann u. H. Bloom, Berkeley – Los Angeles 1982, S. 274.

4. KAPITEL

160  M. Buber, »Die Erzählung von Sauls Königswahl«, in: *Vetus Testamentum* 6, 1956, S. 113 ff.; W. Richter, *Die sogenannten vorprophetischen Berufungsberichte*, Göttingen 1970, S. 13 ff.; R. Polzin, *Samuel and the Deuteronomist*, San Francisco 1989, Bd. 2, hier vor allem S. 80 ff.; W. Brueggemann, *First and Second Samuel*, Louisville 1990, S. 70 ff.

161  Buber (wie Anm. 160), S. 128.

162  Ebda.

163  H. Degering – A. Boeckler, *Die Quedlinburger Italafragmente*, Berlin 1932; I. Levin, *The Quedlinburg Itala*, Leiden 1985.
Eine praktische Einführung in die Probleme der spätantiken Buchillustration bietet K. Weitzmann in: »Spätantike und frühchristliche Buchmalerei«, München 1977 und in seiner

Aufsatzsammlung: *Studies in Classical und Byzantine Manuscript Illumination,* hrsg. v. H. L. Kessler, Chicago – London 1971 (zur Itala S. 96 ff.). Vgl. auch die auf Weitzmann aufbauende Überblickdarstellung von Otto Mazal in seinem Kommentarband zur Faksimile-Ausgabe der Wiener Genesis 1980.

Weitzmanns Sicht ist nicht mehr unumstritten: Zumal von archäologischer Seite werden seine Thesen verworfen, s. allein das übereinstimmende Ergebnis dreier Monographien zum Buchschmuck des Vergilius Vaticanus: J. de Wit, *Die Miniaturen des Vergilius Vaticanus,* Amsterdam 1959; R. B. Stevenson, *Miniature Decoration in the Vatican Virgil,* 1983; A. Geyer, *Die Genese narrativer Buchillustration. Der Miniaturenzyklus zur Aeneis im Vergilius Vaticanus,* Frankfurt/M. 1989.

164 Gregor d. Gr., *In librum primum Regum,* in: CSEL Bd. 144, S. 47 ff.

165 Zur Textüberlieferung: *Biblia sacra iuxta latinam vulgatam versionem,* Rom 1944, Bd. V, S. 112 f.

166 Gregor (wie Anm. 164), S. 376 f.

167 Siehe Anm. 165.

168 H.-I. Marrou, *Augustinus und das Ende der antiken Bildung,* Paderborn 1981, S. 402.

169 Augustinus, *Ennarationes in Psalmos* XIV, in: CChr Bd. 38, S. 88 f.

170 Hieronymus, *Liber de optimo genere interpretandi (Epistula 51),* hrsg. v. G. J. M. Bertelink, Leiden 1980, S. 13. Zum Thema Bibelübersetzung s. zahlreiche Beiträge in: *Bible de tous les temps,* Bd. 2: *Le monde latin antique et la Bible,* Paris 1985, und *The Cambridge History of the Bible:* Bd. I, hrsg. v. P. R. Ackroyd u. C. F. Evans, Cambridge 1970, S. 517 ff.

171 Hieronymus (wie Anm. 170), S. 46.

172 Siehe die in Anm. 163 zit. Lit.

173 Weitzmann 1971 (wie Anm. 163), S. 52, 88 ff. Ausführlicher: K. Weitzmann – H. L. Kessler, *The Cotton Genesis,* Princeton 1986.

174 R. Bianchi-Bandinelli, *The Hellenistic-Byzantine Miniatures of the Iliad,* Olten 1955, S. 20.

175 Siehe die in Anm. 163 zit. Lit.

176 Weitzmann-Kessler (wie Anm. 173), S. 35. Siehe zu dieser Handschrift zuletzt J. Lowden, »Concerning the Cotton Genesis and Other Illustrated Manuscripts of Genesis«, in: *Gesta* 31, 1992, S. 40 ff.

177 E. Rosenthal, *The Illustrations of Vergilius Romanus,* Dietikon – Zürich 1972.

178 Geyer (wie Anm. 163), S. 95.

179 Weitzmann 1971 (wie Anm. 163), S. 124.

180 Ebda., S. 125.

181 Zur Wiener Genesis s. umfassend und mit Referat der älteren Literatur: O. Mazal, *Kommentar zur Wiener Genesis,* Frankfurt 1980.

182 Zit. ebda., S. 72.

183 O. Pächt, »Ephraimillustration, Haggadah und Wiener Genesis«, in: *Festschrift K. M. Swoboda,* Wien 1959, S. 213 ff.; E. Rével, »Contributions des textes rabbiniques à l'étude de la Genèse de Vienne«, in: *Byzantion* 42, 1972, S. 115 ff.; S. Dufrenne, »A propos de deux études récentes sur la Genèse de Vienne«, in: ebda., 42, 1972, 600 ff.; M. D. Levin, »Some Jewish Sources for the Vienna Genesis«, in: *The Art Bulletin* 54, 1972, S. 241 ff.; Mazal (wie Anm. 181), S. 153.

184 H. Bloom, *The Book of J,* New York 1991.

185 Mazal (wie Anm. 181), S. 152.

186 Levin (wie Anm. 185), S. 47.

187 L. Kötzsche, »Die Marienseide in der Abegg-Stiftung. Bemerkungen zur Ikonographie der Szenenfolge«, in: *Begegnung von Heidentum und Christentum im spätantiken Ägypten,* Riggisberg 1993, S. 183 ff.

188 O. Rank, *Der Mythus von der Geburt des Helden,* Leipzig – Wien 1909, darin Freuds Beitrag auf S. 64 ff. (separat veröffentlicht in S. Freud, *Studienausgabe,* Frankfurt/M. 1970, Bd. IV, S. 222 ff.). Siehe auch O. Rank, *Das Trauma von der Geburt und seine Bedeutung für die Psychoanalyse,* Frankfurt/M. 1988[2].

189 Levin (wie Anm. 163), S. 47.

190 Zuletzt K. Clausberg, *Die Wiener Genesis,* Frankfurt/M. 1984.

191 Weitzmann 1971 (wie Anm. 163), S. 104.

192 Zur Identifikation römischer Kaiser mit Aeneas s. de Wit (wie Anm. 163), S. 159 f.; Geyer (wie Anm. 163), S. 120 f.

193 N. Himmelmann-Wildschütz, *Erzählung und Figur in der archaischen Kunst* (Akademie der Wissenschaften und der Literatur in Mainz; Abh. Geistes- u. sozialwissenschaftl. K. 1967, 2), Wiesbaden 1967, S. 13. Vgl. danach den wichtigen Aufsatz v. W. Raeck, »Zur Erzählweise archaischer und klassischer Mythenbilder«, in: *Jahrbuch des Deutschen Archäologischen Instituts* 99, 1984, S. 1 ff.

194 Zit. Lugowski (wie Anm. 26), S. 22.

195 Ebda., S. 24.

196 Ebda.

197 Ebda., S. 27.

198 Josipovici (wie Anm. 158), S. 89.

199 Lugowski (wie Anm. 26), S. 80.

200 D. Damrosch, *The Narrative Covenant. Transformations of Genre in the Growth of Biblical Literature,* New York 1987.

201 St. Waetzoldt, *Die Kopien des 17. Jahrhunderts nach Mosaiken und Wandmalereien in Rom,* Wien – München 1964, S. 69 ff. (St. Peter); S. 56 ff. (St. Paul); Kessler (wie Anm. 234).

202 A. Grabar, *L'art de la fin de l'antiquité et du moyen âge,* Paris 1968, S. 508.

203 Weitzmann – Kessler (wie Anm. 173), S. 35. An anderer Stelle ihres Buch relativieren die Autoren unnötigerweise dieses klare Statement, indem sie die Existenz weniger, schwacher Christianismen als »Ausarbeitung einer allegorischen Bedeutungsebene« (S. 41) verallgemeinern.

204 M.-Th. d'Alverny, »Les anges et les jours«, in: *Cahiers archéologiques* 9, 1957, S. 271 ff.

205 Grabar (wie Anm. 202), S. 508.

206 Ambrosius (wie Anm. 150).

207 Die Veröffentlichung des Vorhangs durch L. Kötzsche steht noch aus.

208 M. Rotili, *Ie codice purpureo di Rossano,* Cava dei Tirreni 1980; Faksimile-Ausgabe und Kommentarband *Codex purpureus Rossanensis,* Rom – Graz 1987 (mit Beiträgen v. G. Cavallo, J. Gribomont, W. L. Loerke); P. Sevrugian, *Der Rossano-Codex und die Sinope-Fragmente. Miniaturen und Theologie,* Worms 1990.

209 Vgl. zu dieser Technik Herzog (wie Anm. 22), S. 118.

210 Kemp 1987 (wie Anm. 32), S. 88 ff.

211 Sevrugian (wie Anm. 208), S. 100 ff.

212 Barthes (wie Anm. 97), S. 39 f. Eine ausführliche Entwicklung der Text-Bild-Verhältnisse im Anschluß an Barthes: A.-M. Bassy, »Du texte à l'illustration: pour une sémiologie des étapes«, in: *Semiotica* 11, 1974, S. 297 ff.

213 W. Messerer, »Reichenauer Malerei – nach Jantzen«, in: *Die Abtei Reichenau,* hrsg. v. H. Maurer, Sigmaringen 1974, S. 300, vgl. ders., »Einige Darstellungsprinzipien der Kunst im Mittelalter«, in: *Deutsche Vierteljahrschrift für Literaturwissenschaft und Geistesgeschichte* 36, 1962, S. 151 ff.

214 I. Illich, *Im Weinberg des Textes. Als das Schriftbild des Textes entstand,* Frankfurt/M. 1989, S. 113.

215 O. Schmid, *Über verschiedene Einteilungen der hl. Schrift,* Graz 1892; R. H. und M. A. Rouse, *Preachers, Florilegia and Sermons,* Toronto 1979.

216 Zum Thema Layout der mittelalterlichen Handschriften s. die exzellente Bibliographie in Illich (wie Anm. 215) und darin vor allem M. B. Parkes, *Scribes, Scripts and Readers,* London – Rio Grande 1991, S. XVff. Illich, Parkes und die Rouses (wie Anm. 216) beschreiben anschaulich die »Revolution« der Buchorganisation im 12. Jahrhundert. Die mindestens ebenso »revolutionären« Leistungen der Buchkunst der christichen Spätantike bleiben unberücksichtigt. Zur Entwicklung der Auszeichnungsschriften s. C. Nordenfalk, *Die spätantiken Zierbuchstaben,* Stockholm 1970.

217 J. Drury, in: Literary Guide, S. 406.

218 L. Traube, *Nomina Sacra,* München 1907.

219 C. H. Roberts, in: *The Cambridge History* (wie Anm. 170), Bd. I, S. 60 ff.; T. C. Skeat, in: ebda., Bd. II, S. 72 ff.; dies., *The Birth of the Codex,* London 1983. Siehe dagegen: J. van Haelst, »Les origines du codex«, in: *Les débuts du Codex,* hrsg. v. A. Blanchard, Turnhout 1989, S. 13 ff.

220 W. L. Loerke, im Kommentar der Faksimile-Ausgabe (wie Anm. 208), S. 110.

221 Zu diesem äußerst komplexen und hier stark vereinfachten Sachverhalt s. St. Beissel, *Geschichte der Evangelienbücher,* Freiburg 1906, S. 329 ff.; H. von Soden, *Die Schriften des Neuen Testaments,* Berlin 1902, Bd. I, 1. Zu den kunsthistorischen Aspekten: C. Nordenfalk, *Die spätantiken Kanontafeln,* Göteborg 1938; R. M. Walker, »Illustrations to the Priscillian Prologues in the Gospel Manuscripts of the Carolingian Ada School«, in: *The Art Bulletin 30,* 1948, S. 2 ff.; P. Underwood, »The Fountain of Life in Manuscripts of the Gospels«, in: *Dumbarton Oaks Papers 5,* 1950, S. 41 ff.; Th. Klauser, »Das Ciborium in der älteren christlichen Buchmalerei«, in: *Nachrichten der Akademie der Wissenschaften in Göttingen.* Phil.-hist. Kl. 1961, H. 7; Robert S. Nelson, *The Iconography of Preface and Miniatures in the Byzantine Gospel Book,* New York 1980, S. 3 ff.; C. Nordenfalk, »The Apostolic Canon Tables«, in: *Gazette des Beaux-Arts 62,* 1963, S. 17 ff.; J. Leroy, »Nouveaux témoins des canons d'Eusebe illustrées selon la tradition syriaque«, in: *Cahiers Archéologiques 9,* 1957, S. 117 ff.; C. Nordenfalk, »An Illustrated Diatesseron«, in: *The Art Bulletin 50,* 1968, S. 119 ff.

222 *Eusebius, Epistula ad Karpianum,* in: PG 22, Sp. 1275; von Soden (wie Anm. 221), S. 388 f.

223 Ebda.

224 D. S. Wallace-Hadrill, *Eusebius of Caesarea,* London 1960, S. 186 f.

225 Ebda., S. 111.

226 Ebda., S. 157 ff.

227 Eusebius von Caesarea, *Historia Ecclesiastica I,* I, 6, Loeb Bd. I, S. 11.

228 Faksimile-Ausgabe: *The Rabula Gospels,* hrsg. v. C. Cecchelli u. a., Olten – Lausanne 1959.

229 Underwood (wie Anm. 221), S. 109 ff.

230 Klauser (wie Anm. 221), S. 202 ff.

231 Ebda., S. 203.

232 G. Genette, *Paratext. Das Buch vom Beiwerk des Buches,* Frankfurt 1992, S. 9 f.


5. KAPITEL

233 Grabar (wie Anm. 202), S. 510. Einen Überblick über typologische Bildkomplexe in der altchristlichen Kunst gibt Sevrugian (wie Anm. 208), S. 96 ff. Zur Disposition frühchristlicher Zyklen M. Aronberg Lavin, *The Place of Narrative. Mural Decoration in Italian Churches 431-1600,* Chicago – London 1990, S. 15 ff. Ein Unsicherheitsfaktor in dieser Rechnung bleibt die musivische Ausstattung von San Giovanni in Laterano, der ersten konstantinischen Basilika, deren Bildschmuck im frühen Mittelalter und später auch von der Forschung in die Erbauungszeit datiert wurde, s. immer noch grundlegend G. Wilpert, »La decorazione costantiana della Basilica Lateranense«, in: *Rivista d'Arte Christiana 6,* 1929, S. 53 ff. Aber auch wenn diejenigen Recht haben, die das Programm ins 5. Jahrhundert datieren (R. Krautheimer, *Ausgewählte Aufsätze zur europäischen Kunstgeschichte,* Köln 1988, S. 44), und wenn wir nicht genau wissen, wie die Bildeinheiten disponiert waren (s. Aronberg-Lavin S. 25), bleibt es ein wichtiges Werk der typologischen Kunst – möglicherweise »the first one-to-one visual Pralleling of New and Old Testament subjects«. Im Langhaus waren 12 Apostel und 12 Propheten sowie je sechs narrative Typen und Antitypen zu sehen.

234 Die ältere Lit. bei J. G. Deckers, *Der alttestamentliche Zyklus von Santa Maria Maggiore in Rom. Studien zur Bildgeschichte,* Bonn 1976 und B. Brenk, *Die frühchristlichen Mosaiken in S. Maria Maggiore zu Rom,* Wiesbaden 1975. Danach wichtig: S. Spain, »›The Promised Blessing‹: The Iconography of the Mosaics of Santa Maria Maggiore«, in: *The Art Bulletin 61,* 1979, S. 518 ff. u. J. D. Sieger, »Visual Metaphor as Theology: Leo the Great's Sermons on the Incarnation and the Arch Mosaics at Santa Maria Maggiore«, in: *Gesta 36,* 1987, S. 83 ff.

Beeindruckend nach wie vor Francesco Bianchinis ikonographische Gesamtinterpretation, ein Meilenstein in der Geschichte dieses Ansatzes. Sie war ursprünglich im Anhang zu seiner Ausgabe von Anastasius »Historia de vitis romanorum pontificum« 1727 erschienen und findet sich wiederabgedruckt in: PL 128, Sp. 263 ff. Als Beiträge des Formalismus und der Strukturanalyse anregend: E. Kömstedt, *Vorromanische Malerei*, Augsburg 1929, S. 11 ff.; Mehmel (wie Anm. 64), S. 116 ff. Wenige, aber treffende Bemerkungen zum Programm bei E. Kitzinger, *Byzantinische Kunst im Werden*, Köln 1984, S. 131 ff. Zur christlichen Monumentalmalerei s. vor allem die zahlreichen Studien von Herbert L. Kessler, von denen ich für den Zusammenhang dieses Kapitels hervorhebe: »Pictures as Scripture in Fifth-Century Churches«, in: *Studia Artium Orientalis et Occidentalis*, o. O. 1985, Bd. II, 1, S. 17 ff.

235 Deckers (wie Anm. 234), S. 42 und die dort zitierte ältere Lit.

236 Der dringende Wunsch der Forschung, auch den Langhauszyklus einer »symbolischen Ausdeutung« unterwerfen zu können, führt dann zu so charakteristischen Falschaussagen wie: »die Bilder sind nach ihrer symbolisch-allegorischen Bedeutung in eine von der historischen Folge oft unabhängige Reihenfolge gebracht« (F. Deichmann, *Frühchristliche Kirchen in Rom*, Basel 1948, S. 64).
Tatsache ist, daß außer der Vertauschung der Positionen L 1 und L 3 der Zyklus sich strikt an die Textfolge hält; die einzige andere Umstellung (R 18 vor R 17a), die im Zusammenhang einer komplizierten Kriegsberichterstattung erfolgt, hat unmöglich mit theologischen Motiven zu tun.

237 Zur Berufung Abrahams s. P. Gibert, *Bible, mythes et récits de commencement*, Paris 1986, S. 159 f.; zur Bündnisthematik s. o. Kap. 3.

238 J. P. Fokkelmann in: Literary Guide, S. 42.

239 Siehe Anm. 106.

240 Deckers (wie Anm. 234), S. 37 f.

241 Zur Interpretation und Textüberlieferung s. G. Josipovici in: Literary Guide, S. 514.

242 Fokkelmann (wie Anm. 238), S. 43.

243 Deckers (wie Anm. 234), S. 295. Zu den Familienerzählungen der Genesis s. auch C. Westermann, *Forschungen am Alten Testament*, München 1964, S. 38 ff.

244 P. Veyne, »Propagande expression roi, image idole oracle«, in: *L'Homme* 1990, S. 7 ff., bes. S. 16; Brilliant (wie Anm. 73), S. 90 ff. Siehe jetzt auch S. Settis, »Die Trajanssäule: Der Kaiser und sein Publikum«, in: *Die Lesbarkeit* (wie Anm. 38), S. 40 ff.

245 Herzog (wie Anm. 22), S. 29 f., 152; zur Kunst zuletzt J. Engemann, in: Kat. *Spätantike und frühes Christentum*, Frankfurt 1983, S. 260 ff.

246 Deckers (wie Anm. 234), S. 297.

247 Zum ersten Bild (L 9) lag mir eine Marburger Seminar-Arbeit von David Ganz vor, von der meine Interpretation stark profitiert hat.

248 Zur Dialogdarstellung Brenk (wie Anm. 234), S. 126 ff.

249 Deckers (wie Anm. 234), S. 78 (Frau des Laban); Brenk (wie Anm. 235), S. 64 ff. (Rahel). Die Crux müßte im Zusammenhang des ganzen Jakob-Zyklus erörtert werden, was aus Platzgründen nicht geschehen kann. Die Erläuterung des Erzählverfahrens, auf das es mir hier ankommt, wird von dieser Entscheidung jedenfalls nicht berührt. Setzt man an der fraglichen Stelle Lea ein, wie es auch die in Anm. 247 zit. Seminar-Arbeit tut, verschiebt sich der thematische Rahmen auf der Zeitachse ein Stück nach vorne; dann geht es hier schon um die Brautwahl und nicht um die Ablösung der Generationen. Die Mittel der vorausdeutenden Kommentierung und der kommentierenden Anordnung bleiben dieselben.

250 Augustinus, in: CChr Bd. 43, S. 51.

251 Mehmel (wie Anm. 64), S. 114.

252 Deckers (wie Anm. 234), S. 297.

253 Geyer (wie Anm. 163), S. 219.

254 Vgl. die in Anm. 30 zit. Lit., außerdem Kessler (wie Anm. 234), S. 20 f., und Kemp 1994 (wie Anm. 32), S. 451 ff.

255 Herzog (wie Anm. 22), S. 115. Ich pointiere hier nur das Notwendigste; einen Vergleich der beiden Übersetzungsmedien Bibelepik – biblischer Langzyklus bzw. Bibelillustration halte ich für eine längst überfällige Aufgabe.

256 R. Pillinger, *Die Tituli Historiarum oder das sogen. Dittochaeon des Prudentius* (Österreichische Akademie der Wissenschaften, phil.-hist. Kl. Denkschriften Bd. 142), Wien 1980.

257 Aurelius Prudentius, *Carmina*, in: CCEL Bd. 126, S. 393.

258 Ebda., S. 392.

259 Zahlreiche Einzelanalysen bei Herzog (wie Anm. 22), S. 106 ff.

260 Deckers (wie Anm. 234), S. 50 ff., 210 ff.

261 Herzog (wie Anm. 22), S. 114, 125.

262 Deckers (wie Anm. 234), S. 303.

263 Leo d. Gr., *Sermo* 26, 2 in: PL 54, Sp. 213.

264 F. Monfrin, »L'iconographie chrétienne d'Occident«, in: *La Bible* (wie Anm. 170), S. 236.

265 Zu den »geschichtstheologischen Summarien« in jüdischer und christlicher Literatur s. Stauffer (wie Anm. 129), S. 216 ff.; W. Schmidt u. a., *Altes Testament*, Stuttgart 1989, S. 27; des NT v. Campenhausen (wie Anm. 112), S. 192 f. Zu den kunsthistorischen Aspekten s. zuletzt H. Kaiser-Minn, in: Kat. *Spätantike* (wie Anm. 245), S. 325 f.; A. Momigliano, »Pagan and Christian Historiography in the Fourth Century A. D.«, in: *The Conflict Between Paganism and Christianity in the Fourth Century*, hrsg. v. A. Momigliano, Oxford 1963, S. 84 ff. weist darauf hin, daß »breviaria« oder Epitomen der paganen und der christlich-jüdischen Geschichte eine notwendige Literaturgattung des 4. Jahrhunderts sind, in dem neue Schichten sowohl an das heidnische als auch an das christliche Geschichtserbe herangeführt werden müssen. Zum Programm von Santa Maria Maggiore in diesem Sinne: G. Matthiae, *Mosaici medioevali delle chiese di Roma,* Rom 1967, S. 107 ff.; Spain (wie Anm. 234), S. 528.

266 Zur Geschichtskonstruktion des Hebräer-Briefs s. die in Anm. 355 und 366 zit. Lit.

267 Deckers (wie Anm. 234), S. 222 f.

268 Ein Hexateuch in Bildern, der eine Parallelle in einem Fragment eines metrischen Hexateuch aus dem 4. oder 5. Jahrhundert hat, s. Herzog (wie Anm. 22), S. 53 ff.

269 Ch. Ihm, *Die Programme der christlichen Apsismalerei vom vierten Jahrhundert bis zur Mitte des achten Jahrhunderts,* Wiesbaden 1960, S. 35.

270 Ihm (wie Anm. 269), S. 133, s. zuletzt J. Engemann, »Auf die Parusie Christi hinweisende Darstellungen«, in: *Jahrbuch für Antike und Christentum* 19, 1976, S. 150 f.

271 J. Engemann, »Zu den Apasis-Tituli des Paulinus von Nola«, in: *Jahrbuch für Antike und Christentum* 17, 1974, S. 29.

272 Zur Disposition der Themen am Triumphbogen Brenk (wie Anm. 234), S. 38 ff. Eine abweichende Lesart und Auffassung des Programms bei Spain (wie Anm. 234). Sie interpretiert den Zusammenhang der Szenen nicht als Binnentypologie, sondern als echte Typologie aus Szenen, in denen sich AT und NT begegnen. Abgesehen von Problemen mit einzelnen Identifikationen kann ich die Notwendigkeit für eine solche Typologie nicht einsehen.

273 Brenk (wie Anm. 234), S. 42.

274 Bettini (wie Anm. 68), S. XXXI. Vgl. auch Kessler (wie Anm. 234), S. 23.

275 Zu einer vorsichtig abwägenden Prüfung dieser Frage Brenk (wie Anm. 234), S. 48 f., s. auch Spain (wie Anm. 234), S. 530.

276 Bianchini (wie Anm. 234), Sp. 268.

277 Zur Ikonographie der Konzilien s. Bianchini (wie Anm. 234), Sp. 266; Ihm (wie Anm. 269), S. 78; C. Walter, *L'iconographie des conciles,* Paris 1970; R. E. Reynolds, »Rites and Signs of Conciliar Decisions«, in: *Segni e riti* (wie Anm. 6), Bd. 1, S. 207 ff. Zu Bethlehem s. vor allem H. Stern, »Les représentations de conciles dans l'église de la Nativité à Bethléem«, in: *Byzantion* XI, 1936, S. 101 ff.; XIII, 1938, 415 ff. Ich habe meine Darstellung stark vereinfacht.

278 Kemp 1987 (wie Anm. 32), S. 106 ff.

279 Ambrosius, Lukaskommentar 1, in: CChr Bd. 14, S. 29.

280 Juvencus, zit. bei Bianchini (wie Anm. 234), Sp. 270.
281 Mehmel (wie Anm. 64), S. 109 f. Vgl. den Johannespanegyrikus des Paulinus (Ende 4. Jh.), wo Johannes im Bauch der Elisabeth hüpft, als Maria sich nähert, und so schon in die Prophetenrolle einrückt: »iamque propheta prius gesta et ventura videbat«, zit. Herzog (wie Anm. 22), S. 217.
282 Deckers (wie Anm. 234), S. 282. Ähnlich vorher Deichmann (wie Anm. 236), S. 65 f.
283 Grabar (wie Anm. 233), S. 510; Bettini (wie Anm. 68), S. XXXI; Kessler (wie Anm. 234), S. 23.
284 Siehe hierzu den auch in seinen Einzelanalysen bestechenden Artikel von W. Ludwig, »Die christliche Dichtung des Prudentius und die Transformation der klassischen Gattungen«, in: *Entretiens Fondation Hardt* 23, 1976, S. 303 ff. Ludwig vergleicht den Gesamtaufbau dieses Poesie-Korpus mit der dreiteiligen Gliederung einer römischen Basilika: Atrium = Cathemerinon (Tagzeitenbuch) = Vorbereitung; fünfschiffiges Langhaus = die fünf Epen des Mittelteils = christliche Lehre; Querschiff mit Martyrium = Peristephanon (das Märtyrerbuch) = Vollendung.
285 Ebda., S. 308. Versuch einer numerologischen Aufgliederung bei K. Schefold, »Altchristliche Bilderzyklen«, in: *Rivista d'Archeologia Christiana* 16, 1939, S. 305 f.
286 Ein wichtiger Hinweis von P. L. Schmidt zur Vorlage von Ludwig (wie Anm. 284), S. 372.

6. KAPITEL

287 Zur Gattung allgemein: R. Delbrueck, *Die Consulardiptychen und verwandte Denkmäler,* Berlin 1929. Ebenso materialreich der Artikel von H. Leclercq in: *Dictionnaire d'Archéologie chrétienne et de Liturgie,* Paris 1924 ff., Bd. 4, Sp. 1045 ff. Ein neuerer Ansatz: A. Cullon, »The Making of the Justinian Diptychs«, in: *Byzantion* 54, 1984, S. 75 ff. Zu den einzelnen Werken s. die Literatur bei Volbach.
288 K. Wessel, »Diptychon«, in: RAC Bd. 3, Sp. 52.
289 Delbrueck (wie Anm. 287), S. 10.
290 Zum Begriff Chresis s. C. Gnilka, *Chresis,* Basel – Stuttgart 1984. Zu dem Elfenbein: K. J. Shelton, »Roman Aristocrats, Christian Commissions: The Carrand Diptych«, in: *Tradition and Innovation in Late Antiquity,* hrsg. v. F. M. Clover u. R. S. Humphreys, Madison (Wisconsin) 1989, S. 105 ff.; E. Konowitz, »The Program of the Carrand Diptych«, in: *The Art Bulletin* 66, 1984, S. 484 ff.; H. Maguire, »Adam and the Animals. Allegory and the Literal Sense in Early Christian Art«, in: *Dumbarton Oaks Papers* 41, 1987, S. 363 ff.; C. Hahn, »Purification, Sacred Action, and the Vision of God: Viewing Medieval Narratives«, in: *Word & Image* 5, 1989, 75 ff.
291 Theodoret von Cyros, *Quaestiones in Genesim* I, XVIII in: PG Bd. 80, Sp. 97.
292 Shelton (wie Anm. 290), S. 124.
293 Volbach, Nr. 59.
294 Vgl. ebda., Nr. 60.
295 Vgl. ebda., Nr. 12, 61, zum Stilvergleich s. Nr. 228. Siehe auch Kat. der Ausstellung *La Neustrie,* o. O. 1985, S. 292 f.
296 Zu dem vieldiskutierten Komplex Rom-Renovatio etc. s. die bei R. Herzog, *Restauration und Erneuerung. Die lateinische Literatur von 284 bis 374 n. Chr.,* München 1989, S. 11 zit. Lit. Ich beziehe mich auf die eindringlichen Darstellungen von F. Paschoud, *Roma Aeterna,* Rom 1967; H. Bloch, »The Pagan Revival in the West at the End of the Fourth Century«, in: *The Conflict* (wie Anm. 266), S. 193 ff.; R. Klein, *Symmachus,* Darmstadt 1971; J. Matthews, *Western Aristocrats an Imperial Court A. D. 364-425,* Oxford 1975. Zu einer anderen Sichtweise s. A. Cameron, »Paganism and Literature in Late Fourth Century Rome«, in: *Entretiens Fondation Hardt* 23, 1976, S. 1 ff. Siehe auch dessen letztes »assessment« der Gesamtsituation der christlichen Antike in: *Christianity* (wie Anm. 30).
297 J. M. C. Toynbee, in: *Journal of Roman Studies* 35, 1945, S. 117. Vgl. zu den Spielen als einem gemeinantiken und religionsübergreifenden Phänomen, das in christlicher Zeit ungebro-

chen fortexistierte: R. MacMullen, »What Difference Did Christianity Make?«, in: *Historia* 35, 1986, S. 330 ff.

298 Q. Aurelius Symmachus, *Werke,* hrsg. v. O. Seeck (MGH auct. ant. VI. 1), Berlin 1883, S. 387.

299 Matthews (wie Anm. 296), S. 5.

300 Symmachus (wie Anm. 298), S. 66, 198, 268.

301 Volbach, Nr. 55, 56.

302 Ich paraphrasiere hier den Titel von Alföldis berühmter Abhandlung: *Die Kontorniaten. Ein verkanntes Propagandamittel der stadtrömischen heidnischen Aristokratie in ihrem Kampfe gegen das christliche Kaisertum,* Budapest 1943. Ein Bindeglied zwischen Konsulardiptychen und Kontorniaten besteht darin, daß auch letztere das Thema Zirkus und Spiele so häufig verarbeiten, was J. M. C. Toynbee in seiner Rezension des Buches von Alföldi dazu veranlaßt hat, die Kontorniaten als Erinnerungsmarken an Zirkusspiele zu interpretieren, s. *Journal of Roman Studies* 35, 1945, S. 120. Erwähnenswert ist ferner, daß Alföldi die »Erfindung« der Kontorniaten dem Schwiegervater des Symmachus, dem Memmius Vitrasius Orfitus, zuschreibt (S. 49, 54 f.).

303 Prudentius, *Peristephanon* II, v. 557 ff., in: CChr Bd.126, S. 276.

304 Lactanz, *De opificio Dei* VIII, 2, in: PG Bd. 30, Sp. 68.

305 Basilius, *De Paradiso* III, 7 in : PG 30, Sp. 68.

306 S. Niditch, *Chaos To Cosmos, Studies in Biblical Patterns of Creation,* Chico (Ca.) 1984, S. 30.

307 Ebda., S. 31.

308 Ebda., S. 37.

309 Zum Thema allgemein: K. Schefold, *Pompejanische Malerei,* Basel 1952; ders., *Vergessenes Pompeji,* Bern 1962, S. 73 ff., 186 ff.; M. L. Thompson, »The Monumental and Literary Evidence for Programmatical Painting in Antiquity«, in: *Marsyas* 9, 1960-61, S. 36 ff.; Brilliant (wie Anm. 73), S. 53.

310 Mehmel (wie Anm. 64), S. 125.

311 Volbach, Nr. 125 ff. Diese Tafel ist nur das elaborierteste Stück aus einer größeren Gruppe, die wir heute noch in den Elfenbeinen Volbach 142 und 145 fassen. Zu ihrer Interpretation s. auch Y. Christe, *La vision de Matthieu (Matth. XXIV-XXV),* Paris 1973, S. 32 f., der die Deutungsmöglichkeiten auf die Alternative Parusie oder Triumph einschränkt und sich für letztere Möglichkeit entscheidet. Ich sehe die Notwendigkeit einer solchen Gesamtaussage nicht; hier und in vielen anderen Fällen wird der komposite Charakter des Werks, die Differenzierung der Aussageweisen und der Sinn der Disposition nicht gewürdigt.

312 H. Schnitzler, »Die Komposition der Lorscher Elfenbeintafeln«, in: *Münchner Jahrbuch der bildenden Kunst* 1, 1950, S. 26 ff.; Steenbock (wie Anm. 52), S. 11 ff.

313 Volbach, Nr. 48.

314 Schnitzler (wie Anm. 312), S. 34.

315 A. Grabar, *Ampoulles de Terre Sainte (Monza – Bobbio),* Paris 1958.

316 Ebda., S. 16 ff.

317 Ihm (wie Anm. 269), S. 53.

318 Volbach, Nr. 111. Vgl. H. Schrade, *Ikonographie der christlichen Kunst I: Die Auferstehung Christi,* Berlin – Leipzig 1932, S. 28 f.; G. Ristow, »Passion und Ostern im Bild der Spätantike«, in: *Spätantike* (wie Anm. 246), S. 360 ff.; zu den Heilungswundern s. C. Nauerth, in: ebda., S. 338 ff. Zu einer anderen Interpretation s. K. Weitzmann, »Eine vorikonoklastische Ikone des Sinai mit der Darstellung des Chairete«, in: *Tortulae, Römische Quartalsschrift* 30. Suppl. 1966, S. 321 f.

319 Cullmann 1965 (wie Anm. 85), S. 81. Ebda. Eine Auseinandersetzung mit der Bultmann-Schule.

320 Ebda., S. 86.

321 Leo d. Gr., *Sermo in Resurrectionem Domini,* in: PL 54, Sp. 497.

322 A. Goldschmidt, *Die Elfenbeinskulpturen aus der Zeit der karolingischen und sächsischen Kaiser,* Berlin 1914 ff., Bd. 2, Nr. 24a, b. Die besten Behandlungen des Werks sind immer noch die frühesten: F. Schneider in: *Zeitschrift für christliche Kunst* 1, 1888, S. 15 ff. u. W. Vöge, »Ein

Deutscher Schnitzer des 10. Jahrhunderts«, in: *Jahrbuch der Königlich Preußischen Kunst-sammlungen* 20, 1899, S. 117 ff. Danach: G. von der Osten, »Zur Ikonographie des ungläubi-gen Thomas angesichts eines Gemäldes von Delacroix«, in: *Wallraf-Richartz-Jahrbuch* 27, 1965, S. 371 ff.; Katalog *Bernward von Hildesheim und das Zeitalter der Ottonen*, Hildesheim 1993, Bd. 2, S. 192 f.

323 Hrabanus Maurus, *Ennarrationes in Epp. Pauli XII, III*, in: PL 112, Sp. 173 ff.

324 Volbach, Nr. 62.

325 Zit. bei Leclerq (wie Anm. 287), Sp. 1070.

326 Ebda., Sp. 1072.

327 Johannes Chrysostomos, *Homilien zu Matthäus I, I*, in: PG 57, Sp. 15.


7. KAPITEL

328 Letzte monographische Darstellung mit der älteren Lit.: G. Jeremias, *Die Holztür der Basi-lika S. Sabina in Rom*, Tübingen 1980 (Rez. v. P. Maser, in: *Jahrbuch für Antike und Christen-tum* 26, 1983, S. 234 ff.)

329 Was die Frage nach dem Gesamtprogramm angeht, so herrscht in der Christlichen Archäologie eine Art Denkverbot – es ist offenbar so, daß der Aggregatzustand der iko-nographischen Detailforschung die besten Zugriffsmöglichkeiten bietet. Von H. Grisar (1894): »Man widersteht [...] leicht der Versuchung, eine Rekonstruktion der ursprüngli-chen Bilderreihe vorzunehmen. Das Resultat wäre allzu unsicher.« (zustimmend zitiert von Maser, wie Anm. 328, S. 239). Bis hin zur Monographie von Jeremias derselbe Tenor: »Damit sind alle Anstrengungen müßig, Auswahl und Anordnungsprinzip der Sabina-Tür, so wie sie heute erhalten ist, Tafel für Tafel einsichtig zu machen. Das Additive der Szenen in dieser umfassenden Bilderfolge bleibt bestehen [...].« (S. 110) Unüberbietbar allerdings die Argumentation von H. Leclercq (in seinem *Dictionnaire* Bd. 14, 1): Er macht sich für die These stark, daß der jetzige Zustand (oder eine vergleichbar chaotische Anordnung) der ursprüngliche gewesen ist. Zu Jeremias ist zu sagen, daß sie der im folgenden vorge-schlagenen Rekonstruktion sehr nahekommt, wenn sie angesichts der ornamentierten Rückplatten zu dem Schluß gelangt, daß »jede waagerechte Reihe ein eigenes Muster trug« (S. 18). Das gleiche gilt mutatis mutandis für die Vorderansicht der Tür.

330 Jeremias (wie Anm. 328), S. 47.

331 E. Kontorowicz, »The › King's Advent ‹ and the Enigmatical Panels in the Doors of Santa Sabina«, in: *The Art Bulletin* 26, 1944, S. 207 ff. Zur Ikonographie der Parusie s. vor allem E. Dinkler, *Das Apsismosaik von San Apollinare in Classe*, Köln-Opladen 1964. Siehe auch die in Anm. 355 zit. Lit.

332 Jeremias (wie Anm. 328), S. 88 ff.

333 Maser (wie Anm. 328), S. 237 f.

334 Volbach, Nr. 125. Vgl. Anm. 211.

335 W. Zimmerli, *Das Alte Testament als Anrede*, München 1956, S. 17.

336 Gibert (wie Anm. 237), S. 239 ff. (allgem.), 216 ff. (zu 2 Mos 3). Zu Berufungsgeschichten in philologischer und strukturgeschichtlicher Sicht s. auch Richter (wie Anm. 160), passim und S. 57 ff. zu 2 Mos 3.

337 Frye (wie Anm. 120), S. 114.

338 Die Deutung von Deichmann (wie Anm. 40), Bd. II, 2, 143 ff. zieht die Inhalte der figürli-chen Felder zu einer großen heilsgeschichtlichen Gesamtkonzeption zusammen, die ihr Zentrum in Christus hat. Abgesehen davon, daß eine solche Annahme nie ganz falsch sein kann, geht sie aber, wie das für die Ikonographie nicht untypisch ist, an den spezifischen Zuordnungen und Abteilungen des Bildsystems vorbei. Wenn man wie Deichmann die Typologie zum Schlüssel des Programms macht, muß man auch auf der Erfüllung im An-titypus bestehen. Deichmanns vermeintliche Typen bleiben alle unerfüllt; das gilt selbst für die Opferszenen, denen Deichmann die sakramentale Relevanz bestreitet. Nimmt man das Syntagma ernster als noch so viele Väterstellen, bleibt es bei einer Zweiteilung in die

untere Zone der Taten, die im Selbstopfer Christi ihren Bezug haben, und die obere Zone der Worte, in der die Exponenten des Alten und des Neuen Testamentes einander gegenübergestellt sind. Dieser Wort-Tat-Zusammenhang wird dann überfangen von der Sphäre des Jenseitigen und Zukünfigen, das sich nur in zeichenhafter Form ankündigt. Zur Ikonographie des Moses-Szenen s. die konfuse Dissertation von Th. Chr. Aliprantis, *Moses auf dem Berge Sinai,* München 1986, und zuletzt A. Effenberger, »Das Berliner Mosesrelief«, in: *Grabeskunst der römischen Kaiserzeit,* hrsg. v. G. Koch, Mainz 1993, S. 237 ff.

339  M. G. Kline, *Treaty of the Great King,* Grand Rapids (Mich.) 1963, S. 17.

340  Vgl. zu dieser Unterscheidung Gibert (wie Anm. 237), S. 52 ff.

341  Siehe ebda. S. 171 ff. und Fokkelmann, in: Literary Guide, S. 60.

342  A. Goldschmidt, *Die Kirchentür des hl. Ambrosius in Mailand. Ein Denkmal für die frühchristliche Skulptur,* Straßburg 1902. Lit. danach im Katalog *Bernward* (wie Anm. 322), S. 272. Daraus hervorzuheben, vor allem für Fragen der Rekonstruktion: T. Mroczko, »The Original Programme of the David Cycle on the Doors of San Ambrogio in Milan«, in: *artibus et historiae* 5, 6, 1982, S. 75 ff.; Katalog *Milano capitale dell'impero romano* 286-402 d. c., Mailand 1990, S. 129 ff.

343  Gregor von Nyssa, *De Beatitudinibus,* in: PG 44, Sp. 1206.

344  ders., *In Psalmos* 7, in: PG 45, Sp. 457. Zu den typologischen Aspekten der Mosesgeschichte s. J. Daniélou, *Sacramentum futuri,* Paris 1950, S. 144 ff. und die Beiträge von Daniélou und A. Luneau in: *Moses in Schrift und Überlieferung,* Düsseldorf 1963, S. 289 ff., ferner die ausführlichen Angaben in den Artikeln des LCI (H. Schlosser) und des RAC (Daniélou).

345  Gregor von Nyssa, *Vita Moysis,* in: PG 44, Sp. 308.

346  Jeremias (wie Anm. 328), S. 33.

347  Ambrosius, *Epistolae 137,* in: CSEL 44, S. 115.

348  E. Leach in: *Literary Guide* 387 f.; vgl. zur Väterexegese den Artikel im RAC (K. Wessel) u. E. Dassmann, »Sündenvergebung durch Taufe, Buße und Märtyrerfürbitte in den Zeugnissen frühchristlicher Frömmigkeit und Kunst«, München 1973, S. 279.

349  Origines, *De baptismo,* in: PG 33, Sp. 433.

350  Stauffer (wie Anm. 129), S. 140. Zum Jordan als Gnadenfluß s. Daniélou 1950 (wie Anm. 344), S. 23 ff.; Dassmann (wie Anm. 348), S. 282.

351  Jeremias (wie Anm. 227), S. 43.

352  G. Josipovici, in: Literary Guide, S. 521.

353  E. Dinkler, »The Idea of History in Ecclesiastical Christianity«, in: *Signum Christi,* Tübingen 1967, S. 345.

354  H. von Campenhausen, »Die Entstehung der Heilsgeschichte«, in: *Saeculum* 21, 1970, S. 210.

355  Umfassend und auf hohem Niveau informiert der Artikel »Eschatologie: Neues Testament« von G. Klein in der *Theologischen Realenzyklopädie,* Berlin 1982, Bd. X, Sp. 270 ff., dort die Literatur, aus der ich außer den in Anm. 85 genannten Schriften von Cullmann hervorhebe: U. Wilckens, »Das Offenbarungsverständnis in der Geschichte des Urchristentums«, in: *Offenbarung als Geschichte,* hrsg. v. W. Pannenberg, Göttingen 1961, S. 42 ff.; was die frühe Kirchen- und Vätergeschichte anbelangt, halte man sich an von Campenhausen (wie Anm. 354) und Dinkler (wie Anm. 353).
Aus kunstgeschichtlicher Sicht Christe (wie Anm. 311) und zahlreiche andere gleichlautende Publikationen des Autors; Dinkler (wie Anm. 331); Kantorowicz (ebda.); Engemann (wie Anm. 271, 272). Zahlreiche weitere Lit. bei P. K. Klein, *Introduction: The Apocalypse in the Middle Ages,* hrsg. v. R. K. Emmerson u. B. McGinn, Ithaca – London 1992, S. 159 ff.; s. auch ders., »Programmes eschatologiques, fonction et réception historiques des portails du XII<sup>e</sup> s.: Moissac – Beaulieu – Saint-Denis«, in: *Cahiers de civilisation médiévale* 33, 1990, S. 317 ff. mit einer guten Einführung in die umstrittene Frage »gegenwärtige und endzeitliche Eschatologie«.

356  Wilckens (wie Anm. 355), S. 59.

357  Ebda.

358  Cullmann 1948 (wie Anm. 85), S. 57.

359  Engemann (wie Anm. 270), S. 150 f.
360  Jeremias (wie Anm. 281), S. 85.
361  Deichmann (wie Anm. 40), Bd. II, 1, S. 57.
362  E. Gräßer, in: *Theologische Rundschau* 30, 1964, S. 225.
363  Maser (wie Anm. 281).
364  G. Josipovici in: *Literary Guide*, S. 511 unter Berufung auf G. Hughes, *Hebrews and Hermeneutics,* Cambridge 1979.
365  Klein (wie Anm. 355), S. 294.
366  J. Cambier, »Eschatologie ou Hellenisme dans l'epitre aux Hebreux«, in: *Salesianum* 11, 1949, S. 96. Zur Eschatologie des Hebräer-Briefs s. auch E. *Gräßer, Der Glaube im Hebräerbrief,* Marburg 1965 und sein in Anm. 362 zit. Literaturbericht.
367  Cullmann 1948 (wie Anm. 85), S. 50.
368  Reinwald (wie Anm. 101), S. 151 mit Bezug auf P. Tillich, »Die sozialistische Entscheidung«, in: *Gesammelte Werke,* Stuttgart 1962, Bd. II.
369  C. H. Dodd, *The Parables of the Kingdom,* Glasgow 1978 (zuerst 1935), vgl. Cullmann 1965 (wie Anm. 85), S. 14 ff.; 154 ff.
370  Vgl. die in Anm. 364 gen. Lit.

NACHWORT

371  Vgl. Anm. 342. Kritisch sieht E. Dassmann eine Ableitung des Türprogramms aus der ambrosianischen Exegese: »Zu den Davidszyklen im Apollo-Kloster von Bawit«, in: *Tesserae.* Festschrift J. Engemann, Münster 1991, S. 136.
372  Ambrosius, In Ps. 118, V. 162, in: PL 15, Sp. 1583.
373  Ebda., Sp. 1584. Zu Ambrosius als Exeget s. J. B. Keller, *Der hl. Ambrosius, Bischof von Mailand, als Erklärer des Alten Testaments,* Regensburg 1893.
374  Goldschmidt (wie Anm. 342), S. 29.
375  Zit. nach Cullmann 1948 (wie Anm. 85), S. 136.
376  Zimmerli (wie Anm. 335), S. 39.
377  Ich benutze die Verszählung und die Übersetzung der von G. Nickel herausgegebenen Ausgabe: *Beowulf,* Heidelberg 1976. »heroic histories«: R. W. Hanning, »Beowulf as Heroic History«, in: *Mediaevalia et Humanistica* 5, 1974, S. 77 ff.
378  J. R. R. Tolkien, »The Critics and the Monsters«, in: *Interpretations of Beowulf,* hrsg. v. R. D. Fulk, Bloomington – Indianapolis 1991, S. 26.
379  N. Howe, *Migration and Mythmaking in Anglo-Saxon England,* New Haven – London 1989.
380  Hanning (wie Anm. 377), S. 88.
381  Ich will nicht unerwähnt lassen, daß es eine Richtung der Beowulf-Forschung gegeben hat, für die das Gedicht entweder das größte allegorische Poem des Mittelalters vor dem *Roman de la Rose* oder das theologisch am sichersten strukturierte Werk vor der *Divina Comedia* darstellte. Halverson hat dazu schon in den 60er Jahren das Nötige gesagt, s. seinen Aufsatz: »Beowulf and the Pitfalls of Piety«, in: *University of Toronto Quarterly* 35, 1966, S. 260 ff. und sein Fazit zur Frage nach der »Christlichkeit« des Gedichts: »we are left with two or three explicitly Christian references, an ethical system slightly less Christian than that of the Winnebago Indians, and a form of Christian religion for which the word ›crude‹ is not unkind«. (S. 262) Für ein detailliertes Referat der Forschungslage s. M. A. Parker, *Beowulf and Christianity,* New York – Bern – Frankfurt/M. – Paris 1987. Siehe auch aus der Perspektive unseres Vergleichs Tür von San Ambrogio – »Beowulf« S. Huntley Horowitz, »Beowulf, Samson, David and Christ«, in: *Studies in Medieval Culture* XII, 1978, S. 17 ff.
382  B. F. Huppé, *The Hero in the Earthly City. A Reading of Beowulf,* Binghampton (N. Y.) 1984, S. 36. Zu den Werten der angelsächsischen Heldenliteratur s. M. D. Cherniss, *Ingeld and Christ: Heroic Concepts and Values in Old English Christian Poetry,* Den Haag 1972.
383  Tolkien (wie Anm. 378), S. 26.

384 Huppé (wie Anm. 382), S. 32.
385 Zit. nach: *A New Critical History of Old English Literature,* hrsg. v. St. B. Greenfield – D. G. Calder, New York 1986, S. 208.
386 Gregor von Tours, *Historia Francorum* IV, 20, in: MGH Script. rer. Mer, I. 1, S. 153.
387 W. Haubrichs, »Christentum der Bekehrungszeit«, in: J. Hoops, *Reallexikon der Germanischen Altertumskunde.* Neue Auflage, Berlin 1973, Bd. 4, S. 553.
388 Ebda., S. 540.
389 Alkuin, *Epistolae ad Carolum,* in: MGH Epistolae Karolini aevi Bd. IV., S. 154.
390 Cherniss (wie Anm. 382), S. 79 ff.; J. Leyerle, »The Interlace Structure of Beowulf«, in: *Interpretations* (wie Anm. 378), S. 155 ff.
391 Alkuin, *Epistolae ad Carolum* CLXIII, in: PL 100, Sp. 425.
392 Die überzeugendste Interpretation und die ältere Lit. bei K. Hauck, »Auzon, das Bilder- und Runenkästchen«, in: Hoops (wie Anm. 386), Bd. 2, S. 514 ff. Weitere Stellungnahmen des Autors in: *Frühmittelalterliche Studien* 2, 1968 und 10, 1976.
393 Ders. (1968), S. 416; (1976), S. 515.
394 C. T. Berkhout/W. Steppe, »Beowulf-Codex«, in: *Lexikon des Mittelalters,* Bd. 2, S. 1928. Vgl. hierzu ausführlicher K. Sisam, *Studies in the History of Old English Literature,* Oxford 1953, S. 65 ff.
395 J. B. Friedmann, *The Monstrous Races in Medieval Art and Thought,* Cambridge (Mass.) 1981; ders., »The Marvels-of-the-East Tradition in Anglo-Saxon Art«, in: *Sources of Anglo-Saxon Culture,* hrsg. v. P. E. Szarmach, Kalamazoo (Mich.) 1986, S. 319 ff.; L. Jordan, »Demonic Elements in Anglo-Saxon Iconography«, in: ebda., S. 289 ff.; A. Perrig, »Erdrandsiedler oder die schrecklichen Nachkommen Chams. Aspekte der mittelalterlichen Völkerkunde«, in: *Die andere Welt. Studien zum Exotismus,* hrsg. v. Th. Koebner u. G. Pickerodt, Frankfurt a. M. 1987, S. 32 ff. Zu den Monstern in »Beowulf« s. nach Tolkien vor allem A. Bonjour, *Twelve Beowulf Papers,* Neuchâtel – Genf 1962, S. 97 ff.
396 Haubrichs (wie Anm. 387), S. 561.
397 Kemp 1989 (wie Anm. 32), S. 127 ff.
398 Ebda., S. 130 und die dort zit. Lit.
399 Leyerle (wie Anm. 389), S. 146 ff.
400 Ebda., S. 157.
401 Haubrichs (wie Anm. 387) und K. Schäferdiek, »Germanenmission«, in: RAC 10, S. 4541 ff. mit der einschlägigen Lit. Zu neuen Tendenzen der Forschung, vor allem in religionsgeschichtlicher Hinsicht, s. H.-J. Gilomen, »Volkskultur und Exempla-Forschung«, in: *Modernes Mittelalter* (wie Anm. 32), S. 165 ff.
402 Immer noch die beste Darstellung: V. H. Elbern, *Der karolingische Goldaltar von Mailand,* Bonn 1952.
403 B. Mohnhaupt, *Typologische Strukturen mittelalterlicher Heiligenzyklen,* Magisterarbeit Marburg 1991; ders., »Typologisch strukturierte Heiligenzyklen: Die Adalbertsvita der Gnesener Bronzetür«, in: *Hagiographie und Kunst,* hrsg. v. G. Kerscher, Berlin 1993, S. 357 ff.
404 Elbern (wie Anm. 401), S. 54.
405 Ebda., S. 40.
406 C. Geertz, *Local Knowledge. Further Essays in Interpretive Anthropology,* New York 1983, S. 275.
407 Um die Ikonographie der Washingtoner Verkündigung haben sich nach Panofsky vor allem verdient gemacht: J. L. Ward, »Hidden Symbolism in Jan van Eyck's *Annunciations*«, in: *The Art Bulletin* 57, 1975, S. 196 ff.; C. J. Purtle, *The Marian Paintings of Jan von Eyck,* Princeton 1982, S. 50 ff.

Farbtafeln

*Taf. 1   St. Georgen ob Judenburg, Fresken des Chorquadrats, Kuppel*

*Taf. 2   St. Georgen ob Judenburg, Fresken des Chorquadrats, Kuppel
und nördlicher Teil der Georgslegende*

*Taf. 3   Mailand, Museo del Duomo, Elfenbeintafel*

*Taf. 4   Mailand, Museo del Duomo, Elfenbeintafel*

ΧΑΓΟΓΚΟΥΑΕΝΠΑΗΜΟΟΥΔΙΑΤΟΟΕΓΥΝΑΙΚΑΛΥΓ
ΕΙΠΩΑΗΠΟΟΕΠΟΙΗΟΩΤΟΡΗΜΑΤΟΠΟΝΗΡΟ
ΤΟΥΤΟ ΚΑΙΑΜΑΡΤΗΟΟΜΑΙΕΝΑΝΤΙΟΝΤΟΥΘΥ
ΑΗΝΙΚΑΕΛΑΛΕΙΤΩΙΩΟΗΦΗΜΕΡΑΝΕΞΗΜΕΡΑΟ
ΚΑΙΟΥΧΥΠΗΚΟΥΟΕΝΑΥΤΗΚΑΘΕΥΔΕΙΝΜΕΤΑΥΗ
ΤΟΥΟΥΝΓΕΝΕΟΘΑΙΑΥΤΗ ΕΓΕΝΕΤΟΔΕΤΟΙΑΥΤ
ΤΗ ΗΜΕΡΑ ΕΙΟΗΛΘΕΝ ΙΩΟΗΦ ΕΙΟΤΗΝΟΙΚΙΑΝ
ΠΟΙΕΙΝΤΑΕΡΓΑΥΤΟΥΚΑΙΟΥΘΕΙΟΕΚΤΩΝΕΝΤ
ΗΧΕΕΟΩ ΕΠΕΟΠΑΟΑΤΟΑΥΤΟΝΤΩΝΙΜΑΤΙ
ΩΝΛΥΓΑΡΟΕΜΗΘΗΤΙΜΕΟΕΜΟΥ ΚΑΙΚΑΤΑΛΙ
ΠΑΜΕΤΑ ΤΑΙΜΑΤΙΟΧΕΡΟΕΙΝΑΥΤ ΕΕΦΥΓΕΝΚΑΙ
ΕΞΗΛΘΕΝΕΞΩ ΚΑΙ ΗΟ ΚΑΙΕΤΟΙΟΕΝΑΙΝΟΤΙ
ΚΑΤΑΛΙΠΕΝΤ ΙΜΑΤΙΑΑΥΤΟΥΕΝΤΑΙΟΧΕΡΟΙΝ
ΥΗΟΑΚΑΙ ΑΥΤΟΝ ΚΑΙ ΕΞΗΛΘΕΝΕΞΩ ΚΑΙΟΟ

*Taf. 5   Wien, Österreichische Nationalbibliothek, Wiener Genesis, fol. 16 r, Josephsgeschichte*

Taf. 6  Rossano, Erzbischöfliches Museum, Evangeliar, fol. 7v, Die Samariter-Parabel
und Propheten und Könige des Alten Testaments

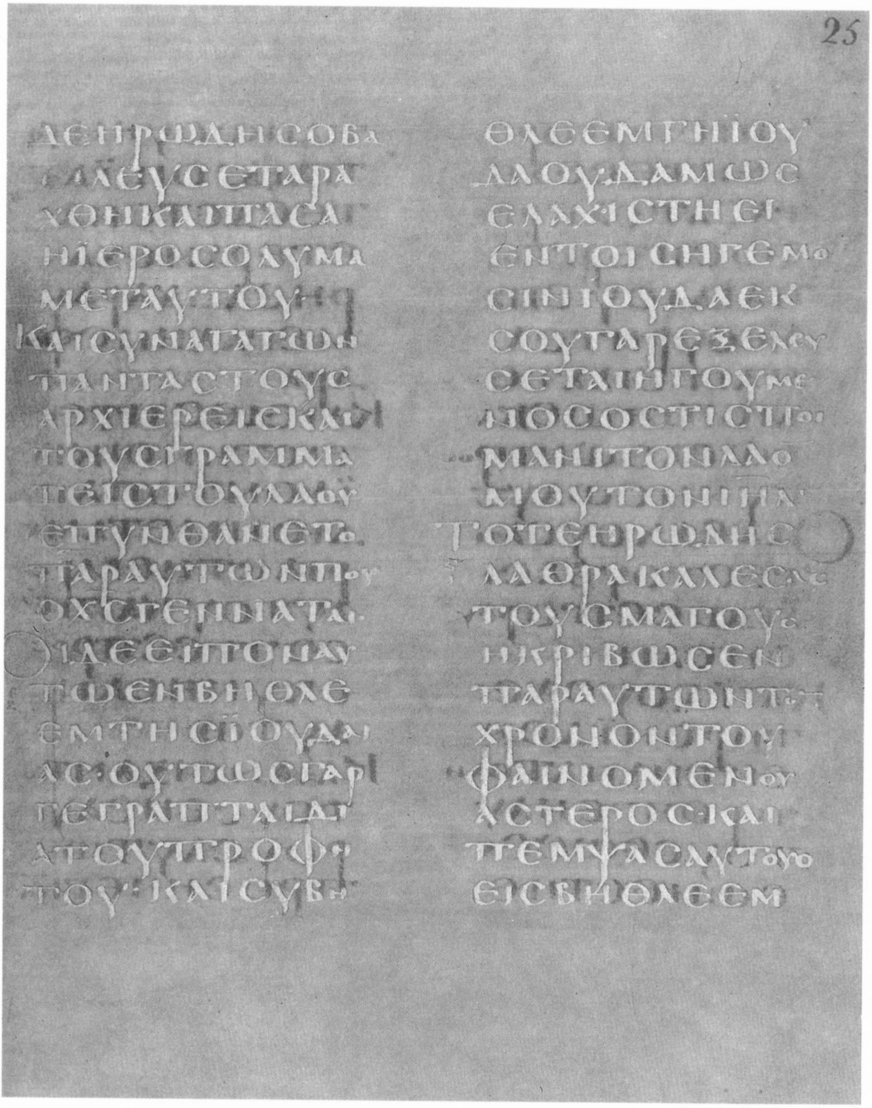

ΛΕΝΡΩΔΗCΟΒΑ     ΘΛΕΕΜΓΗΙΟΥ
ΓΛΕΥCΕΤΑΡΑ     ΛΛΟΥΔΑΜΩC
ΧΘΗΚΑΠΤΑCΑ     ΕΛΑΧΙCΤΗΕΙ
ΗΙΕΡΟCΟΛΥΜΑ     ΕΝΤΟΙCΗΓΕΜο
ΜΕΤΑΥΤΟΥ     CΙΝΙΟΥΔΑΕΚ
ΚΑΙCΥΝΑΤΑΤΩΝ     COΥΓΑΡΕΞΕλευ
ΠΑΝΤΑCΤΟΥC     CΕΤΑΙΗΓΟΥΜε
ΑΡΧΙΕΡΕΙCΚΑΙ     ΝΟCΟCΤΙCΠΟΙ
ΤΟΥCΓΡΑΜΜΑ     ΜΑΝΙΤΟΝΛΑΟ
ΤΕΙCΤΟΥΛΛΟΥ     ΜΟΥΤΟΝΙΗΛ
ΕΠΥΝΘΑΝΕΤΟ     ΤΟΤΕΗΡΩΔΗC
ΠΑΡΑΥΤΩΝΠΟΥ     ΛΛΘΡΑΚΑΛΕCαc
ΟΧΓΕΝΝΑΤΑΙ     ΤΟΥCΜΑΓΟΥC
ΟΙΔΕΕΙΠΟΝΑΥ     ΗΚΡΙΒΩCΕΝ
ΤΩΕΝΒΗΘΛΕ     ΠΑΡΑΥΤΩΝΤ
ΕΜΤΗCΙΟΥΔΑ     ΧΡΟΝΟΝΤΟΥ
ΑCΟΥΤΩCΓΑΡ     ΦΑΙΝΟΜΕΝΟΥ
ΓΕΓΡΑΠΤΑΙΔΙ     ΑCΤΕΡΟCΚΑΙ
ΑΤΟΥΠΡΟΦΗ     ΠΕΜΨΑCΑΥΤΟΥΟ
ΤΟΥ ΚΑΙCΥΒΗ     ΕΙCΒΗΘΛΕΕΜ

*Taf. 7    Rossano, Erzbischöfliches Museum, Evangeliar, fol. 13 r, Textseite*

*Taf. 8   Rom, Santa Maria Maggiore, Langhaus-Mosaik mit Abraham und Melchisedek (L 1)*

*Taf. 9    Rom, Santa Maria Maggiore, Langhaus-Mosaik mit der Philoxenie (L 2)*

*Rechts:*
*Taf. 10    Rom, Santa Maria Maggiore, Langhaus-Mosaik mit Testament und Tod des Moses (R 12)*
*Taf. 11    Rom, Santa Maria Maggiore, Triumphbogen-Mosaiken, Detail aus der Huldigung der Magier mit*
*dem thronenden Kind und den Gardeengeln*

*Taf. 10*

*Taf. 11*

*Taf. 12  Rom, Santa Maria Maggiore, Langhaus-Mosaik mit Jakob bei Isaak (L 9)*

Taf. 13  Rom, Santa Maria Maggiore, Langhaus-Mosaik mit Jakobs Vermählung mit Rahel (L 11)

*Taf. 14  Mailand, San Ambrogio, Bildertür, Samuel bei Isai (oben)
und der Hirte David, die wilden Tiere bekämpfend*

*Taf. 15   Mailand, San Ambrogio, Bildertür, Der Bote bei David (unten)*
*und Samuel, David zum König salbend*

*Taf. 16   Berlin, Staatliche Museen Preußischer Kulturbesitz, Skulpturensammlung,*
*Diptychon mit Moses und dem ungläubigen Thomas*